O LIVRO
DA SUA VIDA

OSHO

O LIVRO DA SUA VIDA

Crie o seu próprio caminho para a liberdade

Tradução

Denise de C. Rocha Delela

Título do original: *The book of understanding.*

Publicado mediante acordo com Harmony Books, uma divisão da Random House, Inc.

1ª edição 2007.

8ª reimpressão 2019.

Os textos contidos neste livro foram selecionados de vários discursos que Osho proferiu ao público durante mais de 30 anos. Todos os discursos foram publicados na íntegra em forma de livros, e estão disponíveis também na língua original em áudio. As gravações em áudio e os arquivos dos textos em língua original podem ser encontrados via online no site www.osho.com.

Dados Internacionais de Catalogação na Publicação (CIP)
(Câmara Brasileira do Livro, SP, Brasil)

Osho, 1931-1990
O livro da sua vida : crie o seu próprio caminho para a liberdade / Osho ; tradução Denise de C. Rocha Delela. — São Paulo : Cultrix, 2007.

Título original: The book of understanding.
ISBN 978-85-316-0975-6

1. Conduta de vida 2. Espiritualidade 3. Liberdade 4. Osho, 1931-1990 - Ensinamentos 5. Sabedoria I. Título.

07-3366 CDD-299.93

Índices para catálogo sistemático:

1. Espiritualidade : Osho : Religiões de natureza universal 299.93

Direitos de tradução para o Brasil
adquiridos com exclusividade pela
EDITORA PENSAMENTO-CULTRIX LTDA.,
Rua Dr. Mário Vicente, 368 — 04270-000 — São Paulo, SP.
Fone: (11) 2066-9000
E-mail: atendimento@editoracultrix.com.br
http://www.editoracultrixcom.br
que se reserva a propriedade literária desta tradução.
Foi feito o depósito legal.

Eu não acredito na crença. Minha filosofia é saber, e saber é uma dimensão totalmente diferente. Ela tem início na dúvida, não na crença. No momento em que acredita em algo, você pára de fazer perguntas. A crença é um dos piores venenos para a inteligência humana.

Todas as religiões se baseiam na crença; só a ciência se baseia na dúvida. E eu gostaria que a inquirição religiosa também fosse científica, baseada na dúvida, pois desse modo não precisaríamos acreditar; poderíamos algum dia conhecer a verdade do nosso ser, e a verdade de todo o universo.

Sumário

Prefácio

Uma nova espiritualidade para o século XXI

Não uma revolução política, mas uma rebelião individual

O revolucionário faz parte do mundo da política; ele se posiciona por meio da política. Na visão dele, mudar a estrutura social é suficiente para mudar o ser humano.

O rebelde, da maneira como eu uso esse termo, é um fenômeno espiritual. O seu posicionamento é absolutamente individual. Na visão dele, se queremos mudar a sociedade, temos de mudar o indivíduo. A sociedade em si não existe; ela é só uma palavra, como "multidão" — se você procurá-la, não vai encontrar em lugar nenhum. Sempre que você encontra alguém, encontra um indivíduo. "Sociedade" é só um nome coletivo — só um nome, não uma realidade —, sem nenhuma substância.

O indivíduo tem alma, tem uma possibilidade de evolução, de mudança, de transformação. Por isso a diferença é imensa.

O rebelde é a própria essência da religião. Ele oferece ao mundo uma mudança de consciência — e se a consciência muda, então a estrutura da sociedade não pode deixar de mudar. Mas o contrário não acontece, e isso já foi provado por todas as revoluções, pois todas elas foram em vão.

Nenhuma revolução jamais conseguiu mudar os seres humanos; mas parece que não nos demos conta desse fato. Ainda continuamos pensando em termos de revolução, tentando mudar a sociedade, mudar o governo, mudar a burocracia, mudar as leis, os sistemas políticos. Feudalismo, capitalismo, comunismo, socialismo, fascismo — todos eles foram revolucionários à sua própria maneira. Todos foram um fracasso, e um fracasso retumbante, porque o ser humano continuou o mesmo.

Pessoas como Gautama Buda, Zaratustra, Jesus — elas, sim, são rebeldes. A confiança delas está no indivíduo. Também não tiveram sucesso, mas o fracasso delas é completamente diferente do fracasso do revolucionário. Os revolucionários testaram a sua metodologia em muitos países, de muitas maneiras, e fracassaram. Mas a abordagem de Gautama Buda não foi bem-sucedida porque não foi testada. Jesus não saiu vitorioso porque os judeus o crucificaram e os cristãos o enterraram. Ele não foi posto à prova — não lhe deram nem uma chance. O rebelde ainda é uma dimensão inexplorada.

Temos de ser rebeldes, não revolucionários. O revolucionário pertence a uma esfera muito mundana; o rebelde e a sua rebeldia são sagrados. O revolucionário não pode agir sozinho; ele precisa de uma multidão, de um partido político, de um governo. Ele precisa de poder — e o poder corrompe, e o poder absoluto corrompe de modo absoluto.

Todos os revolucionários que conseguiram subir ao poder foram corrompidos pelo poder. Não conseguiram mudar a natureza do poder e das suas instituições; o poder os transformou, a eles e à mente deles, e os corrompeu. Só os nomes mudaram, a sociedade continuou a mesma.

A consciência humana não se desenvolve há séculos. Só muito de vez em quando alguém floresce — mas, em meio a milhões de pessoas, o florescimento de uma não é uma regra, é a exceção. E como a pessoa está sozinha, a massa não consegue tolerá-la. A existência dela passa a ser uma espécie de humilhação; sua própria presença parece ofensiva, porque ela abre os seus olhos, faz com que você tome consciência do seu próprio potencial e futuro. E dói saber que você não fez nada para crescer, para ser mais consciente, mais afetuoso, mais feliz, mais criativo, mais silencioso — para criar um mundo mais bonito à sua volta — isso é algo que fere o seu ego. Você não contribuiu com o mundo; a sua existência não está sendo uma bênção, mas uma maldição. Você trouxe para este mundo a sua raiva, a sua violência, o seu ciúme, o seu espírito competitivo, a sua sede de poder. Você fez do mundo um campo de batalha; tem sede de sangue e faz com que as outras pessoas também tenham. Você priva o ser humano da sua humanidade. Ajuda o homem a decair, descer mais baixo que a sua humanidade, às vezes até mais que os animais.

Por isso, alguém como Gautama Buda ou Chuang Tzu fere os seus sentimentos, pois eles floresceram e você continua na mesma. A primavera veio e se foi e nada floresceu em você. Os pássaros vieram, fizeram ninho nas redondezas e cantaram à sua volta. É melhor crucificar uma pessoa como Jesus e envenenar alguém como Sócrates — só para eliminá-los da face da terra e não despertar em você nenhum sentimento de inferioridade espiritual.

O mundo conheceu pouquíssimos rebeldes. Mas agora é a hora: se a humanidade se provar incapaz de produzir um grande número de rebeldes, um espírito rebelde, os nossos dias na terra estão contados. Então as décadas vindouras podem se tornar a nossa sepultura. Estamos quase chegando a isso.

Temos de mudar a nossa consciência, gerar mais energia meditativa neste mundo, criar mais afetuosidade. Temos de destruir o velho — a sua vilania, as suas ideologias desgastadas, os seus preconceitos infundados, as suas superstições idiotas — e criar um novo ser humano com novos olhos, novos valores. Uma ruptura com relação ao passado — esse é o significado da rebeldia.

Reforma, revolução e rebelião — essas três palavras o ajudarão a entender.

Reforma significa modificação. O velho permanece e você lhe confere uma nova forma, um novo formato — é como reformar um prédio antigo. A estrutura original continua a mesma; você só encobre os defeitos, faz uma faxina, abre novas portas e janelas.

A revolução é mais profunda que a reforma. O velho continua, mas são feitas mais mudanças, até mesmo na estrutura básica. Você não muda só a cor das paredes ou abre mais janelas e portas; pode também construir mais andares, elevando todo o prédio em direção ao céu. Mas o velho não é destruído, ele continua escondido por trás do novo; na verdade, ele continua sendo a própria base do novo. A revolução dá continuidade ao velho.

A rebelião é uma descontinuidade. Não é reforma, não é revolução; você simplesmente se desliga de tudo o que é velho — as velhas religiões, as velhas ideologias políticas, o velho ser humano — tudo isso é velho, e você se desliga disso. Começa vida nova, da etapa zero.

O revolucionário tenta mudar o que é velho; o rebelde simplesmente se afasta dele, como a cobra abandona a pele velha sem nunca olhar para trás.

A menos que criemos pessoas rebeldes desse tipo no mundo todo, a humanidade não tem futuro. O velho ser humano nos levou à morte definitiva. Foram a mente velha, as velhas ideologias, as velhas religiões antigas, todas elas combinadas que causaram esta situação de suicídio global. Só um novo ser humano pode salvar a humanidade e este planeta, e a vida magnífica deste planeta.

Eu ensino a rebelião, não a revolução. Para mim, a rebeldia é a qualidade essencial de uma pessoa religiosa. É a espiritualidade na sua forma mais pura.

Os dias da revolução pertencem ao passado. A revolução francesa não levou a nada, a revolução russa não levou a nada, a revolução chinesa não levou a nada. Na Índia, até a revolução de Gandhi fracassou, e fracassou diante dos olhos do próprio Gandhi. Ele pregou a não-violência durante toda a vida e diante dele o país se dividiu em dois; milhões de pessoas foram mortas, queimadas vivas; milhões de mulheres foram estupradas. O próprio Gandhi foi assassinado com um tiro. Esse é um estranho fim para um santo que pregou a não-violência.

E, nesse meio-tempo, ele próprio esqueceu tudo o que ensinou. Antes que a revolução estivesse ganha, um pensador norte-americano chamado Louis Fisher perguntou a Gandhi. "O que o senhor vai fazer com as armas, os exércitos e todo o aparato bélico quando a Índia se tornar um país independente?"

Gandhi respondeu, "Vou atirar todas as armas no mar e mandar todos os soldados para o campo, trabalhar na terra".

Então Louis Fischer perguntou, "Mas o senhor se esqueceu? Alguém pode invadir o seu país!"

Gandhi respondeu: "Nós lhes daremos as boas-vindas. Se alguém nos invadir, nós aceitaremos esse povo como hóspede e lhe diremos, 'Vocês podem viver aqui também, assim como nós vivemos. Não há por que lutar'".

Mas ele esqueceu completamente toda a sua filosofia — é assim que as revoluções caem por terra. É muito bonito falar a respeito dessas coisas, mas quando se tem o poder nas mãos... A princípio, Mahatma Gandhi não aceitou nenhum cargo no governo. Não aceitou por medo, pois o que ele ia dizer ao mundo todo se lhe perguntassem se não ia atirar as armas no mar? E quanto a mandar os soldados para o campo? Ele fugiu da responsabilidade pela qual tinha lutado a vida inteira, ao ver que ela o deixaria em maus lençóis. Se tivesse aceito o cargo no governo, teria de contradizer a sua própria filosofia.

No entanto, quem assumiu o governo foram os seus discípulos, pessoas escolhidas por ele. Gandhi não pediu que acabassem com as forças armadas; quando o Paquistão atacou a Índia, ele não disse aos governantes indianos, "Dirijam-se todos para as fronteiras e dêem as boas-vindas aos invasores, tratando-os como hóspedes". Em vez disso, ele abençoou os primeiros três aviões que iam bombardear o Paquistão. Esses aviões sobrevoaram a aldeia onde ele estava, em Nova Delhi, e ele saiu ao ar livre para abençoá-los. Com as bênçãos de Gandhi, eles seguiram em frente para destruir o seu próprio povo, que poucos dias antes eram "nossos irmãos e irmãs". E o mais vergonhoso: sem nem perceber a contradição...

A revolução russa malogrou diante dos olhos de Lênin. Seguindo a ideologia de Karl Marx, ele pregava, "Quando estourar a revolução, nós aboliremos o casamento, pois ele faz parte da propriedade privada. Quando não houver mais propriedade privada, também não haverá mais casamento. As pessoas podem ser amantes, podem viver juntas; as crianças ficarão sob a guarda da sociedade". Mas, quando o poder foi para as mãos do Partido Comunista e Lênin se tornou líder, tudo mudou. Depois que assumem o poder, as pessoas começam a pensar de outro modo. Lênin começou a achar que, se as pessoas se vissem livres de responsabilidades, poderia ser perigoso — elas ficariam individualistas demais. Então, que continuassem com o fardo da família sobre os ombros — eles esqueceram a idéia de acabar com a instituição familiar.

É estranho o modo como as revoluções fracassaram, fracassaram nas mãos dos próprios revolucionários, porque depois que assumem o poder eles passam a pensar de outras maneiras. Afeiçoam-se demais ao poder. Daí em diante, a sua única preocupação é encontrar meios de manter para sempre esse poder nas mãos e manter o povo sob seu jugo.

O futuro não precisa mais de revoluções. O futuro precisa de um novo experimento, que não foi testado ainda. Embora há milhares de anos tenham existido rebeldes, eles sempre agiram sozinhos — como indivíduos. Talvez ainda não fosse o momento certo de agirem. Mas agora não é apenas o momento certo... se as pessoas não se apressarem, já não haverá mais tempo. Nas próximas décadas, ou a humanidade desaparecerá ou um novo ser humano, com uma nova visão, surgirá sobre a terra. Esse novo ser humano será um rebelde.

Mundano *versus* extramundano

Entenda a grande divisão

Eu proponho uma nova religiosidade. Não será Cristianismo nem Judaísmo nem Hinduísmo; essa religiosidade não terá nenhum adjetivo vinculado a ela. Será puramente a qualidade de ser inteiro.

A religião fracassou. A ciência fracassou. O Oriente fracassou e o Ocidente fracassou. É preciso uma síntese mais elevada para que Oriente e Ocidente possam se integrar, para que ciência e religião possam se integrar.

O ser humano é como uma árvore, com suas raízes na terra e potencial para florescer. A religião fracassou porque só falou das flores — e essas flores são sempre filosóficas, abstratas; elas nunca se materializam. Não poderiam se materializar, porque não estão fincadas na terra. E a ciência fracassou porque só se preocupou com as raízes. As raízes são feias, e não parecem capazes de dar flores. A religião fracassou porque era extramundana e ignorou este mundo. Você não pode ignorar este mundo — ignorá-lo é ignorar as suas próprias raízes. A ciência fracassou porque ignorou o outro mundo, o espiritual; e você não pode ignorar as flores. Quando ignora as flores, o âmago mais profundo do ser, a vida perde o sentido.

Assim como as árvores, o ser humano também precisa de raízes — e as raízes só podem ficar na terra. As árvores precisam ficar a céu aberto para crescer, criar uma grande folhagem e dar milhares de flores. Só então a árvore chega à plenitude; só então a árvore ganha sentido e significado e a vida passa a ter relevância.

O Ocidente está sofrendo com o excesso de ciência e o Oriente, com o excesso de religião. Agora precisamos de uma nova humanidade em que religião e ciência tornem-se dois aspectos de uma só humanidade. Depois que tivermos trazido à existência essa nova humanidade, a terra pode se tornar, pela primeira vez, o que ela devia ser: um paraíso. Este próprio corpo, o Buda; esta própria terra, o paraíso.

Zorba, o Buda: o encontro entre o céu e a terra

O meu conceito de um novo ser humano é o de alguém que será Zorba o Grego e também Gautama o Buda: o novo ser humano será "Zorba o Buda" — sensual e espiritual. Físico, absolutamente físico — vivendo no corpo, com todos os sentidos, gostando do corpo e de tudo o que o corpo torna possível — e mesmo assim haverá ali uma grande consciência, um grande testemunho. Zorba o Buda — como nunca houve antes.

É disso que estou falando quando me refiro ao encontro entre o Oriente e o Ocidente, o encontro entre o materialismo e a espiritualidade. Essa é a minha idéia de Zorba o Buda: a união entre o céu e a terra.

Eu quero que não haja nenhuma esquizofrenia, nenhuma cisão entre matéria e espírito, entre o mundano e o sagrado, entre este mundo e o outro mundo. Não quero nenhuma cisão, porque toda cisão é uma cisão em você. E toda pessoa, todo ser humano que esteja dividido de si mesmo acaba ficando louco, ensandecido. Estamos vivendo num mundo louco e insano. Ele só recuperará a sanidade quando essa cisão puder ser desfeita.

A espécie humana viveu ou acreditando na realidade da alma e no caráter ilusório da matéria, ou na realidade da matéria e no caráter ilusório da alma. Você pode dividir a humanidade de antigamente em duas: aqueles que eram espiritualistas e aqueles que eram materialistas. Mas ninguém se preocupava em olhar a realidade do ser humano. Nós somos as duas coisas. Não somos só espiritualidade — só consciência — nem somos só matéria. Somos uma harmonia perfeita entre matéria e consciência. Ou talvez matéria e consciência não sejam duas coisas, mas só dois aspectos de uma única realidade: a matéria é o exterior da consciência e a consciência é a interioridade da matéria. Contudo, não existiu no passado nem um único filósofo, sábio ou místico religioso que tenha declarado essa unidade; eles eram todos a favor da divisão do ser humano, e consideravam um lado real e o outro, irreal. Isso criou um clima de esquizofrenia no mundo inteiro.

Você não pode viver como se fosse apenas um corpo. Foi isso que Jesus quis dizer quando afirmou, "Não só de pão vive o homem" — mas essa é só uma meia verdade. Você precisa da consciência, não pode viver só de pão, é verdade — mas também não pode viver sem pão. Você tem as duas dimensões no seu ser e ambas têm de ser satisfeitas, tem de ter a mesma oportunidade de crescimento. Mas o passado foi a favor da primeira e contra a segunda, ou a favor da segunda e contra a primeira. O homem não tem sido aceito na sua totalidade.

Isso causou sofrimento, angústia e uma enorme escuridão; uma noite que já dura milhares de anos e parece não ter fim. Se ouvir apenas o corpo, você se condena a uma existência sem sentido. Se não ouve o corpo, você sofre — fica com fome, fica pobre, fica com sede. Se ouvir apenas a consciência, o seu crescimento ficará desequilibrado. A sua consciência crescerá, mas o seu corpo vai definhar, e não haverá equilíbrio. Mas é no equilíbrio que está a sua saúde, é no equilibro que está a inteireza, é no equilíbrio que está a sua alegria, a sua canção, a sua dança.

O materialista preferiu ouvir o corpo e fazer ouvidos moucos para tudo que se refere à realidade da consciência. O resultado final é uma grande ciência, uma grande tecnologia — uma sociedade afluente, abundância de coisas mundanas, terrenas. E, em meio a toda essa abundância, existe um ser humano pobre e sem alma, completamente perdido — sem saber quem ele é, sem saber por que existe, sentindo-se quase um acidente da natureza, uma anomalia.

A menos que a consciência cresça no mesmo ritmo que a riqueza do mundo material, o corpo ficará pesado demais e a alma, debilitada. Você está oprimido pelas suas próprias invenções, pelas suas próprias descobertas. Em vez de criar uma vida bonita para você, elas criaram uma vida que, aos olhos das pessoas inteligentes, não vale a pena viver.

No passado, o Oriente optou por dar ênfase à consciência e condenar a matéria e tudo que fosse material, inclusive o corpo, relegando-os à condição de *maya*. Consideravam a matéria um fenômeno ilusório, uma miragem no deserto, que só parece existir, mas não tem realidade em si mesma. O Oriente criou um Gautama Buda, um Mahavira, um Patanjali, um Kabir, um Farid, um Raidas — um longo rol de pessoas de grande consciência, de grande percepção. Mas também criou milhões de pessoas pobres, famintas, morrendo à míngua, como cães — sem comida, sem água para beber, sem roupas, sem teto.

Situação estranha... Nos países desenvolvidos, a cada seis meses eles têm de jogar no mar milhões de dólares em alimentos por causa das supersafras. Eles não querem sobrecarregar seus armazéns, não querem baixar os preços e destruir sua estrutura econômica. Por um lado, milhares de pessoas morrem todos os dias na Etiópia; por outro lado, o Mercado Comum Europeu destrói tanta comida que o custo dessa destruição está na casa dos milhões de dólares. Esse não é o custo da comida; é o custo de jogá-la no mar. Quem é o responsável por essa situação?

O homem mais rico do mundo ocidental está em busca da sua própria alma e por dentro sente um vazio — sem amor, só volúpia; sem prece, só palavras que ele aprendeu na escola dominical e repete feito um papagaio. Ele não tem noção de espiritualidade, nenhum sentimento pelos outros seres humanos, nenhuma reverência pela vida, pelos pássaros, pelas árvores, pelos animais. Destruir é tão fácil! Hiroshima e Nagasaki nunca teriam acontecido se as pessoas não fossem vistas como meros objetos. Não haveria tantas armas nucleares caso o ser humano fosse considerado um deus não revelado, um esplendor não revelado — não para ser destruído, mas para ser descoberto, não para ser destruído, mas para ser trazido à luz — seu corpo, um templo para o espírito. Mas, se o ser humano é pura matéria — só química, física, um esqueleto coberto de pele —, então na morte tudo morre, nada mais resta. É por isso que Adolf Hitler pôde matar seis milhões de pessoas — se elas são apenas matéria, nem é preciso pensar duas vezes.

O Ocidente, em sua ânsia por prosperidade material, perdeu sua alma, sua interioridade. Cercado pela ausência de sentido, pelo tédio, pela angústia, ele não consegue encontrar a sua própria humanidade. Todo sucesso da ciência provou ser inútil — pois a casa está abarrotada de coisas, mas o dono da casa não está ali. No Oriente, o resultado final de séculos considerando a matéria ilusória e só a consciência real fez com que o dono da casa vivesse, mas a casa ficasse vazia. É difícil sentir alegria com a barriga roncando de fome, com o corpo debilitado, com a morte rondando você; é impossível meditar. Por isso, desnecessariamente, eles têm sido pessoas derrotadas.

Todos os santos e todos os filósofos — tanto os espiritualistas quanto os materialistas — são responsáveis por esse crime hediondo contra a humanidade.

Zorba o Buda é a solução. Ele é a síntese da matéria e da alma. É a declaração de que não existe conflito entre a matéria e a consciência, de que podemos ser prósperos nessas duas dimensões. Podemos ter tudo o que o mundo pode oferecer, tudo o que a ciência e a tecnologia podem produzir, e ainda assim podemos ter tudo o que alguém como Buda, Kabir, Nanak descobriram em seu mundo interior — as flores do êxtase, a fragrância da divindade, as asas da liberdade absoluta.

Zorba o Buda é o novo ser humano, é o rebelde. A rebelião consiste em acabar com a esquizofrenia da humanidade, em acabar com a divisão entre matéria e espírito — em acabar com a idéia de que a espiritualidade é contra o materialismo e que o materialismo é contra a espiritualidade. É um manifesto de que o corpo e a alma vivem em comunhão. A existência está plena de espiritualidade — até as montanhas estão vivas, até as árvores são sensíveis. É uma declaração de que toda a existência é tanto material quando espiritual — ou talvez se trate de uma única energia expressando-se de duas maneiras diferentes, como matéria e como consciência. Quando a energia é purificada, ela se expressa como consciência; quando a energia é bruta, grosseira, densa, ela surge como matéria. Mas toda a existência nada mais é que um campo de energia. Descobri isso por experiência própria, não se trata de filosofia. E a física moderna confirma com as suas pesquisas: a existência é energia.

Nós podemos ter os dois mundos ao mesmo tempo. Não precisamos renunciar a este mundo para ganhar o outro; nem temos de negar o outro mundo para aproveitar este. Na verdade, contentar-se só com um deles quando você pode ter os dois é ser desnecessariamente pobre.

Zorba o grego é a mais rica das possibilidades. Viveremos nossa natureza ao máximo e entoaremos as canções desta terra. Não trairemos a terra nem trairemos o céu. Aproveitaremos tudo o que esta terra tem — todas as flores, todos os prazeres — e também buscaremos todas as estrelas do céu. Trataremos toda a existência como a nossa casa.

Tudo que a existência contém é para nós, e temos de aproveitar isso de todas as maneiras possíveis — sem nenhuma culpa, sem nenhum conflito, sem ter de fazer escolhas. Aproveite indiscriminadamente tudo o que a matéria é capaz de oferecer e rejubile-se com tudo de que a consciência é capaz.

Existe uma antiga história...

Numa floresta perto de uma cidade viviam dois mendigos. Eram inimigos, naturalmente, como são todos os profissionais — dois médicos, dois professores, dois santos. Um ladrão era cego e o outro era aleijado, e eles eram muito competitivos; ficavam o dia inteiro competindo na cidade.

Mas uma noite a choça onde moravam pegou fogo, quando um grande incêndio assolou a floresta. O cego podia correr, mas não sabia para onde ir. Não podia ver em que lugares o fogo não se espalhara ainda. O aleijado podia ver onde ainda havia possibilidade de se escapar do fogo, mas não podia correr. O incêndio se espalhava rápido e o aleijado via que a sua morte estava próxima.

Eles se deram conta de que precisavam um do outro. O aleijado de repente chegou a uma constatação: "Esse homem, esse cego, pode correr e eu posso enxergar". Eles deixaram de lado toda competição. Num momento tão crítico, quando ambos estavam diante da morte, tinham de esquecer qualquer tola inimizade. Eles fizeram uma grande síntese: concordaram que o cego carregaria o aleijado nos ombros e eles sairiam dali como se fossem uma só pessoa — o aleijado enxergava e o cego corria, desse jeito eles se salvariam. E como um salvou a vida do outro, eles ficaram amigos; pela primeira vez esqueceram o antagonismo que existia entre eles.

Zorba é cego — ele não enxerga, mas pode dançar, pode cantar, pode se alegrar. O Buda enxerga, mas *só* pode enxergar. Ele é puramente olhos, só lucidez e percepção — mas não pode dançar. Ele é aleijado, não pode cantar nem pode se alegrar.

Chegou a hora. O mundo está em chamas e a vida de todo mundo está em perigo. O encontro entre Zorba e Buda pode salvar toda a humanidade. O encontro entre eles é a única esperança. Buda pode contribuir com a consciência, com a lucidez, com os olhos que vêem mais longe, que podem ver o que é quase invisível. Zorba pode oferecer todo o seu ser à visão de Buda — e a sua participação garantirá que isso não resulte apenas numa visão empedernida, mas num modo de vida que dança, se alegra, se extasia.

? O encontro entre Zorba e Buda é realmente possível? Se é, então por que outros líderes religiosos nunca pensaram nisso?

Primeiro é preciso entender que eu não sou um líder religioso. O líder religioso não consegue pensar nas coisas, não consegue ver as coisas como eu, pelo simples fato de que ele investiu demais na religião; eu não investi nada.

As religiões estão necessariamente dividindo as pessoas, criando uma dualidade na mente humana. Esse é o jeito que elas têm de explorar você. Se você for uma pessoa inteira, religião nenhuma pode controlá-lo. Mas, se você estiver fragmentado, então toda a sua força é destruída, todo o seu poder, toda a sua dignidade é esfacelada. Depois disso você pode virar cristão, hindu, muçulmano. Se deixam que você fique assim como chegou a este mundo — natural, sem nenhuma interferência dos supostos líderes religiosos, você terá liberdade, independência, integridade. Não pode ser escravizado. E todas as suas velhas religiões não estão fazendo nada além de escravizar você.

Para escravizá-lo, eles têm de criar um conflito dentro de você, de modo que você comece a brigar consigo mesmo. Quando se volta contra você, duas coisas fatalmente acontecem. Primeiro, você se sentirá infeliz, pois nenhuma parte de você pode jamais sair vitoriosa, você sempre será derrotado. Segundo, você ficará com tanto sentimento de culpa que não se sentirá digno de ser chamado de um ser humano de verdade, autêntico. É isso o que os líderes religiosos querem. Essa profunda sensação de desmerecimento é o que faz deles líderes. Você não pode depender de si mesmo porque sabe que não pode fazer nada sozinho. Você não pode fazer o que a sua natureza quer, pois a sua religião proíbe; também não pode fazer o que a sua religião quer, porque isso vai contra a sua natureza. Você se vê numa situação de total impotência: é preciso outra pessoa para assumir a responsabilidade por você.

A sua idade cronológica continua aumentando, mas a idade mental sofre um atraso, fica em torno dos 13 anos. Pessoas com esse atraso mental precisam muito de alguém que as guie, alguém que as leve a conhecer o objetivo da vida, o sentido da vida. Elas próprias são incapazes. Os líderes religiosos nunca poderiam ter pensado no encontro entre Zorba e Buda, pois esse seria o fim da sua liderança e o fim das suas pretensas religiões.

Zorba o Buda é o fim de todas as religiões. É o início de um novo tipo de religiosidade que não precisa de rótulos — nem Cristianismo, nem Judaísmo, nem Budismo. Ela consiste em simplesmente se alegrar, desfrutar esse imenso universo, dançar com as árvores, brincar na praia com as marolas, catar conchas só pelo prazer que isso dá. A maresia, o frescor da areia, o sol nascendo, uma boa caminhada — o que mais você quer? Para mim, isso é religião — ter prazer com o ar, ter prazer com o mar, ter prazer com a areia, ter prazer com o sol — porque não existe outro Deus que não seja a própria existência.

Zorba o Buda, por um lado, é o fim da antiga humanidade — das velhas religiões, políticas, nações, discriminações raciais, e todo tipo de estupidez. Por outro lado, Zorba o Buda é o início de uma nova humanidade — totalmente livre para ser ela mesma, para deixar a sua natureza florescer.

Não existe conflito entre Zorba e Buda. O conflito foi criado pelas chamadas religiões. Existe algum conflito entre o corpo e a alma? Existe algum conflito entre a sua vida e a sua consciência? Existe algum conflito entre a sua mão direita e a sua mão esquerda? É tudo uma coisa só, uma unidade orgânica.

O seu corpo não merece a sua condenação, mas a sua gratidão, pois ele é a coisa mais grandiosa da vida, a mais milagrosa; a maneira como ele funciona é simplesmente inacreditável. Todas as partes do seu corpo funcionam como uma orquestra. Os seus olhos, as suas mãos, as suas pernas estão numa espécie de comunhão interna. Não acontece de seus olhos quererem se voltar para o leste e as suas pernas para o oeste, ou você ter fome e a sua boca não querer comer. "A fome vem da minha barriga, então o que ela tem a ver com a boca?" — a boca entra em greve. Não, o seu corpo não tem conflito. Ele tem uma sincronia interior, tudo sempre funciona junto. E a sua alma não é algo que esteja em oposição ao seu corpo. Se o seu corpo é a casa, a alma é o hóspede, e não há por que o hóspede e o anfitrião brigarem o tempo todo. Mas a religião não podia existir sem essa sua briga consigo mesmo.

A minha insistência em dizer que você é uma unidade orgânica — quer dizer, o seu materialismo não está mais em oposição à espiritualidade — tem basicamente o propósito de banir todas essas religiões organizadas da terra. Quando o seu corpo e a sua alma começarem a caminhar lado a lado, dançando juntos, você se transforma em Zorba o Buda. A partir daí você pode aproveitar tudo o que existe nesta vida, tudo o que existe fora de você, e também pode aproveitar tudo o que existe dentro do seu ser.

Na realidade, o dentro e o fora operam em dimensões totalmente diferentes; eles nunca entram em conflito. Mas milhares de anos de condicionamento — ouvindo as pessoas lhe dizendo que, se você quer o interior, tem de renunciar ao exterior — criaram raízes profundas dentro de você. Se não fosse isso, tal idéia seria absurda... Se você pode desfrutar o interior, qual o problema em desfrutar o exterior? O prazer é o mesmo; ele é o elo de ligação entre o interior e o exterior.

Ouvir uma boa música, contemplar uma bela pintura ou admirar um dançarino como Nijinsky — tudo isso está fora de você, mas não é, de maneira alguma, um obstáculo para a sua alegria interior. Pelo contrário, é uma grande ajuda. A dança de Nijinsky pode despertar a qualidade adormecida da sua alma de modo que ela possa dançar também. A música de alguém como Ravi Shankar pode começar a tocar as fibras do seu coração. O exterior e o interior não estão divididos. Trata-se de uma única energia, dois aspectos da mesma existência.

Zorba pode se transformar num buda com mais facilidade que qualquer papa. Não existe nenhuma possibilidade de o papa, de seus supostos santos se tornarem realmente espirituais. Eles não conhecem nem mesmo as alegrias do corpo — como você pode achar que eles serão capazes de conhecer as alegrias sutis do espírito? O corpo é a escola onde você aprende a nadar, engolindo água. E, depois que aprende a nadar, a profundidade das águas não faz diferença. Você pode chegar até a parte mais profunda do lago; tanto faz para você.

Você precisa recordar a vida de Buda. Até os 29 anos, ele era um Zorba puro. Tinha as mulheres mais lindas do reino, dúzias delas. Todo o palácio era cheio de música e de dança. Ele tinha as melhores iguarias, as melhores roupas, lindos palácios, imensos jardins. Gozava mais a vida do que o pobre Zorba o Grego.

Zorba o Grego só tinha uma namorada — uma mulher velha e mal-acabada, uma prostituta que tinha perdido todos os clientes. Usava dentadura, peruca — e Zorba só era seu cliente porque não tinha dinheiro para pagar mais ninguém. Você pode chamá-lo de materialista, hedonista, e esquecer completamente os primeiros 29 anos da vida de Buda, que era bem mais opulenta. Dia após dia, esse príncipe chamado Sidarta vivia em meio ao luxo, cercado de tudo o que se pode imaginar. Ele vivia um mundo de sonho. Foi essa experiência que fez dele um buda.

Isso não costuma ser analisado dessa maneira. Ninguém dá atenção à primeira parte da vida dele — que é a própria base. Ele se enfastiou. Conheceu todos os prazeres do mundo exterior; agora ele queria algo mais, algo mais profundo, que não existia no mundo lá fora. Para ir mais fundo você precisa mergulhar. Na idade de 29 anos, ele deixou o palácio no meio da noite e saiu em busca do espiritual. Ele era Zorba saindo à cata de Buda.

Zorba o Grego nunca se tornou um buda simplesmente porque sua condição de Zorba ficou incompleta. Ele era um belo homem, cheio de disposição, mas pobre. Ele queria viver a vida plenamente, mas não teve oportunidade. Ele dançou, cantou, mas não conheceu as nuances mais elevadas da música. Não conheceu a dança em que o dançarino deixa de existir.

O Zorba dentro do Buda conheceu o que havia de mais excelso e mais profundo no mundo exterior. Ciente de tudo isso, ele estava pronto para empreender a sua busca interior. O mundo era bom, mas não tão bom assim; algo ainda estava faltando. Ele oferecia vislumbres momentâneos, e o Buda queria algo eterno. Todas essas alegrias findavam com a morte, e ele queria conhecer algo que não acabasse com a morte.

Se eu fosse escrever sobre a vida de Gautama Buda, começaria por Zorba. Depois que ele se familiarizou completamente com o exterior, e com tudo o que ele pode proporcionar, e sentiu mesmo assim que ele não fazia sentido, iniciou a sua busca — porque essa era a única direção que ele ainda não havia tomado. Ele nunca olhou para trás — não havia motivo, ele vivera plenamente! Ele não era um simples "buscador religioso" que não sabe nada sobre o exterior. Ele era um Zorba — e saiu em busca do interior com a mesma disposição e alegria de viver, com a mesma força, com o mesmo poder. E, obviamente, descobriu, no âmago do seu ser, o contentamento, a plenitude, o significado, a bênção que estava buscando.

É possível que você seja um Zorba e pare nesse ponto. Mas também é possível que não seja um Zorba e comece a buscar o Buda — você não vai encontrá-lo. Só um Zorba pode encontrar o Buda; de outro modo, você não tem força suficiente: você não viveu no mundo exterior, você o evitou. É um escapista.

Para mim, ser um Zorba é o início da jornada, e tornar-se um buda é o cumprimento da meta. As duas coisas podem acontecer no mesmo indivíduo — *só* podem acontecer no mesmo indivíduo. É por isso que eu não canso de dizer: não crie uma cisão na sua vida, não condene nada que se refira ao corpo. Viva — não a contragosto — viva totalmente, intensamente. O próprio ato de viver o preparará para outra busca. Você não tem de ser um asceta, não tem de abandonar a sua mulher, o seu marido, os seus filhos. Toda essa baboseira tem sido ensinada há séculos, e quantas pessoas — dos milhões de monges e freiras — quantas pessoas floresceram? Nenhuma.

Viva a vida sem dividi-la. E primeiro vem o corpo, primeiro vem o seu mundo exterior. No momento que a criança nasce ela abre os olhos, e a primeira coisa que vê é todo o panorama da existência em torno dela. Ela vê tudo exceto ela mesma — isso é para gente mais experiente. É para quem já viu tudo que havia para ver fora, viveu e se libertou.

A liberdade com relação ao mundo exterior não se conquista por meio do escapismo. Essa liberdade conquista-se vivendo a vida intensamente; depois disso não há lugar nenhum para onde ir. Só uma dimensão permanece, e é natural que você queira seguir nessa direção. E existe a sua condição de buda, a sua iluminação.

Você me pergunta, "É possível que Zorba e Buda se encontrem?" Essa é a única possibilidade. Sem Zorba não existe Buda. Zorba, evidentemente, não é o fim. Ele é a preparação para o Buda. Ele é as raízes; Buda é o florescimento. Não destrua as raízes; do contrário, não haverá nenhuma flor. São as raízes que mandam a seiva para as flores. Todas as cores das flores vêm das raízes; e todo o perfume das flores vem das raízes. Toda a dança das flores ao vento vem das raízes.

Não divida. Raízes e flores são as duas extremidades de um único fenômeno.

? Parece muito difícil integrar esses dois aspectos da vida, afinal isso vai contra todo o nosso condicionamento. Por onde devemos começar?

Faça as coisas com toda a sua alma, do modo mais intenso de que você for capaz.

Nada que você faça sem entusiasmo vai lhe dar alegria na vida. Só vai trazer sofrimento, ansiedade, tortura e tensão, pois sempre que faz alguma coisa sem entusiasmo você se divide em duas partes, e essa é uma das maiores calamidades que já aconteceu aos seres humanos — eles estão todos divididos. O sofrimento que existe no mundo não é nenhuma surpresa; é um resultado natural da falta de entusiasmo na vida, de fazer as coisas só com uma parte do seu ser, enquanto a outra está resistindo, se opondo, lutando.

E qualquer coisa que você faça só com a metade do seu ser vai lhe causar remorso, sofrimento e a sensação de que a outra parte, que não estava participando, talvez estivesse certa — pois, ao seguir uma parte, tudo o que você conseguiu foi uma vida de sofrimento. Mas eu lhe digo: se tivesse seguido a outra parte, o resultado seria o mesmo. Não é uma questão de saber qual das partes seguir, é uma questão de saber se você a seguiu com todo o seu ser ou não. Agir com todo o seu ser é o que traz alegria. Até mesmo uma ação trivial, comum, quando executada com todo o seu ser, lhe dá um novo ânimo, um sentimento de plenitude, de satisfação, um profundo contentamento. E qualquer coisa feita sem entusiasmo, por melhor que seja, vai lhe causar sofrimento.

O sofrimento não é resultado das suas ações, assim como a alegria também não é. A alegria surge quando você faz uma coisa de corpo e alma. Não importa o que você faça, vai acabar sofrendo, caso tenha feito de modo parcial. Viver uma vida sem entusiasmo é criar um inferno para si mesmo — e esse inferno vai ficando cada vez maior com o passar do tempo.

As pessoas perguntam, existe mesmo um inferno, existe mesmo um céu? — porque todas as religiões falam do céu e do inferno como se eles fizessem parte da geografia do universo. Eles não são fenômenos geográficos, eles estão na sua psicologia.

Quando a sua mente, quando o seu coração, quando o seu ser estiver sendo puxado em duas direções diferentes ao mesmo tempo, você está criando o inferno. E, quando você é total, é uno, uma unidade orgânica... nessa própria unidade orgânica, as flores celestiais começaram a desabrochar em você.

As pessoas continuam preocupadas com seus atos: Que tipo de atitude é certa e que tipo de atitude é errada? O que é bom e o que é ruim? No meu entendimento, não é uma questão de saber que ato você está praticando. Tudo depende da sua psicologia.

Se você o pratica de corpo e alma, ele é bom; se você está dividido, ele é ruim. Dividido você sofre; integrado, você dança, você canta, você celebra.

?

Você pode explicar um pouco mais a respeito da arte de equilibrar esses dois opostos? A minha vida é muitas vezes uma experiência cheia de extremos, em que parece difícil manter o caminho do meio por um tempo.

A vida consiste em extremos. A vida é uma tensão entre os opostos. Se você fica exatamente no meio o tempo todo, isso significa que está morto. O meio é só uma possibilidade teórica; só de vez em quando você consegue ficar no meio, é uma fase transitória. É como andar na corda bamba; não dá para ficar o tempo todo no meio; se tentar, você cai.

Ficar no meio não é um estado estático, é um fenômeno dinâmico. Equilíbrio não é um substantivo, é um verbo; é *equilibrar-se*. O equilibrista que anda na corda bamba vai endireitando o corpo mais para a esquerda ou mais para a direita. Quando acha que pendeu demais para um lado e corre o risco de cair, ele imediatamente recupera o equilíbrio pendendo para o lado oposto. Na transição da esquerda para a direita, aí sim, existe um momento em que o equilibrista está no meio. E, quando vai muito para a direita e fica com medo de cair, ele perde o equilíbrio e joga o peso para a esquerda, passando por um instante mais uma vez pelo meio.

É a isso que eu me refiro quando afirmo que o equilíbrio não é um substantivo, mas um verbo — é equilibrar-se, um processo dinâmico. Você não pode simplesmente ficar no meio. Você fica o tempo todo pendendo para a esquerda e para a direita; esse é o único jeito de ficar no meio.

Não evite os extremos e não escolha nenhum deles. Continue aberto para as duas polaridades — essa é a arte, o segredo do equilíbrio. Sim, às vezes ficar extremamente feliz e outras vezes ficar extremamente triste — os dois sentimentos têm a sua beleza.

A mente faz escolhas; é aí que surge o problema. Não escolha. Seja o que for que aconteça e onde quer que esteja — na direita ou na esquerda, no meio ou longe do meio — aproveite o momento em sua totalidade. Enquanto está feliz, dance, cante, toque uma música — seja feliz! E, quando a tristeza chegar — porque ela sempre chega, tem de chegar, é inevitável, não dá para evitar... Se tentar evitá-la você destruirá todas as possibilidades de felicidade. O dia não pode existir sem a noite, o verão não pode existir sem o inverno. A vida não pode existir sem a morte. Deixe que essa polaridade cale fundo dentro de você — não há como evitá-la. A única maneira de evitá-la é morrer um pouco a cada dia; só uma pessoa morta pode permanecer num meio estático. A pessoa viva está em constante movimento — passa da raiva para a compaixão e da compaixão para a raiva novamente — e aceita ambos, sem se identificar com nenhum dos dois, mas se mantendo alheia e ao mesmo tempo envolvida; distante, mas comprometida. A pessoa viva usufrui e ao mesmo tempo permanece como uma flor de lótus — na água, mas sem se deixar tocar por ela.

O seu próprio esforço para ficar no meio, e ficar no meio para sempre, está criando uma ansiedade desnecessária em você. Na verdade, o desejo de ficar no meio para sempre é outro extremo — a pior espécie de extremo, pois é impossível. Não pode ser alcançado. Pense num relógio antigo: se você segurar o pêndulo exatamente no meio, ele pára. O relógio só funciona enquanto o pêndulo está se movendo para lá e para cá. Sim, ele sempre passa pelo meio, e existe um momento em que fica exatamente ali, mas não passa de um momento.

E é tão belo! Quando você passa da felicidade para a tristeza, da tristeza para a felicidade, existe um momento de total silêncio, exatamente no meio — aproveite-o também.

A vida tem de ser vivida em todas as dimensões, só assim ela é rica. O que está sempre à esquerda é pobre, o que está sempre à direita é pobre e o que fica sempre no meio está morto! Se você está vivo, não pode ficar sempre à esquerda, sempre à direita ou sempre no meio — você fica em constante movimento, num fluxo.

Para começar, por que queremos ficar sempre no meio? Temos medo do lado sombrio da vida; não queremos ficar tristes, não queremos ficar num estado de agonia. Mas isso só é possível se você também estiver pronto para renunciar à possibilidade de ficar extasiado. Poucas pessoas fizeram essa escolha — essa é a opção do monge. Durante séculos, essa tem sido a opção do monge, pronto para sacrificar todas as possibilidades de êxtase só para evitar a agonia. Ele está pronto para destruir todas as rosas só para evitar os espinhos. Mas aí a vida dele fica tão monótona... vira um longo aborrecimento, desinteressante, estagnada. Ele não vive de verdade. Tem medo de viver.

A vida contém as duas coisas; traz uma grande dor e também um grande prazer. Dor e prazer são os dois lados da mesma moeda. Se você exclui um, também tem de excluir o outro. Esse tem sido um dos maiores mal-entendidos ao longo das eras, a idéia de que você tem de se livrar da dor e ter prazer, que você tem de evitar o inferno e ficar com o céu, que você tem de evitar o negativo e ficar só com o positivo. Essa é uma grande ilusão. Não é possível pela própria natureza das coisas. O positivo e o negativo estão juntos, inevitavelmente juntos, inextricavelmente juntos. Eles são dois aspectos da mesma energia. Temos de aceitar os dois.

Inclua tudo, seja tudo. Quando você estiver na esquerda, não perca nada — aproveite! Estar na esquerda é algo que tem a sua própria beleza, uma beleza que você não encontrará quando estiver na direita. Será um cenário diferente. E, é verdade, ficar no meio traz um silêncio, uma paz, que você não encontrará nos extremos. Então aproveite ao máximo. Continue enriquecendo a sua vida.

Você não consegue ver nenhuma beleza na tristeza? Medite sobre isso. Da próxima vez que estiver triste, não lute contra a tristeza. Não perca tempo lutando — aceite-a, dê a ela as boas-vindas, deixe que ela seja uma convidada de honra. Olhe bem dentro dela com amor, com carinho... seja um bom anfitrião! E você ficará surpreso, ficará tão surpreso que não conseguirá nem mesmo entender: a tristeza tem algumas belezas que a felicidade nunca terá. A tristeza tem profundidade, a felicidade é superficial. A tristeza tem lágrimas, e as lágrimas vão mais fundo do que qualquer risada. A tristeza tem um silêncio todo seu, uma melodia, que a felicidade nunca pode ter. A felicidade tem a sua própria canção, mas ela é mais ruidosa, não é só silêncio.

Eu não estou dizendo para você escolher a tristeza. Só estou dizendo para aproveitá-la também. Quando estiver feliz, aproveite a felicidade. Nade na superfície, e às vezes mergulhe fundo no rio. É o mesmo rio! Na superfície, brincam as marolas e as ondas, os raios de sol, o vento — ela tem a sua própria beleza. O mergulho profundo tem uma qualidade só sua; a sua própria aventura, os seus próprios perigos.

E não se apegue a nada. Há pessoas que se apegam à tristeza também — os psicólogos as conhecem bem, elas são as masoquistas. Não param de criar situações em que possam viver infelizes para sempre. O sofrimento é a única coisa de que gostam, elas têm medo da felicidade. O sofrimento as faz se sentir em casa. Muitos masoquistas tornam-se religiosos, porque a religião dá uma grande proteção à mente masoquista. A religião proporciona uma bela racionalização para o masoquismo.

Se for masoquista sem ser religioso, você se sentirá condenado e se sentirá doente, nervoso, e saberá que não é normal. Você se sentirá culpado pelo que está fazendo da sua vida e tentará esconder o masoquismo. Mas, se o masoquista se tornar religioso, ele passa a exibir esse traço da sua personalidade com muito orgulho, pois ele deixa de ser masoquismo — passa a ser ascetismo, austeridade. É "autodisciplina", não tortura. Só os rótulos mudaram — agora ninguém pode chamar a pessoa de anormal, ela é uma santa! Ninguém pode dizer que ela tem uma patologia; ela é devota, piedosa. Os masoquistas sempre se voltaram para a religião, ela exerce uma grande atração sobre eles. Na verdade, tantos masoquistas se voltaram para a religião ao longo das eras — e foi natural, esse movimento — que a religião acabou sendo dominada por eles. É por isso que a religião insiste tanto para que as pessoas sejam contra a vida, que a enxerguem como algo negativo. Ela é contra a vida, contra o amor, contra a alegria — ela continua insistindo em afirmar que a vida é um sofrimento. Ao afirmar que a vida é um sofrimento, ela racionaliza o seu próprio apego ao sofrimento.

Eu ouvi uma bela história — não sei até que ponto ela é verdadeira, não posso garantir.

No paraíso, uma tarde, no seu mais famoso café, Lao-Tsé, Confúcio e Buda batiam papo em volta de uma mesa. O garçom se aproximou segurando uma bandeja, onde havia três copos cheios de um suco chamado "Vida", e ofereceu a eles a bebida. Buda imediatamente fechou os olhos e recusou, dizendo "A vida é sofrimento".

Confúcio semicerrou os olhos — ele é adepto do caminho do meio, costumava pregar o meio-termo ideal — e pediu um copo ao garçom. Ele queria tomar um gole — mas só um gole, porque, se não provasse, como poderia saber se a vida é sofrimento ou não? Confúcio tem uma mente científica; ele não era propriamente um místico, tinha uma mente muito pragmática, muito materialista. Ele foi o primeiro behaviorista que o mundo conheceu, extremamente lógico. E parecia perfeitamente correto — ele disse, "Primeiro tenho de tomar um gole, para depois dizer o que eu acho". Ele tomou um gole e disse "Buda está certo, a vida é sofrimento".

Lao-Tsé pegou todos os três copos e disse, "A menos que a pessoa tome até o último gole, como poderá opinar a respeito?" Esvaziou os três copos e começou a dançar!

Buda e Confúcio lhe perguntaram, "Não vai dizer nada?" E ele respondeu, "Mas já estou dizendo — a minha dança e a minha música falam por mim!" A menos que você prove tudo, não pode dizer nada. E, depois que provar tudo, mesmo assim não poderá dizer nada, porque não há palavras para descrever o que sabe.

Buda está num extremo, Confúcio está no meio. Lao-Tsé bebeu os três copos — o copo trazido para Buda, o copo trazido para Confúcio e o copo trazido para ele. Ele bebeu os três; viveu a vida em sua tridimensionalidade.

Eu penso como Lao-Tsé. Viva a vida de todas as maneiras possíveis; não escolha uma coisa em detrimento da outra, e não tente ficar no meio. Não tente se equilibrar — o equilíbrio não é algo que possa ser cultivado. O equilíbrio é algo que acontece quando você experimenta todas as dimensões da vida. O equilíbrio é algo que *acontece*; não é algo que você possa conseguir por meio do esforço. Se você conseguir se equilibrar por meio do esforço, esse equilíbrio será falso, forçado. E você continuará tenso, não conseguirá relaxar, pois como uma pessoa que está tentando se equilibrar no meio pode relaxar? Você viverá com medo de que, se relaxar, poderá pender para a direita ou para a esquerda. Você vai viver empertigado, e se isso acontecer você deixará de aproveitar a oportunidade, toda a bênção da vida.

Não viva empertigado. Não viva a vida de acordo com princípios. Viva a vida em sua totalidade, sorva-a até a última gota! Sim, às vezes ela tem um gosto amargo — e daí? Esse gosto amargo é o que torna você capaz de apreciar a sua doçura. Você só será capaz de apreciar a doçura se tiver provado a amargura. Quem não sabe chorar também não sabe rir. Quem não sabe apreciar uma boa risada, uma gargalhada, só chora lágrimas de crocodilo. Elas não podem ser verdadeiras, não podem ser autênticas.

Eu não ensino o caminho do meio, eu ensino o caminho total. A partir daí o equilíbrio vem naturalmente, e esse equilíbrio será extremamente belo e gracioso. Você não precisa forçá-lo, ele simplesmente vem. Indo graciosamente para a esquerda, para a direita, para o meio, aos poucos você atinge o equilíbrio, pois não se identifica com nenhum deles. Quando a tristeza vem, você sabe que ela passará; e quando a felicidade vem, você sabe que ela também passará. Nada permanece; tudo passa. A única coisa que subsiste é o seu testemunho. Esse testemunho traz equilíbrio. Esse testemunho *é* equilíbrio.

Corpo e alma: uma breve história da religião

A religião passou por muitas fases. A primeira fase foi mágica, e ela não terminou ainda. Muitas tribos aborígines ao redor do mundo ainda vivem nessa primeira fase da religião, que se baseia em rituais mágicos de sacrifício para os deuses. Trata-se de um tipo de suborno para que os deuses ajudem ou protejam você. Qualquer coisa que, aos seus olhos, tem valor — seja comida, roupas, ornamentos, o que for —, você oferece aos deuses. Não que algum deus receba alguma coisa, evidentemente; o sacerdote recebe — ele é o mediador, ele lucra com isso. E o mais estranho é que, durante pelo menos dez mil anos, essa religião mágica, ritualística, cativou a mente humana.

São muitas as falhas — 99 por cento das tentativas não dão em nada. Por exemplo, as chuvas não caem na época certa; então a religião mágica acredita que, fazendo um sacrifício ritual, os deuses ficarão satisfeitos e a chuva cairá. De vez em quando a chuva de fato cai — mas também cai na região em que as pessoas não estão apaziguando os deuses nem fazendo rituais. Ela cai até mesmo nas terras dos inimigos das pessoas que pediram a ajuda dos deuses.

Essa chuva não tem nenhuma relação com os rituais, mas passa a ser uma prova de que eles surtiram efeito. O ritual malogra 99 por cento das vezes; é inevitável que isso aconteça, pois ele não tem nada a ver com o tempo. Não existe uma relação científica do tipo causa-efeito entre o ritual — a cerimônia do fogo, os mantras — e as nuvens e a chuva.

O sacerdote certamente é mais astuto que as pessoas que ele está explorando. Ele sabe perfeitamente bem o que está realmente acontecendo. Os sacerdotes nunca acreditam em Deus, lembre-se, eles não podem acreditar, mas *fingem* que acreditam mais do que todo mundo. Eles têm de fazer isso, essa é a profissão deles. Quanto maior a fé, mais multidões ele atrai, por isso ele finge. Mas eu nunca conheci um sacerdote que acreditasse na existência de um Deus. Como ele pode acreditar? Todo dia ele vê que só raramente, por mera coincidência, um ritual ou uma prece é bem-sucedida! A maioria não surte efeito. Mas ele sabe como explicar isso aos pobres: "O ritual de vocês não foi feito da maneira certa. Vocês não estavam cheios de pensamentos puros enquanto o realizavam".

Ora, quem está cheio de pensamentos puros? E o que é um pensamento puro? Por exemplo, no ritual jainista, as pessoas têm de jejuar. Mas, enquanto realizam o ritual, elas estão pensando em comida — esse é um pensamento impuro. Ora, uma pessoa faminta pensando em comida... Eu não sei como um pensamento desses pode ser impuro. É o pensamento certo. Na verdade, a pessoa está errada em continuar o ritual numa hora dessas; ela devia correr para um restaurante!

No entanto o padre tem uma explicação muito simples para justificar o fracasso do ritual. Deus nunca falha, ele está sempre pronto para proteger você — ele é o provedor, o criador, o mantenedor; ele nunca deixa você na mão. Mas *você* falha com *ele*. Embora esteja fazendo a prece ou realizando o ritual, você está cheio de pensamentos impuros. E as pessoas sabem que o sacerdote está certo — eles *realmente* estavam pensando em comida, ou numa bela mulher que passava e de repente surgiu a idéia de que ela era bonita e brotou o desejo de possuí-la. Eles afugentaram os pensamentos, mas era tarde demais; já havia acontecido. Todo mundo sabe que tem pensamentos impuros.

Ora, eu não vejo nada de impuro nisso. Se uma mulher bonita passa por um espelho, ele também refletirá a beleza da mulher — o espelho é "impuro"? A sua mente é um espelho, ela simplesmente reflete. E a sua mente tem consciência de tudo que está acontecendo à sua volta. Ela comenta, está sempre fazendo um comentário. Se você observar, ficará surpreso — você não encontraria um comentarista melhor. A mente diz que a mulher é bonita — e, se você sente desejo pelo belo, eu não vejo nada demais nisso. Se você sentir desejo pelo feio, *aí sim* há alguma coisa errada; você é doente. A beleza tem de ser apreciada. Quando você vê uma bela pintura, tem vontade de possuí-la. Quando vê qualquer coisa bonita, o pensamento é quase automático, "Se essa coisa linda fosse minha..." Ora, esses pensamentos são naturais! Mas o sacerdote dirá, "A chuva não veio por causa dos seus pensamentos impuros" — e você fica absolutamente desarmado. Você sabe que teve pensamentos impuros, fica com vergonha de si mesmo. Deus está sempre certo.

Contudo, esses pensamentos também estavam passando pela sua cabeça nas ocasiões em que a chuva de fato caiu; você era a mesma pessoa de sempre. Se estava com fome, você estava pensando em comida; se estava com sede, estava pensando em beber água. Esses pensamentos também lhe ocorreram quando a chuva veio, mas ninguém se incomodou com os seus maus pensamentos. O sacerdote começa a elogiar você, a sua grande austeridade, a sua prece fervorosa: "Deus ouviu as suas preces". E o seu ego fica tão inchado que você não diz, "Mas e os meus pensamentos impuros?" Quem pensaria em mencionar pensamentos impuros se foi bem-sucedido e teve as suas preces atendidas?

Na maioria das vezes ninguém ouve as preces, o céu continua limpo e nenhuma resposta é enviada. Mas a religião mágica continua de vento em popa.

A religião mágica é uma das mais primitivas que existem, mas ainda há resquícios dela na segunda fase; não há uma distinção muito clara entre uma e outra. A segunda fase é a pseudo-religião: o Hinduísmo, o Cristianismo, o Islamismo, o Judaísmo, o Jainismo, o Budismo, o Sikhismo — são mais de trezentos "ismos" ao todo. Essas são as pseudo-religiões. Elas foram um pouco mais longe do que a religião mágica.

A religião mágica é simplesmente ritualística. É um esforço para persuadir Deus a ajudar você. O inimigo vai invadir o seu país, não chove há muito tempo ou chove demais e os rios estão transbordando e as plantações estão sendo destruídas — sempre que se vê em dificuldade, você pede ajuda a Deus. Mas a religião mágica não é uma disciplina para você. Por isso as religiões mágicas não são repressoras. Elas ainda não estão interessadas na sua transformação, em mudar você.

As pseudo-religiões desviam a atenção de Deus e se voltam para você. Deus continua em cena, mas tem um papel mais secundário. Para o adepto da religião mágica, Deus está muito próximo; ele pode conversar com ele, pode persuadi-lo. As pseudo-religiões ainda carregam a idéia de Deus, mas agora ele está mais distante — muito mais distante. Agora o único jeito de alcançá-lo não é realizando rituais, mas promovendo uma mudança significativa no seu estilo de vida. As pseudo-religiões começam a moldar você e a mudá-lo.

As religiões mágicas deixam que as pessoas sejam como são — é por isso que os adeptos dessas religiões são mais naturais, menos falsos, mas mais primitivos, rudes, incultos. As pessoas que pertencem às pseudo-religiões são mais sofisticadas, mais instruídas, mais educadas. A religião para elas não é apenas um ritual, é toda uma filosofia de vida.

O uso da repressão começa nesse ponto, na segunda fase da religião. Por que todos os religiosos usaram a repressão como estratégia básica? Para quê?

É muito importante entender o fenômeno da repressão, porque as religiões sempre diferem uma da outra de um jeito ou de outro, num ou noutro aspecto. Não existem duas religiões que concordem em alguma coisa, a não ser no quesito repressão. Portanto, a repressão parece ser o maior recurso que elas têm nas mãos. O que fazem com ela?

A repressão é um mecanismo para escravizar você, para converter a humanidade a um regime de escravidão psicológica e espiritual. Muito antes de Sigmund Freud descobrir o fenômeno da repressão, as religiões já o usavam havia cinco mil anos, e com sucesso. A metodologia é simples — fazê-lo se voltar contra você mesmo. Mas ela faz milagres. Depois que se volta contra você mesmo, muitas coisas estão fadadas a acontecer. Primeiro, você vai se enfraquecer. Você nunca mais será a mesma pessoa forte que já foi um dia. Antes você era um só, agora você não é nem dois, mas muitos. Antes, você era uma única entidade indivisa, completa; agora você é uma multidão. Você ouve a voz do seu pai dentro de você, vinda de um fragmento; ouve a voz da sua mãe, vinda de outro fragmento, e dentro de você eles ainda estão brigando entre si — embora possam nem estar mais neste mundo. Todos os seus professores têm um compartimento dentro de você, e todos os sacerdotes com que já cruzou, todos os monges, todos os bons samaritanos, moralistas — eles todos têm um lugar dentro de você, que são pequenas fortalezas. Seja quem for que o tenha impressionado, essa pessoa passa a ser um fragmento dentro de você. Agora você é muitas pessoas — mortas, vivas, fictícias, de livros que você leu, de escrituras sagradas — que não passam de uma ficção religiosa, como a ficção científica. Se você se voltar para dentro, vai descobrir que está perdido em meio a uma grande multidão. Não consegue nem se reconhecer em meio a essa gente toda, nem saber qual é a sua face original. Eles todos fingem ser você, eles todos têm rostos iguais ao seu. Falam a sua língua e vivem brigando uns com os outros. Você vira um campo de batalha.

A força do indivíduo único acabou. A sua casa se dividiu e se voltou contra ela mesma e você não pode fazer nada com relação à sua integridade. Algumas partes dentro de você serão contra ela e outras serão a favor; e ainda existirão aquelas que serão absolutamente indiferentes. Se você faz alguma coisa, as partes que são contra não cansarão de lhe dizer que você fez errado; farão você se sentir culpado. As partes que são indiferentes fingirão que são santas, lhe dirão que você é uma criatura desprezível por ouvir pessoas que não compreendem. Portanto, seja o que for que você fizer ou deixar de fazer, você é condenado.

Você está sempre num dilema. Aonde quer que você vá, será derrotado, e grandes parcelas do seu ser estarão contra você. Em tudo que fizer, você estará sempre contando com o apoio da minoria. Isso significa que a maioria vai querer uma revanche — e de fato vai dá-la. Ela vai lhe dizer, "Se não fizer *isto*, você não vai poder fazer *aquilo*. Se não tivesse escolhido isto, você poderia ter escolhido aquilo. Mas você foi um idiota, não me ouviu. Agora sofra! Morra de remorso".

O problema é que você não consegue fazer nada com base na sua integridade sem que alguém mais tarde não o condene, não diga que você é burro, idiota.

Então, a primeira coisa é que as pseudo-religiões acabaram com a integridade, com a inteireza, com a força do ser humano. Isso é necessário caso você queira escravizar as pessoas — pessoas fortes não podem ser escravizadas. E trata-se de uma escravidão muito sutil, tanto psicológica quanto espiritual. Você não precisa de algemas nem correntes nem celas, nada disso — as pseudo-religiões têm esquemas muito mais sofisticados. E elas começam a entrar em ação desde o momento em que você nasce; não perdem tempo.

As religiões condenaram o sexo, condenaram o gosto pela comida — condenaram tudo de que você pode gostar — música, arte, canto, dança. Se observar este mundo afora e pesquisar todas as condenações de todas as religiões, você verá: juntas, elas condenaram o ser humano inteiro. Nem uma partezinha dele foi deixada de fora.

Sim, cada religião só condenou um pedacinho — porque, se condenasse a pessoa toda, ela podia simplesmente ficar histérica. Você tem de ter uma medida, para que ela se condene e sinta culpa, e depois queira se libertar dessa culpa e se disponha a pedir a sua ajuda. Você não pode condená-la a tal ponto que ela simplesmente fuja de você ou se jogue no mar e acabe com a própria vida. Isso não seria bom negócio.

Isso é bem semelhante ao que acontecia com os escravos antigamente. Eles recebiam comida — mas não o suficiente para que ficassem fortes demais e se rebelassem, nem tão pouco a ponto de morrer; se morressem o senhor teria prejuízo. Eles recebiam a quantidade certa de comida para que ficassem num meio-termo entre a vida e a morte, e pudessem continuar vivos e trabalhando. Só essa quantidade era dada, nada mais; do contrário, eles ainda teriam muita energia depois de trabalhar e essa energia poderia se transformar numa revolução. Eles poderiam começar a fazer conluios, ao perceber o que estavam fazendo com eles.

O mesmo fizeram as religiões. Cada religião se encarregou de um segmento do ser humano e condenou-o, fazendo-o se sentir culpado.

Depois que se sente culpado, você cai nas garras do sacerdote. Não pode mais fugir, porque ele é o único que pode livrar você das suas partes pecaminosas, que pode torná-lo capaz de se postar diante de Deus sem se envergonhar. Ele cria a ficção de Deus. Cria a ficção da culpa. Cria a ficção de que um dia você estará diante de Deus, por isso deverá estar cristalino e puro, num estado em que possa se postar diante dele sem sentir medo ou vergonha.

A coisa toda é fictícia. Mas é preciso lembrar: é verdade com relação às pseudo-religiões. E sempre que eu digo "todas as religiões", estou me referindo às pseudo-religiões; o plural é uma indicação do "pseudo".

Quando a religião se tornar científica, ela não irá mais para o plural. Nesse caso, ela será simplesmente religião e funcionará justamente ao contrário das pseudo-religiões. Sua função será livrá-lo de Deus, livrá-lo do céu e do inferno, livrá-lo do conceito de pecado original, livrá-lo da própria idéia de que você e a natureza estão separados — livrá-lo de qualquer tipo de repressão.

Com toda essa liberdade, você conseguirá compreender a expressão do seu ser natural, seja ela qual for. Não há por que se sentir envergonhado. O universo quer que você seja desse jeito, é por isso que você é desse jeito. O universo precisa que você seja desse jeito, do contrário ele teria criado outra pessoa, não você. Portanto, no meu entender, não ser você mesmo é a única coisa irreligiosa que você pode fazer.

Seja você mesmo sem se impor condições, sem se prender por amarras — seja simplesmente você mesmo e você será religioso, porque será saudável, será inteiro. Você não precisa de sacerdote, não precisa de psicanalista, não precisa da ajuda de ninguém, pois não está doente, não é defeituoso, não vive paralisado. Todo defeito e toda paralisia desaparecem quando você encontra a liberdade.

A religião pode ser condensada em uma única frase: liberdade total para ser você mesmo.

Exprima o que sente e o que pensa de todas as maneiras possíveis, sem sentir medo. Não há nada a temer, não há ninguém para puni-lo ou recompensá-lo. Se você expressar o seu ser da maneira mais verdadeira possível, no seu fluxo natural, você será imediatamente recompensado — não amanhã, mas hoje; aqui e agora.

Você só é punido quando vai contra a sua natureza. Mas essa punição é um auxílio, é simplesmente uma indicação de que você se distanciou da sua natureza, de que você se desviou um pouco, perdeu o rumo — então volte. A punição não é uma vingança, não! A punição é só um esforço para despertá-lo: "Ei, o que você está fazendo?" Alguma coisa está errada, alguma coisa está contra você. É por isso que surge a dor, a ansiedade, a angústia.

Quando você é natural e se expressa assim como as árvores e os pássaros — que têm mais sorte, porque nenhum pássaro nunca quis ser sacerdote e nenhuma árvore jamais teve a idéia de ser psicanalista —, assim como as árvores, os pássaros e as nuvens, você se sentirá em casa na existência.

E estar em casa é o ponto principal da religião.

Entre aquelas que você chama de pseudo-religiões, você vê alguma diferença significativa entre as que se originaram no contexto ocidental e as que se originaram no Oriente?

Nos últimos dois mil anos, nenhuma outra religião causou tanto mal à humanidade quanto o Cristianismo. O Islamismo tentou competir com ela, mas não conseguiu se equiparar. Ele chegou perto, mas o Cristianismo continua no topo. Ele massacrou as pessoas, queimou-as vivas. Em nome de Deus, da verdade, da religião, ele assassinou e massacrou as pessoas — visando aos seus próprios interesses, ao seu próprio bem.

E, quando o assassino mata em benefício próprio, ele não sente culpa nenhuma. Pelo contrário, acha que fez um bom trabalho. Prestou um serviço à humanidade, a Deus, a todos os grandes valores, como o amor, a verdade, a liberdade. Ele se enche de entusiasmo. Acha que se tornou um ser humano melhor. Quando os crimes são usados pelas pessoas para que elas se sintam seres humanos melhores... Essa é a pior coisa que pode acontecer a uma pessoa. Agora ela começará a praticar atos vis, achando que está praticando o bem. Destruirá o bem, achando que isso é bom.

Esse é o pior tipo de "indoutrinação" que o Cristianismo incutiu na mente das pessoas. A idéia da cruzada, da guerra religiosa, é uma grande contribuição do Cristianismo. O Islamismo aprendeu com o Cristianismo; eles não podem reivindicar a autoria da idéia. Eles a chamam de *jihad*, guerra santa, mas só surgiram quinhentos anos depois de Jesus. O Cristianismo já tinha introjetado nas pessoas a idéia de que a guerra também pode ser religiosa.

Ora, uma guerra como essa é irreligiosa.

Não pode existir algo como uma cruzada, uma guerra santa.

Se você diz que uma guerra é santa, então o que resta para você chamar de pecaminoso?

Essa é uma estratégia para destruir o raciocínio das pessoas. Quando pensam na cruzada, não acham que haja alguma coisa errada; eles estão lutando em nome de Deus e contra o diabo. Mas não existe nenhum Deus e nenhum diabo — você está simplesmente lutando contra pessoas e tirando a vida delas. E que negócio é esse, afinal? Se Deus não pode destruir o diabo, você acha que pode? Se Deus é impotente e não pode destruir o diabo, o papa pode? Os cristãos podem? Jesus pode? E Deus convive com o diabo faz uma eternidade!

Mesmo hoje as forças do mal são mais poderosas do que as forças do bem, pela simples razão de que as forças do bem também estão nas mãos das forças do mal.

Chamar uma guerra de religiosa, santa, é a causa da guerra — porque a Primeira Guerra Mundial aconteceu no contexto cristão, a Segunda Guerra Mundial aconteceu no contexto cristão e a Terceira Guerra Mundial vai acontecer no contexto cristão.

Existem outras religiões também, mas por que essas duas grandes guerras aconteceram no contexto cristão? O Cristianismo não pode fugir da sua responsabilidade. Depois que você dissemina a idéia de que uma guerra pode ser santa, não pode mais monopolizar essa idéia.

Adolf Hitler dizia ao seu povo, "Esta guerra é santa"; era uma cruzada. Ele estava simplesmente usando a contribuição do Cristianismo. Ele era cristão e acreditava ser a reencarnação do profeta Elias. Ele se equiparava a Jesus Cristo, talvez se achasse até melhor, porque ele estava tentando fazer o que Jesus não conseguiu. Tudo o que Jesus conseguiu foi ser crucificado. Adolf Hitler quase foi bem-sucedido. Se ele tivesse conseguido o que queria — e ele tinha 99 por cento de chance de que isso acontecesse, só faltou 1 por cento —, o mundo todo teria sido purificado de todos os judeus, de todos os que não eram cristãos. O que teria restado?

Você sabia? — Adolf Hitler foi abençoado pelo arcebispo alemão, que lhe disse, "Você vai vencer porque Cristo está do seu lado e Deus também está". E os mesmos idiotas também abençoaram Winston Churchill, dizendo, "Cristo está com você e Deus também está — a sua vitória é certa". Os mesmos idiotas, até um pouco piores, estavam no Vaticano, pois o Vaticano é só uma parte de Roma, e Mussolini estava sendo abençoado pelo papa — um representante, uma representante infalível, de Jesus Cristo.

Pode-se achar que o arcebispo alemão não é infalível, que o arcebispo da Inglaterra não é infalível — podemos até perdoá-los, são pessoas falíveis —, mas e o que dizer do papa, que durante séculos foi considerado infalível pelos cristãos? Ora, esse papa infalível abençoou Mussolini, para que saísse vitorioso, porque "ele estava lutando por Jesus Cristo e por Deus" — e Mussolini e Adolf Hitler são do mesmo partido. Juntos, eles estavam querendo conquistar o mundo inteiro.

Talvez o papa tivesse esperança de que, se Mussolini vencesse, o Cristianismo teria mais chance de se tornar uma religião universal. Faz dois mil anos que eles estão tentando fazer do Cristianismo a religião universal, para destruir todas as outras religiões.

No Jainismo, não existe essa idéia de guerra santa. Nenhuma guerra é santa. Você pode lutar em nome da religião, mas o próprio ato de lutar é irreligioso. O Budismo também não tem esse conceito de guerra santa; por isso, o Jainismo e o Budismo nunca contribuíram para criar nenhuma guerra — e a história dessas religiões é muito antiga. O Jainismo existe há pelo menos dez mil anos e nunca criou nenhuma guerra, nem santa nem profana. O Budismo também é mais antigo que o Cristianismo, quinhentos anos mais antigo, e tem tantos adeptos quanto o Cristianismo — com exceção da Índia, a Ásia inteira é budista —, mas nunca deflagrou nenhuma guerra.

O Cristianismo merece todo o crédito por tornar a guerra, a coisa mais detestável da vida humana, algo santo. E, por trás do nome "cruzada", você pode fazer qualquer coisa: estuprar mulheres, queimar pessoas vivas, matar crianças inocentes, idosos — qualquer coisa. Esse termo é uma espécie de camuflagem: trata-se de uma guerra santa, uma cruzada. Mas, na verdade, todas essas outras coisas acontecem por trás dele. Todas as armas atômicas, as armas nucleares, foram produzidas no contexto cristão.

Não que falte inteligência ao resto do mundo. Se a China pode produzir Confúcio, Lao-Tsé, Chuang Tzu, Mencius, Lieh Tzu, não há razão para não poder produzir também um Albert Einstein, um Lord Rutherford. Em vez disso, a China foi a primeira a criar a imprensa escrita, e já existe há três mil anos.

Na Índia, eles foram capazes de produzir um homem como Patanjali, que criou, numa cartada só, todo o sistema da ioga; conseguiram produzir Gautama o Buda, Mahavira o Jaina — grandes filósofos, místicos. Três mil anos atrás viveu, na Índia, Sushrut, um grande médico e cirurgião. Em seus livros ele descreve algumas das cirurgias mais complexas que existem hoje em dia — até mesmo cirurgias no cérebro, e com todo o instrumental. Se esses países foram capazes de produzir esses tipos de gente, o que lhes faltava? Por que não produziram bombas atômicas? A Índia produziu a matemática, sem a qual nenhuma ciência seria possível. Sete mil anos atrás, eles criaram a base da matemática, mas nunca usaram seu conhecimento da matemática com propósitos destrutivos. Eles o usaram com propósitos construtivos, pois nenhuma religião os incentivava a guerrear. Todas as religiões indianas pregavam que a guerra era um ato vil — quanto a isso não havia discórdia —, e esses países não apoiariam nenhum programa, nenhum projeto, nenhuma pesquisa que os levasse à guerra.

Estou dizendo isso para deixar claro que foi o Cristianismo o responsável por dar à ciência o incentivo para a guerra. Se ele tivesse criado uma atmosfera de não-violência e não tivesse chamado a guerra de santa, teríamos evitado essas duas guerras mundiais; e sem elas, a terceira certamente não aconteceria. Essas duas guerras são passos absolutamente necessários para que ocorra uma terceira; eles já levaram a humanidade rumo a uma terceira. Ela já está se preparando para essa terceira guerra, e não há como voltar atrás, dar meia-volta.

O Cristianismo não só corrompeu a ciência, como também concebeu, ele próprio, ideologias estranhas, ou de modo direto ou em reação a alguma coisa. Em ambos os casos, ele é responsável. A pobreza existe neste mundo há milhares de anos, mas o comunismo é uma contribuição cristã. E não se deixe enganar pelo fato de Karl Marx ser judeu, pois Jesus também era judeu. Se um judeu pode dar origem ao Cristianismo... O contexto de Karl Marx é cristão, não é judeu. A idéia quem deu foi Jesus Cristo. No momento em que disse, "Abençoados sejam os pobres, pois eles herdarão o reino dos céus", ele plantou a semente do comunismo.

Ninguém disse isso de modo tão direto, porque, para dizer assim, você precisa ser um louco como eu — que não só dá nome aos bois, mas diz que os bois são uns filhos da mãe! Qual o problema de dar nome aos bois?

Depois que Jesus deu a idéia de que "Abençoados sejam os pobres, pois eles herdarão o reino dos céus", transformá-la num comunismo mais prático e pragmático foi brincadeira de criança. Em essência, o que Marx disse foi: "Abençoados sejam os pobres, pois eles herdarão a terra". Ele simplesmente usou o jargão espiritual com objetivos políticos práticos.

"Reino de Deus" — quem pode saber se ele existe ou não? Mas por que perder essa oportunidade se você pode ganhar o reino da terra? Todo o comunismo se baseia nessa única afirmação de Jesus. É só uma questão de mudá-la um pouquinho, deixar de lado a baboseira esotérica e enxertar um pouco de política prática. Sim, abençoados são os pobres, porque deles será o reino desta terra — é isso o que Karl Marx está dizendo.

O estranho é que em lugar nenhum — no contexto do Budismo, do Hinduísmo, do Jainismo, do Sikhismo, do Taoísmo ou do Confucionismo — o comunismo aparece; ele só aparece no contexto do Cristianismo. Isso não é algo acidental, porque, como você pode ver, o fascismo também aparece no contexto do Cristianismo. O Socialismo, o Socialismo fabiano, o Nazismo — todos eles são rebentos do Cristianismo, filhos de Jesus Cristo. Ou então diretamente influenciados por ele... pois foi ele quem disse, "É mais fácil passar um camelo pelo fundo de uma agulha do que entrar um rico no reino de Deus".

O que você acha desse homem? Ele não é comunista? Se não é comunista, então o que ele é? Nem Karl Marx, Engels, Lênin, Stalin ou Mao Tsé-tung fizeram uma afirmação tão contundente como esta: um rico não pode entrar no reino de Deus. E você vê a comparação que ele faz? É possível um camelo — é impossível! — passar pelo fundo de uma agulha? Ele diz que até isso é possível, mas um rico entrar no reino de Deus é impossível. Se lá é impossível, então por que seria possível aqui? Vamos fazer com que seja impossível também. Foi o que Marx fez.

Na realidade, o que Jesus apresentou no campo da teoria, Marx apresentou num viés mais prático. Mas o teórico original foi Jesus. Karl Marx pode nem ter percebido, mas em nenhum outro contexto o comunismo é possível. Em nenhum outro contexto Adolf Hitler é possível. Na Índia, se você quer se declarar um homem de Deus, você não pode ser alguém como Adolf Hitler. Você não pode nem pertencer ao mundo da política, não pode nem sequer votar. Não pode matar milhões de judeus, ou milhões de pessoas que pertençam a outras religiões, e ainda dizer que você é a reencarnação do antigo profeta Elias.

Na Índia, milhares de pessoas dizem que são encarnações de alguém, que são profetas, *tirthankaras*, mas a vida deles tem de ser uma prova disso. Talvez eles sejam uma farsa, a maioria deles é — mesmo assim, ninguém pode ser um Adolf Hitler e ainda assim dizer que é um profeta, que é um homem religioso.

Uma vez o presidente do partido nazista americano escreveu uma carta para mim dizendo, "Ouvimos dizer que você está falando mal de Adolf Hitler — isso fere os nossos sentimentos religiosos". Eu raramente me surpreendo com alguma coisa, mas isso me surpreendeu: "sentimentos religiosos"?! "Porque, para nós, Adolf Hitler é o profeta Elias, e esperamos que você não volte a falar mal dele no futuro."

Não dá para imaginar isso acontecendo na Índia ou na China ou no Japão — é impossível. Mas, no contexto cristão, é possível — não só é possível, como aconteceu! E, se Hitler tivesse vencido a guerra, ele teria sido proclamado o responsável por dizimar o mal da face da terra e converter toda a humanidade ao Cristianismo. E ele teria feito isso, tinha esse poder.

Eu não estou dando uma atenção especial ao Cristianismo, mas ele merece. Ele causou muito mal, muito prejuízo. É impossível acreditar que as pessoas ainda insistam em mantê-lo vivo. As igrejas deviam ser demolidas, o Vaticano deveria ser completamente eliminado. Ninguém precisa dessa gente. Tudo o que fizeram, fizeram errado. As outras religiões também fizeram errado, mas não fizeram nada comparado ao que o Cristianismo fez.

A Igreja explora a pobreza das pessoas para convertê-las ao Cristianismo. Sim, o Budismo converteu pessoas, mas não porque elas estavam famintas e foram alimentadas; e porque foram alimentadas elas começaram a se sentir devedoras. Se você der a elas roupas, se lhes proporcionar outras facilidades — instrução para as crianças, hospitais para os doentes —, é claro que elas se sentirão devedoras. E depois você começa a perguntar a elas, "O que o Hinduísmo fez por você? O que o Budismo fez por você?"

Naturalmente, o Budismo, o Hinduísmo, o Jainismo nunca abriram nenhum hospital, nenhuma escola; eles nunca prestaram esse tipo de serviço. Isso é só um argumento. E essas pessoas ficam tão gratas que certamente sentem que nenhuma outra religião fez nada para ajudá-las, e se tornam cristãs. Esse não é um jeito muito honesto, é subornar as pessoas. Não é conversão, é comprar as pessoas porque são pobres. Você está tirando vantagem da pobreza.

O Budismo converteu milhões de pessoas, mas por meio da inteligência. A conversão aconteceu na camada mais alta, por meio dos reis, imperadores, mestres, grandes escritores, poetas e pintores. Vendo que as pessoas inteligentes se tornavam budistas, as outras fizeram o mesmo. Os jainistas converteram imperadores. A sua primeira meta era modificar a nata da sociedade, o extrato superior, porque isso deixava tudo mais simples: as pessoas comuns automaticamente entenderiam que, se a *intelligentsia* tinha se convertido ao Jainismo, isso significava que a sua antiga religião não tinha conseguido defender muito bem as suas doutrinas, o seu ponto de vista. Algo melhor tinha surgido — algo mais sofisticado, mais lógico e racional.

Mas no mundo todo, os cristãos se voltaram para as camadas inferiores. E sempre existiram pobres; acontece que explorar a pobreza para amealhar mais adeptos para a sua religião é pura política — quero dizer que é jogo sujo. A política é um jogo de números. Quantos cristãos existem no mundo todo — o seu poder depende desse número. Quanto mais cristãos existirem por aí, mais poder estará nas mãos do clero cristão. Ninguém está interessado em salvar ninguém, só em aumentar o número de fiéis. O que o Cristianismo tem feito é condenar sistematicamente qualquer método de controle da natalidade, afirmando que é pecado usar qualquer um deles. É pecado acreditar no aborto ou propagar o aborto, ou legalizá-lo.

Você acha que eles estão interessados nos fetos abortados? Não, não estão, eles não têm nada a ver com esses fetos. Eles defendem seus interesses sabendo muito bem que, se o aborto não for praticado, se os métodos de controle de natalidade não forem praticados, então a humanidade inteira vai cometer um suicídio global. E isso não está tão longe assim de acontecer. Dentro de algumas décadas a população mundial pode ter crescido tanto que não consiga mais sobreviver. Ou terá de dar início a uma terceira guerra mundial... que será o método mais seguro de resolver o problema; com armas nucleares as pessoas morrerão mais rápido, mais facilmente, com mais conforto do que se morressem de fome. Uma pessoa com fome pode se manter viva por até três meses, e esses três meses serão um verdadeiro tormento. Eu conheço a fome na Índia. Mães vendem os filhos por uma rúpia. Mães comem os próprios filhos. Você não pode imaginar até onde a fome pode levar uma pessoa.

Mas o Vaticano continua transmitindo a mesma mensagem à humanidade — "Aborto é pecado. O controle da natalidade é pecado". Ora, em nenhuma passagem da Bíblia o aborto é pecado. Em nenhuma passagem da Bíblia o controle de natalidade é pecado, porque nenhum controle de natalidade era necessário. De cada dez crianças, nove morriam. Essa era a proporção, e ainda era na Índia há apenas trinta ou quarenta anos atrás: de cada dez crianças, só uma sobrevivia. Por isso a população não era tão grande, não sobrecarregava tanto os recursos da terra. Agora, até mesmo na Índia, de cada dez crianças, só uma morre. E a medicina continua ajudando as pessoas a sobreviver, o Cristianismo continua abrindo hospitais e distribuindo remédios, Madre Teresa está lá para elogiar você e o papa vai abençoá-lo se você não usar métodos contraceptivos. Nos países subdesenvolvidos existe todo tipo de associação distribuindo Bíblias e espalhando a idéia estapafúrdia de que o controle de natalidade é pecado. Tudo o que eles querem é fazer com que mais crianças nasçam e mais órfãos existam neste mundo. Quanto mais gente existir neste mundo, quanto mais pobre ele for, mais chance o Cristianismo tem de se tornar uma religião universal. Há dois mil anos essa tem sido a maior ambição do Cristianismo. Isso tem de ser declarado. Essa ambição é desumana; e se eu tenho criticado o Cristianismo não é sem razão.

Homem rico, homem pobre: uma visão das raízes da pobreza e da ganância

Não basta dizer, "Abençoados sejam os pobres, pois deles é o reino de Deus"; isso não muda a pobreza. Se mudasse, em dois mil anos o Cristianismo teria acabado com a pobreza deste mundo. A pobreza continua aumentando, as pessoas abençoadas continuam aumentando. Na verdade, haverá tantas pessoas abençoadas no reino de Deus, compartilhado por todas essas pessoas, que elas voltarão a ser pobres. Sobrará muito pouco para cada uma delas. E todos esses acionistas do reino de Deus deixarão Deus pobre também. Será uma companhia de acionistas empobrecidos.

Dois mil anos de ensinamentos... isso mudou a natureza da pobreza? Não. Só serviu para uma coisa — matou o espírito revolucionário dos pobres. A pobreza continua crescendo a passos largos.

Depois de muito esforço, um advogado chegou até a boca de um túnel escavado por uma gangue e chamou Timothy O'Toole.

"Quem está me chamando?", perguntou uma voz cavernosa.

"Sr. O Toole", perguntou o advogado, "o senhor veio de Castlebar, do condado de Mayo?"

"Vim."

"E a sua mãe chamava-se Bridget e o seu pai Michael?"

"Isso mesmo."

"Então é meu dever informá-lo, sr. O'Toole, de que a sua tia Mary morreu no Iowa e lhe deixou uma herança de 150 mil dólares."

Houve um breve silêncio e então uma grande comoção.

"O senhor está vindo para cá, sr. O'Toole?", o advogado perguntou da boca do túnel.

"Já vou", gritou o outro. "Só estou dando uma boa surra no capataz antes de partir."

Foram necessários seis meses de uma vida extremamente desregrada para O'Toole gastar todos os 150 mil dólares. O seu maior empenho foi matar a sede quase insaciável que ele sentia. Depois ele voltou a escavar túneis. Foi ali que o advogado mais uma vez o procurou.

"Foi o seu tio Patrick desta vez, sr. O'Toole", explicou o advogado. "Ele morreu no Texas e deixou para o senhor 80 mil dólares."

O'Toole apoiou-se na picareta e balançou a cabeça, demonstrando cansaço.

"Acho que não vou poder aceitar", ele declarou. "Não sou tão forte quanto antes e não sei se vou conseguir gastar todo esse dinheiro e continuar vivo."

Foi isso o que aconteceu no Ocidente. Os ocidentais conseguiram toda a prosperidade que a humanidade inteira sempre sonhou ao longo das eras. Conseguiram ficar ricos e agora estão cansados, esgotados. A jornada lhes custou a própria alma. Exteriormente, eles têm tudo ao alcance da mão, mas o contato com o mundo interior se perdeu. Agora, tudo de que uma pessoa precisa está ali, mas o ser humano não está mais. Os bens materiais estão ali, mas o mestre desapareceu. Ocorreu um grande desequilíbrio. A riqueza existe, mas as pessoas não estão se sentindo nem um pouco ricas; pelo contrário, elas estão se sentindo muito empobrecidas, miseráveis.

Pense neste paradoxo: só quando é rico do ponto de vista material, você se dá conta da sua pobreza interior, por contraste. Quando é pobre do ponto de vista material, você nunca chega a perceber a sua pobreza interior, porque não há contraste. Você usa giz branco para escrever em quadros-negros, não em quadros brancos. Por quê? Porque só assim você vê o que escreve. É preciso contraste.

Quando você é rico do ponto de vista material, de repente uma grande conscientização acontece: "Interiormente, eu sou pobre, um mendigo!"; e junto com ela surge a desesperança: "Tudo o que eu pensava que queria eu consegui — tudo o que eu imaginava, todas as minhas fantasias realizei — e do que me adiantou tudo isso? Não sinto nenhum contentamento, nenhuma alegria". As pessoas ficam desnorteadas e desse sentimento surge um grande desejo: "Como podemos restabelecer o contato com o nosso mundo interior?"

A meditação nada mais é do que voltar a se enraizar no seu mundo interior, na sua interioridade. Por isso as pessoas do Ocidente estão se interessando por meditação, e pelas tradições orientais de meditação do Oriente.

O Oriente também se interessou pela meditação quando o povo vivia na opulência; isso tem de ficar claro. É por isso que eu não sou contra a riqueza, e não veja nenhuma espiritualidade na pobreza. Eu sou absolutamente contra a pobreza, porque sempre que um país fica pobre ele perde o contato com toda meditação, com todas as realizações espirituais. Sempre que um país fica pobre externamente, ele toma consciência da sua pobreza interior.

É por isso que você consegue ver nos indianos pobres um tipo de contentamento que não vê no mundo ocidental. Não se trata de um contentamento real; é só o desconhecimento da própria pobreza interior. Eu tenho observado milhares de pessoas pobres no Oriente — elas não sentem contentamento de fato, mas uma coisa certamente é verdade: não se dão conta do próprio descontentamento, porque, para ter consciência desse descontentamento, elas precisariam ser ricas exteriormente.

Sem a riqueza exterior ninguém se dá conta do descontentamento interior. E existem provas suficientes de que isso é verdade. Todos os místicos, os avatares hindus, eram reis ou filhos de reis. Todos os mestres jainistas pertenciam à realeza; e o mesmo pode-se dizer de Buda. Todas as três maiores tradições da Índia dão muitas provas disso. Por que Buda ficou descontente com a vida que levava? Por que iniciou a sua busca pela meditação? Porque era rico. Vivia no luxo, em meio a toda abundância possível, com todo conforto, com todas as conveniências. De repente ele se deu conta — tinha apenas 29 anos quando se deu conta de que sentia um grande vazio no peito. Quando a luz está do lado de fora, ela mostra a sua escuridão interior. Basta uma manchinha preta na camiseta branca para que todos vejam. Foi isso o que aconteceu. Ele fugiu do palácio. O mesmo aconteceu a Mahavira; ele também fugiu de um palácio. Isso não acontecia aos mendigos. Também havia mendigos na época de Buda, mas eles não renunciavam a nada para sair em busca da verdade. Eles não tinham nada a que renunciar; estavam contentes. Buda ficou descontente.

Quando a Índia era rica, muito mais gente se interessava por meditação; na verdade, todo mundo se interessava por meditação. Depois o país ficou pobre, tão pobre que deixou de haver contraste entre o interior e o exterior. O interior era pobre, mas o exterior também era. O interior e o exterior estavam em perfeita harmonia — ambos eram pobres.

Mas as pessoas se acostumaram a pensar que a pobreza tem algo de espiritual. Eu não sou a favor de nenhum tipo de pobreza. Pobreza não é espiritualidade; ela desestimula a espiritualidade.

Eu gostaria que o mundo inteiro ficasse o mais próspero possível. Quanto mais prósperas as pessoas são, mais espiritualizadas elas ficam. Têm de ficar; não têm como evitar. Só quando ficam ricas é que o descontentamento aflora. Quando a riqueza exterior se encontra com a riqueza interior, surge um novo tipo de harmonia — o verdadeiro contentamento. Quando a pobreza exterior se encontra com a pobreza interior, há um falso contentamento. A harmonia só é possível dessas duas maneiras. Quando o interior e o exterior estão em harmonia, a pessoa sente contentamento. Os pobres da Índia parecem contentes porque existe pobreza dos dois lados da cerca. Existe uma harmonia perfeita, o exterior e o interior estão em sintonia — mas esse é um contentamento muito feio; na verdade, é falta de vida, falta de vitalidade.

O próspero mundo ocidental fatalmente se interessará pela meditação. Não há como evitar. É por isso que o Cristianismo está perdendo terreno na mente ocidental; ele não desenvolveu nenhum tipo de ciência da meditação. Continuou sendo uma religião medíocre; assim como o Judaísmo. O Ocidente era pobre no passado; foi por isso que essas religiões continuaram medíocres. Até bem pouco tempo a maior parte do mundo ocidental vivia na pobreza. Quando o Oriente era rico, o Ocidente era pobre. Judaísmo, Cristianismo e Islamismo, todas essas três religiões não-indianas nasceram da pobreza. Eles não poderiam desenvolver técnicas de meditação, pois não havia necessidade. E, por muito tempo, continuaram sendo as religiões dos pobres.

Agora o mundo ocidental está rico e existe uma disparidade. As religiões do Ocidente nasceram na pobreza, por isso não têm nada a oferecer aos ricos. Para a pessoa rica, instruída, essas religiões parecem infantis, elas não satisfazem — nem podem. As religiões orientais nasceram da opulência — é por isso que a mente ocidental está se interessando cada vez mais por elas. Sim, a religião de Buda está exercendo um grande impacto; o zen está se difundindo como fogo no palheiro. Por quê? Porque nasceu da opulência. Existe uma grande semelhança entre a psicologia da afluente humanidade contemporânea e a psicologia do Budismo. O Ocidente chegou ao mesmo estado de Buda quando ele começou a se interessar por meditação. A sua busca era a busca de um homem rico. E o mesmo acontece com o Hinduísmo e com o Jainismo. Essas três grandes religiões indianas nasceram da afluência; por isso é inevitável que o mundo ocidental comece a se sentir atraído por essas religiões orientais.

Nesse ínterim, a Índia perdeu o contato com as suas próprias religiões. Ela não tinha condições de entender Buda — tinha se tornado um país pobre. Os indianos pobres estão se convertendo ao Cristianismo. Os americanos ricos estão se convertendo ao Budismo, ao Hinduísmo, ao Vedanta — e os intocáveis, os pobres, os mais miseráveis entre todos os pobres da Índia, estão se tornando cristãos. Percebe o que estou querendo dizer? Essas religiões exercem uma certa atração sobre os pobres. Essas pessoas vivem quase num estado de inconsciência — famintas demais para meditar, o único interesse delas é ter o que comer, o que vestir, onde morar. Por isso, quando os missionários cristãos chegam e abrem um hospital ou abrem uma escola, os indianos ficam muito impressionados — isso é "espiritualidade". Quando eu falo sobre meditação, eles não se interessam — não apenas não se interessam, como são contra: "Que tipo de espiritualidade é essa? O que você está fazendo para ajudar os pobres?" E eu compreendo — eles precisam ter o que comer, precisam ter onde morar, precisam ter o que vestir.

Mas é por causa da mente delas que essas pessoas estão sofrendo. Por um lado elas precisam de comida, de abrigo, de roupas, de casas melhores, de estradas melhores; e por outro elas continuam reverenciando a pobreza como se ela fosse "espiritual". Elas estão duplamente cegas. O Oriente ainda não tem condições de meditar. Primeiro ele precisa de tecnologia científica para ficar um pouquinho melhor, do ponto de vista material. Assim como o Ocidente precisa de tecnologia religiosa, o Oriente precisa de tecnologia científica.

Eu sou a favor de um único mundo, onde o Ocidente possa atender às necessidades do Oriente e o Oriente possa atender às necessidades do Ocidente. Oriente e Ocidente viveram afastados por tempo demais; isso não é mais necessário. Nós chegamos a um momento crítico em que o mundo inteiro pode se tornar um só — precisa se tornar um só —, porque do contrário não vai sobreviver.

A época das nações chegou ao fim, a época das divisões chegou ao fim, a época dos políticos também chegou ao fim. Estamos avançando rumo a um mundo totalmente novo, uma nova fase da humanidade, e nessa fase só poderá haver um único mundo, uma única humanidade. Só então haverá uma tremenda liberação de energia criativa.

O Oriente é muito rico em tecnologias espirituais e o Ocidente é muito rico em tecnologias científicas. Se eles conseguirem se dar as mãos, este mundo pode se tornar um paraíso. Agora não é mais preciso rezar por um outro mundo no paraíso; somos capazes de criar o paraíso aqui na terra, pela primeira vez. E, se não o criamos, a responsabilidade é nossa, não é mais de ninguém.

Eu sou a favor de um único mundo, de uma única humanidade, e, por fim, de uma única ciência que possa cuidar de ambos — um encontro entre ciência e religião —, uma única ciência, que cuidará, ao mesmo tempo, do interior e do exterior.

? **A tendência que o ser humano tem para acumular coisas não é um obstáculo para esse encontro entre Oriente e Ocidente que você idealiza? Será que um sistema como o comunismo não seria útil para distribuir a riqueza de modo mais uniforme pelo mundo todo?**

Os pobres e os ricos dependem uns dos outros; os ricos não podem existir sem os pobres. Seria um simples gesto humanitário — temos tecnologia suficiente para isso agora — produzir riqueza suficiente para que ninguém mais precisasse ser pobre ou passar fome. Mas o que fazemos é justamente o contrário.

Trinta milhões de pessoas nos Estados Unidos, o país mais rico do mundo, sofrem de desnutrição. E você vai se surpreender: trinta milhões de pessoas nos Estados Unidos sofrem de obesidade! Elas fazem dieta e lutam para perder peso. Os Estados Unidos têm uma das populações mais obesas do mundo. É uma simples questão de aritmética: esses trinta milhões de pessoas obesas estão comendo a comida dos outros trinta milhões que estão desnutridas!

Nós podemos produzir o suficiente, mais do que o necessário, para acabar com essa necessidade de acumular. Você não acumula ar. Claro, na Lua você faria isso; você teria de andar com uma garrafa de oxigênio nas costas, porque lá não existe oxigênio. No deserto, você armazenaria água. As pessoas, no deserto, brigam por causa de um pequeno oásis, até se matam por causa da água. Fora do deserto, você não briga por água; há o suficiente para todo mundo.

Eu tenho uma visão da sociedade que é diferente tanto do comunismo quanto do capitalismo. A sociedade só precisa de um sistema supercapitalista para se tornar automaticamente comunista. Não será preciso nenhuma revolução. O que é preciso é evolução, não revolução. A revolução nunca melhora as coisas. É a evolução, o crescimento, que melhora as coisas.

Se muitas pessoas são pobres e poucas são ricas, isso simplesmente significa que não há riqueza para todo mundo. Todo esforço deveria ser no sentido de criar mais riqueza — e isso é possível; não há razão para não ser. E se existir riqueza, mais riqueza do que o necessário, quem vai se preocupar em acumular?

Algumas coisas que não estamos conseguindo eliminar da sociedade vão acabar por si só. Os pobres não vão mais existir, os ladrões não vão mais existir. A polícia talvez não seja mais necessária, os juízes talvez possam ser aproveitados em alguma coisa melhor. Milhares de advogados estão apenas desperdiçando o tempo e o dinheiro das pessoas; eles não são necessários.

Nós não vemos as coisas; simplesmente eliminamos os sintomas e eles tornam a voltar. Temos de olhar para as causas. Nos Estados Unidos cometem-se crimes demais — por quê? Deve haver razões que levem as pessoas a se sentirem tentadas a roubar. Essas razões podem ser eliminadas muito facilmente.

Veja o meu relógio de pulso. Você se sente tentado a roubá-lo? Só se sentirá tentado se não souber que ele é feito de pedras sem valor, não de diamantes. Ele não tem nenhum valor. Se as pedras podem substituir os diamantes, só os idiotas vão usar diamantes. Dá para ver a diferença? Se ele fosse de diamantes, o relógio custaria uma fortuna — o mesmo relógio! Os meus amigos o fizeram usando apenas pedras. Ele funciona tão bem quanto qualquer relógio — só atrasou um segundo em um ano. Porque hoje em dia criar essa precisão é um fenômeno muito simples. Se você comprar um relógio de um milhão de dólares ou um relógio de dez dólares, os dois usarão o mesmo tipo de bateria. A bateria eletrônica mudou todo o conceito dos relógios.

Mas, se as pedras — pedras verdadeiras, autênticas — podem substituir os diamantes, então por que criar desnecessariamente a tentação de roubar? Crie mais relógios e jóias com pedras bonitas e a tentação por diamantes vai desaparecer. O preço dos diamantes vai despencar. Na verdade, os próprios diamantes são apenas pedras. Nós criamos a tentação para o crime e depois o criminoso é punido, não a pessoa que criou a tentação. Ambos deveriam ser punidos!

No entanto, só os sintomas são tratados, não as causas. E as causas criarão outros sintomas. Isso é tão pouco científico! Em vez de criar mais riqueza, todas as nações estão criando mais armas — mísseis, foguetes, armas nucleares — e os armazenando. Para quê? Queremos cometer um suicídio global? Então por que desperdiçar tanto tempo e dinheiro? Se a humanidade decidiu cometer suicídio, então existem métodos mais simples.

Setenta e cinco por cento da nossa energia, no planeta todo, está sendo canalizada para a guerra. Somos servos da morte e da destruição? Esses 75 por cento de energia poderia ser canalizada para a vida, para o serviço à vida — e haveria mais risadas, haveria mais saúde, haveria mais riqueza e mais comida. Não haveria pobreza.

Não haveria necessidade nenhuma de a pobreza existir.

Você criticou as religiões, mas elas não são importantes para ajudar as pessoas a enfrentar a pobreza? Existem muitas entidades religiosas que fazem trabalhos altruístas em benefício dos pobres.

Todas as religiões do mundo pregam a caridade, o altruísmo. Mas para mim, o egoísmo é um fenômeno natural. O altruísmo é uma imposição; o egoísmo é uma parte natural da nossa natureza. A menos que você chegue a um ponto em que o seu "eu" se dissolva no universal, você não pode ser verdadeiramente altruísta. Você pode fingir, mas será apenas hipócrita, e eu não quero que as pessoas sejam hipócritas. Embora seja um pouquinho complicado, é possível compreender.

Primeiro, o egoísmo faz parte da sua natureza. Você tem de aceitá-lo. E, se faz parte da sua natureza, ele deve ser útil para alguma coisa importante, do contrário não existiria. Foi por causa do egoísmo que você conseguiu sobreviver, cuidar de si mesmo; se não fosse ele, a humanidade teria desaparecido há muito tempo.

Pense numa criança que não seja egoísta, que nasça sem um pingo de egoísmo. Ela não sobreviverá, vai morrer — porque até o ato de respirar é egoísta, o ato de comer é egoísta, quando existem milhões de pessoas passando fome. Você come? Mesmo havendo milhões de pessoas desnutridas, doentes, morrendo, você está saudável? Se uma criança nasce sem que o egoísmo seja uma parte intrínseca da sua natureza, ela não consegue sobreviver. Se uma cobra chega perto de você, por que você precisa evitá-la? Deixe que ela morda. É o seu egoísmo que tenta protegê-lo; do contrário, você ficaria no caminho da cobra. Se um leão pula em cima de você e o mata, que seja! Isso é não ser egoísta. O leão está com fome, você está lhe servindo de comida — quem é você para interferir? Você não deveria se proteger, não deveria lutar. Deveria simplesmente se oferecer como alimento ao leão — isso é não ser egoísta. Todas essas religiões ensinam coisas que não são naturais. Esse é um dos aspectos.

Eu prego a natureza. Eu lhe ensino a ser natural, absolutamente natural, desavergonhadamente natural. É, eu ensino o egoísmo. Ninguém nunca disse isso antes de mim; não tiveram coragem. E eram todos egoístas; essa é a parte mais surpreendente da história. Por que o monge jaina se penitencia? Existe uma motivação. Ele quer conquistar a libertação absoluta de todos os seus prazeres. Ele não está sacrificando nada, está simplesmente fazendo uma barganha. Ele é um homem de negócios. Suas escrituras dizem, "Você voltará milhares de vezes". E esta vida é de fato muito breve — setenta, oitenta anos não é muito. Se você sacrifica setenta anos de prazeres para conquistar uma eternidade de prazeres, é um bom negócio! Eu não acho que isso seja falta de egoísmo.

E por que essas religiões pregam o serviço à humanidade? Qual é o motivo, qual é o objetivo? O que você vai ganhar com isso? Você pode nunca ter feito essa pergunta. Não é o serviço...

Há uma história chinesa muito antiga que eu adoro:

Um homem cai num poço. Era época de um grande encontro, de um grande festival, havia uma grande multidão e também muito barulho; as pessoas estavam se divertindo, dançando, cantando e todo tipo de coisa estava acontecendo, então ninguém ouviu nem viu o homem caindo. E, nessa época, na China, os poços não eram cercados por uma mureta. Eles não tinham proteção nenhuma, eram abertos. Você podia cair num poço no escuro e nem perceber onde estava.

O homem começou a gritar, "Tirem-me daqui!"

Um monge budista passava por ali. É claro que um monge budista não estava interessado no festival, ou não devia estar —, eu não sei o que ele estava fazendo ali. Só o fato de estar ali já indica uma vontade inconsciente de saber o que estava acontecendo, ver como as pessoas estavam se divertindo, "Toda essa gente vai para o inferno e eu sou o único que vai para o céu".

Ele passou pelo poço e ouviu esse homem. Olhou para baixo e o homem disse, "Que bom que você me ouviu! Todo mundo está tão entretido, fazendo tanto barulho, que eu estava com medo de morrer aqui".

O monge budista então disse, "Mas você vai morrer aí, pois isso aconteceu por causa de algum ato vil que praticou numa vida passada. Agora você está sendo castigado, portanto aceite isso e ponto final! É bom que isso aconteça; na próxima vida você já nascerá purificado e não precisará cair outra vez num poço".

O homem retrucou, "Eu não quero saber de nenhuma sabedoria nem filosofia numa hora dessas..." Mas o monge tinha ido embora.

Depois disso apareceu um taoísta. Ele estava com sede e achou que havia água dentro do poço. O homem ainda estava gritando por ajuda. O taoísta disse, "Isso não é coisa de homem. É preciso aceitar tudo o que acontece — isso era o que dizia Lao-Tsé. Então aceite! Aproveite! Você está chorando como uma mulherzinha. Seja homem!"

O homem retrucou, "Pode me chamar de mulherzinha, mas primeiro me tire daqui! Eu não estou agindo como homem e você pode dizer qualquer coisa que quiser depois — mas antes me tire deste poço!"

Mas o taoísta respondeu, "Nós nunca interferimos na vida de ninguém. Acreditamos no indivíduo e na sua liberdade. Você teve liberdade para cair neste poço e agora tem liberdade para morrer aí dentro. Tudo o que eu posso fazer é lhe dar uma sugestão: você pode morrer gritando, soluçando — o que é uma bobagem — ou pode morrer como um sábio. Aceite a morte, aproveite-a, cante uma canção e siga em frente. De qualquer maneira, todo mundo vai morrer um dia, então para que salvar você? Eu vou morrer, *todo mundo* vai morrer — talvez amanhã, talvez depois de amanhã — então para que vou me preocupar em salvar você?" Dizendo isso, ele se afastou.

Então um confuciano se aproximou e o homem viu alguma esperança, porque os seguidores de Confúcio são mais mundanos, mais pés no chão. Ele disse, "Foi uma sorte você ter aparecido, um erudito confuciano. Eu conheço você, já ouvi o seu nome. Agora faça algo por mim, porque Confúcio diz, 'Ajude os outros'".

Depois de ouvir a resposta do budista e do taoísta, o homem pensou, "Se eu quiser convencer essas pessoas a me salvar, é melhor falar de filosofia". Ele começou, "Confúcio disse 'Ajude os outros'".

O monge respondeu, "Você está certo. E eu o ajudarei. Irei de cidade em cidade fazendo protestos para forçar o governo a cercar todos os poços do país. Não tema".

O homem protestou, "Mas quando forem cercados todos os poços e a sua revolução já for sucesso eu já estarei morto!"

O outro retrucou, "Você não importa, eu não importo, o indivíduo não importa — só a sociedade importa. Você levantou uma questão importante ao cair no poço. Agora vamos lutar por isso. Você só tem de ficar calmo e tranqüilo. Nós cuidaremos para que todo poço tenha uma mureta de proteção para que ninguém mais caia. Mas de que vale salvar você? O país todo tem milhões de poços e milhões de pessoas podem cair neles. Então não fique tão preocupado com você mesmo, eleve-se acima dessa atitude egoísta. Eu vou servir à humanidade. Você já prestou um grande serviço caindo aí dentro. Eu vou servir obrigando o governo a cercar os poços". Então o confuciano se foi.

Mas ele havia tocado numa questão importante: "Você está sendo egoísta. Só quer ser salvo e desperdiçar o meu tempo, quando eu podia usá-lo para salvar toda a humanidade".

Você sabe se existe em algum lugar algo como a "humanidade"? Se existe em algum lugar algo como a "sociedade"? São meras palavras. Só o indivíduo existe.

O quarto homem que apareceu era um missionário cristão, que carregava com ele uma maleta. Ele imediatamente abriu a mala, tirou dali uma corda e jogou uma extremidade da corda no poço; antes mesmo que o homem proferisse uma palavra, ele atirou a corda. O homem ficou surpreso. E disse, "A sua religião parece ser a mais verdadeira".

O missionário então respondeu, "É claro que é. Estamos preparados para qualquer emergência. Sabendo que as pessoas podem cair nos poços, nós carregamos uma corda para salvá-las — porque só salvando outras pessoas eu posso me salvar. Mas eu estou preocupado — eu ouvi o que o confuciano estava dizendo —, vocês não podem cercar os poços, do contrário como vamos servir a humanidade? Como vamos salvar as pessoas que caem? Elas têm de cair primeiro, para que possamos salvá-las. Nós vivemos para servir, mas precisamos de uma oportunidade para servir. Sem ela, como podemos servir?"

Todas essas religiões que falam sobre "caridade" estão certamente interessadas em que a humanidade continue pobre, em que as pessoas continuem necessitadas, em que existam órfãos, viúvas, idosos abandonados, mendigos. Essas pessoas são necessitadas, absolutamente necessitadas. Se não fossem, o que aconteceria com esses bons samaritanos? O que aconteceria com todas essas religiões e seus ensinamentos, e como as pessoas conquistariam o direito de entrar no reino dos céus? Essas pessoas pobres e sofredoras têm de ser usadas como uma escada. Você chama isso de altruísmo? Esse missionário da história é altruísta? Ele está salvando esse homem não pelo bem dele; ele está salvando o homem pensando em si próprio. Lá no fundo ele ainda é egoísta, mas seu egoísmo está encoberto por palavras bonitas: altruísmo, caridade.

Mas por que existe a necessidade de ajudar as outras pessoas? Por que deveria haver essa necessidade? Não podemos acabar com essas oportunidades de servir? Podemos, mas as religiões ficarão iradas. Toda a base que as sustenta desaparecerá caso não exista ninguém pobre, ninguém faminto, ninguém sofrendo, ninguém doente. Esse é o negócio delas.

A ciência pode tornar isso possível. A possibilidade de acabar com isso tudo está nas nossas mãos. Poderíamos ter feito isso há muito tempo, se as religiões não tivessem tentado deter qualquer pessoa disposta a contribuir com um conhecimento capaz de acabar com as oportunidades de ajudar o próximo. Mas essas religiões têm sido contra todo o progresso científico — elas precisam desses problemas para se manter. A necessidade delas é puramente egoísta, é motivada. Existe um objetivo a alcançar.

Caridade é uma palavra suja, é um palavrão. Nunca a use. Tudo bem, você pode compartilhar, mas nunca humilhe as pessoas fazendo-lhes uma "caridade". Isso é uma forma de humilhação. Quando faz algo por alguém e se sente bem com isso, você reduz o outro a uma condição subumana, a um verme. Você é tão superior que sacrificou os seus próprios interesses para "servir aos pobres" — você está simplesmente humilhando essas pessoas.

Se você tem alguma coisa, algo que lhe dá alegria, paz, felicidade, compartilhe-a. E lembre-se de que não existe nenhuma motivação quando se compartilha. Eu não estou dizendo que, ao fazer isso, você irá para o céu; eu não estou lhe apresentando nenhuma meta. Estou dizendo que, só por compartilhar, você já se sentirá extremamente gratificado. O próprio ato de compartilhar já é uma satisfação, não há nenhum objetivo por trás disso. Ele não é um meio para se alcançar algo, é um fim em si mesmo. Você sente gratidão pela pessoa que se dispôs a compartilhar com você. Você não sentirá que a pessoa está grata a você — você não terá feito nenhuma "caridade".

Só as pessoas que acreditam no compartilhar, em vez do serviço ao próximo, podem acabar com todas as oportunidades vis para a caridade que existem no mundo todo. Todas as religiões têm se aproveitado dessas oportunidades, mas elas dão nomes bonitos para o que fazem — ao longo de milhares de anos, elas se tornaram especialistas em dar nomes bonitos a coisas feias. E, quando você começa a dar um nome bonito a uma coisa feia, existe a possibilidade de que você mesmo esqueça que aquilo era só uma camuflagem. Por dentro, a realidade continua a mesma.

Todos esses problemas podem ser solucionados. Não precisamos de bons samaritanos, missionários, desse tipo de gente. Precisamos de mais inteligência para resolver cada problema. Por isso eu prego o egoísmo. Eu quero que você se preocupe, primeiro, com o seu próprio florescer. É, isso pode parecer egoísmo; eu concordo que parece, tudo bem. Mas a rosa é egoísta quando desabrocha? O lótus é egoísta quando desabrocha? O Sol é egoísta quando brilha? Por que você deveria se preocupar com o egoísmo?

Você nasceu — o nascimento é só uma oportunidade; é só um começo, não é um fim. Você tem de florescer. Não fique perdendo tempo com algum tipo de caridade idiota. A sua maior responsabilidade é desabrochar, tornar-se plenamente consciente, desperto, alerta; e nessa consciência você será capaz de ver o que pode compartilhar, como pode resolver problemas.

Noventa e nove por cento dos problemas deste mundo podem ser solucionados. Talvez um por cento não possa. Então você pode compartilhar com essas pessoas qualquer coisa que seja — mas primeiro tem de ter alguma coisa para compartilhar.

Eu estou começando a perceber como é grande o papel da ganância na minha vida e o sofrimento que ela me traz. Você poderia dar mais alguns esclarecimentos sobre essa coisa chamada ganância, de onde ela vem, e talvez me dar algumas idéias para me ajudar?

Entender a natureza da ganância é o que basta. Você não precisa de mais nada para se livrar dela; a própria compreensão já esclarecerá toda a confusão.

Você se sente pleno quando está em sintonia com o universo; se não estiver em sintonia com o universo, você está vazio, totalmente vazio. E desse vazio nasce a ganância — ganância para preencher esse vazio, com dinheiro, propriedades, móveis, amigos, amantes, qualquer coisa, porque não se pode viver com um vazio. É horrível, é viver como um fantasma. Se você está vazio e não existe nada dentro de você, é impossível viver.

Para se sentir preenchido interiormente, você tem duas possibilidades. Pode entrar em sintonia com o universo — então você se preencherá com o todo, com todas as flores e com todas as estrelas. Elas estão dentro de você assim como estão fora. Essa é a verdadeira plenitude. Mas, se você não faz isso — e milhões de pessoas não estão fazendo —, então o jeito mais fácil é preencher esse vazio com coisas inúteis.

Eu uma vez morei com um homem. Ele era rico, tinha uma bela casa, e por algum motivo começou a se interessar pelas minhas idéias. Ele ouviu algumas das minhas palestras e me convidou para morar com ele, dizendo, "Por que você mora tão longe, fora da cidade? Eu tenho uma ótima casa na cidade e ela é tão grande! Podemos dividi-la. Eu não lhe cobrarei aluguel, simplesmente quero a sua presença em minha casa".

Eu estava morando fora da cidade, nas montanhas, mas era difícil ir para a universidade todos os dias, e a casa dele era bem perto da universidade. Ele tinha um belo jardim e a casa era no melhor bairro da cidade, então eu aceitei o convite. Mas, quando eu entrei na casa, não pude acreditar: ele tinha tantas bugigangas que mal dava para viver ali dentro. A casa era grande, mas a sua coleção de objetos era ainda maior — e era uma coleção absolutamente absurda! Qualquer coisa que achava no mercado, ele comprava. Eu perguntei a ele, "O que vai fazer com todas essas coisas?"

Ele disse, "Nunca se sabe, um dia pode-se precisar..."

"Mas", eu disse, "como alguém pode morar nesta casa?" Tantos móveis e de tantos estilos diferentes!... Quando os europeus deixaram a Índia eles tinham vendido tudo o que tinham. Esse homem nunca se contentava com o que tinha; ele dava um jeito de comprar tudo, coisas de que ele nem precisava. Havia um carro na garagem que não servia para nada, porque ele estava velho, quebrado. Eu perguntava a ele, "Por que não joga fora essa coisa? Pelo menos limpe este lugar..."

Ele dizia, "O carro fica bem aqui na garagem". Todos os pneus estavam vazios, o carro era inútil. Sempre que era preciso tirá-lo do lugar, tinha de ser empurrado. O carro ficava ali, enferrujando. Ele dizia, "Eu o comprei por um preço muito bom. Ele pertencia a uma senhora que trabalhava como enfermeira aqui e já voltou para a Inglaterra".

Eu dizia, “Se você queria ter um carro, pelo menos comprasse um carro que andasse!”

Ele respondia, “Não estou interessado em dirigir nenhum carro, a minha bicicleta é tudo de que preciso”. A bicicleta dele também era um espanto. Você sabia que ele estava chegando pelo barulho que a bicicleta fazia. Ela não tinha pára-lama, nem cobertura para a corrente; devia ser a bicicleta mais velha que alguém já viu. Não tinha buzina. Ele dizia, “Buzina para quê? A bicicleta faz tanto barulho que as pessoas já começam a sair da frente a um quarteirão. E isso é bom, porque não pode ser roubada; ninguém mais consegue dirigi-la. Ela já foi roubada duas vezes, e o ladrão foi pego na mesma hora — porque ela faz barulho demais e todo mundo sabe que é a minha bicicleta. Posso deixá-la em qualquer lugar. Vou ao cinema e não a coloco no estacionamento de bicicletas, porque senão eu teria de pagar. Posso deixá-la em qualquer lugar e ela sempre está lá quando volto. Todo mundo sabe que ela só dá problema, por isso é melhor não se meter com ela”. Ele dizia que ela era uma espécie rara.

Esse homem tinha todo tipo de coisa naquela casa... rádios quebrados, porque eles eram uma pechincha. Ele era jainista e tinha uma estátua quebrada de Jesus na cruz. Eu perguntei a ele, “Para que você comprou isso?”

Ele respondeu, “A dona do carro me deu quando o comprei — ela me deu de presente. Eu não acredito em Jesus Cristo nem em nada disso, mas não podia recusar uma obra de arte”.

Eu disse a ele, “Se eu vou morar nesta casa, a minha parte tem de estar vazia”. E ele ficou muito feliz em tirar tudo dali. A casa já estava tão cheia de coisas que não se podia nem andar ali dentro, mas ele tirou tudo o que estava na minha metade e colocou na parte dele. Ele tinha tantos móveis que tinham de ficar empilhados sobre o sofá, não podiam ser usados. Eu perguntava, “Para que isso?”

Ele dizia, “Você não entende — eu comprei tudo isso por uma bagatela! E algum dia eu posso me casar e ter filhos e eles podem precisar dessas coisas. Não se preocupe, tudo isso vai ter utilidade um dia”.

Até na rua, às vezes ele encontrava alguma coisa no lixo e trazia para casa. Um dia ele estava andando comigo pelo jardim da casa quando encontrou um guidão de bicicleta e o levou para dentro. Eu perguntei, “O que vai fazer com um guidão de bicicleta?”

Ele disse, “Vou mostrar a você”. Eu o acompanhei e, no banheiro dele, havia uma bicicleta quase completa — só faltavam algumas peças. Ele disse,

"Todas essas peças eu achei na rua, e vou continuar juntando-as e encaixando umas nas outras. Agora só faltam umas poucas. Falta a corrente, o assento, mas eu ainda vou achá-los. Alguém vai jogá-los fora um dia desses. Eu ainda tenho muitos anos pela frente, e que mal isso faz? Ela fica muito bem aqui no banheiro".

Ganância significa simplesmente que você está sentindo um grande vazio e quer preenchê-lo com qualquer coisa que esteja ao seu alcance — não importa o quê. Depois que entender isso, você não precisará saber mais nada sobre a ganância. Você tem de fazer algo para entrar em comunhão com o todo, de modo que esse vazio desapareça. Com o vazio, toda a ganância desaparece também.

Isso não significa que você comece a viver nu; significa simplesmente que você deixa de viver só para acumular coisas. Sempre que precisa de algo, você pode adquirir isso. Mas existem pessoas loucas no mundo todo que vivem acumulando coisas. Algumas acumulam dinheiro, embora nunca o usem. É estranho — as coisas têm de ser usadas, do contrário você não precisa tê-las. Mas essa situação pode tomar um rumo diferente: as pessoas estão comendo mais; embora não sintam fome, elas continuam mastigando. Sabem que isso vai lhes trazer sofrimento, elas ficarão doentes, gordas, mas não conseguem se conter. Essa mania de comer também é uma maneira de preencher o vazio. Portanto, existem muitas maneiras de se tentar preencher o vazio, embora ele nunca se preencha — ele sempre continua vazio e você, infeliz, pois nunca tem o suficiente. Precisa sempre mais e esse "mais" e a urgência em ter mais nunca têm fim.

Eu não vejo a ganância como um desejo — ela é uma doença existencial. Você não está em sintonia com o todo. E só a sintonia com o todo pode mantê-lo saudável. Essa sintonia com o todo pode torná-lo santo. É interessante notar que a palavra saúde em inglês — *health* — e a palavra santo — *holy* — têm a mesma raiz, que significa "inteiro". Quando você está preenchido pelo todo, toda a ganância desaparece. Do contrário, o que todas as religiões estariam fazendo? Elas têm de confundir desejo com ganância, por isso eles tentam reprimi-la: "Não seja ganancioso". Depois elas passam para o outro extremo, para a renúncia. Uma acumula — a pessoa gananciosa — e a outra que quer se livrar da ganância começa a renunciar a tudo. E isso também não tem mais fim.

O mestre jaina, Mahavira, nunca reconheceu Gautama Buda como um ser iluminado porque ele ainda carregava com ele três peças de roupa — só três peças de roupa, que eram absolutamente necessárias. Uma ele levava no corpo, a outra ele vestia quando a primeira estava lavando e a outra reservava para situações de emergência; podia acontecer de as outras duas não voltarem do tanque ou não secarem a tempo ou de chover o dia inteiro. Por isso três peças de roupa eram o mínimo necessário — bastava uma emergência para que ele tivesse de vestir a terceira. Mahavira era absolutamente contra a ganância, e ele levava isso a um extremo — ele vivia nu. Buda carregava com ele uma tigela para pedir esmolas. Mahavira não podia aceitar nem mesmo isso, porque até a tigela para pedir esmolas era um bem material, e um homem iluminado, de acordo com Mahavira, não tinha nenhum bem material. Uma tigela para pedir esmolas... feita de casca de coco. Você corta o coco no meio, tira de dentro toda a polpa e então tem duas tigelas. É a coisa mais barata que existe, porque, se não é usada dessa maneira, a casca do coco vai para o lixo; você não pode comê-la. Ter uma tigela como essa e chamá-la de "bem material" já é demais.

Mas, quando você vê a ganância como um desejo e começa a lutar teimosamente contra ela, tudo passa a ser bem material. Mahavira vivia nu e, em vez de usar uma tigela de casca de coco, ele costumava usar as mãos em concha como uma tigela. Ora, isso não era nada fácil: com as duas mãos cheias de comida, ele tinha de comer como um animal, porque não podia usar as mãos — ele tinha de pegar a comida das mãos diretamente com a boca.

Todas as pessoas deste mundo comem sentadas, mas, na visão de Mahavira, quando come sentado, você come mais. Por isso ele ensinava os monges a comer de pé — de pé com a comida nas mãos. E a refeição se compunha de tudo o que coubesse nas duas mãos em concha. Você tem de comer de pé e pegar tudo ao mesmo tempo; salgado, doce, tudo misturado. A idéia de Mahavira era que tudo ficasse meio sem gosto, porque saborear o gosto dos alimentos equivaleria a agradar o corpo, a apreciar o mundo material.

Para mim, ganância não é desejo. Por isso você não precisa fazer nada a respeito dela. Você tem de compreender o vazio que está tentando preencher e fazer a pergunta, "Por que eu estou vazio? Toda a existência é tão plena, por que eu estou vazio? Talvez eu tenha perdido o rumo — não esteja mais seguindo na mesma direção, não esteja mais sendo existencial. Essa é a causa da minha sensação de vazio".

Então seja existencial.

Ande, aproxime-se da existência no silêncio e na paz, na meditação. E um dia você verá que está pleno — transbordante — de alegria, de felicidade, de bênçãos. Você tem tanto de tudo isso que pode dar para o mundo inteiro e ainda assim não ficariam sem. Nesse dia, pela primeira vez, você não sentirá nenhuma ganância — nem por dinheiro, nem por comida, nem por coisas, nem por nada. Você estará vivo, sem nenhuma ganância que não possa ser preenchida, sem nenhuma ferida que não possa ser curada. Você viverá naturalmente, e tudo o que for necessário você encontrará.

Crença *versus* experiência

Entenda a diferença entre conhecer e saber

A verdadeira religião só pode ser uma só, assim como a ciência. Você não tem uma física muçulmana, uma física hindu, uma física cristã; isso é maluquice. Mas é o que as religiões têm feito — eles fizeram deste mundo um hospício.

Se a ciência é uma só, então por que a ciência espiritual não é uma só também? A ciência explora o mundo objetivo e a religião explora o mundo subjetivo. O funcionamento delas é o mesmo, o que muda é a direção e a dimensão. Numa era mais iluminada não haverá nada parecido com a religião, haverá apenas duas ciências: a ciência objetiva e a ciência subjetiva. A ciência objetiva lida com as coisas e a ciência subjetiva lida com o ser.

Eu sou contra as religiões, mas não sou contra a religiosidade. Mas essa religiosidade ainda está sofrendo das dores do nascimento. Todas as antigas religiões fizeram tudo o que estava ao seu alcance para matá-la, para destruí-la — porque o nascimento de uma ciência da consciência será a morte de todas as chamadas religiões, que têm explorado a humanidade há milhares de anos. O que acontecerá às suas igrejas, às suas sinagogas, aos seus templos? O que acontecerá com o clero, com os papas, com os imãs, como os shankaracharyas, com os rabinos? Trata-se de um grande negócio e essas pessoas não vão deixar que a verdadeira religião nasça sem exercer uma grande resistência.

Mas chegou um tempo, na história da humanidade, em que o domínio das antigas religiões está diminuindo. Cada vez mais pessoas estão adotando apenas formalmente o Cristianismo, o Judaísmo, o Hinduísmo, o Islamismo, mas praticamente ninguém que tenha inteligência continua interessado em toda essa baboseira. Elas podem ir à sinagoga e à igreja e à mesquita por outras razões, mas essas razões não são religiosas; essas razões são sociais. Elas pagam para serem vistas numa sinagoga; isso confere uma certa respeitabilidade e não faz nenhum mal. É como ser membro do Rotary Club ou do Lions Club. Essas religiões são velhos clubes que usam um jargão religioso, mas, se você olhar um pouco mais fundo, verá que elas são todas uma embromação sem conteúdo nenhum.

Eu sou a favor da religião, mas essa religião não será uma repetição de nenhuma religião com que você esteja familiarizado. Essa religião será uma rebelião contra todas essas antigas religiões. Ela não fará o mesmo trabalho que elas têm feito; ela o interromperá completamente e começará um trabalho novo — a verdadeira transformação dos seres humanos.

O erro mais básico de todas as religiões é que nenhuma delas teve coragem suficiente para aceitar que existem coisas que não sabemos. Elas todas fingem saber tudo, fingem que são oniscientes. Por que isso aconteceu? Porque, se admitirem que não sabem algo, colocarão um ponto de interrogação na mente dos fiéis. Se elas não sabem uma coisa, então quem sabe? Talvez elas não saibam outras coisas também. Quem garante? Para garantir, todas elas fingem que são oniscientes.

O que existe de mais belo na ciência é que ela não finge ser onisciente. A ciência aceita as suas limitações humanas. Ela sabe até que ponto sabe e está ciente de que existe muito mais a descobrir. E os maiores cientistas sabem algo até mais profundo. Eles conhecem as fronteiras do que é conhecido; o conhecível eles saberão mais cedo ou mais tarde, estão avançando nessa direção. Mas os maiores cientistas, gente como Albert Einstein, terá consciência de uma terceira categoria: o incognoscível — o que nunca será conhecido; não se pode fazer nada a respeito dessa categoria, pois o mistério supremo não pode ser reduzido a um mero conhecimento.

Somos parte da existência — como podemos conhecer o seu mistério supremo? Chegamos tarde demais; não havia ninguém presente para testemunhar quando tudo começou. E não há como nos separarmos completamente da existência e nos tornarmos simples observadores. Vivemos, respiramos, existimos com a existência; não podemos nos separar dela. No momento em que nos separamos, estamos mortos. E, sem estarmos separados, como simples observadores sem nenhum envolvimento, sem nenhum apego, não podemos conhecer o mistério supremo; é impossível. Sempre restará algo incognoscível. Sim, ele pode ser sentido, mas não conhecido. Talvez possa ser vivenciado de maneiras diferentes, mas não como um conhecimento.

Você se apaixona — você pode dizer que conhece o amor? Ele parece um fenômeno completamente diferente. Você sente o amor. Se tentar conhecer o amor, talvez ele lhe escape das mãos. Você não pode reduzi-lo a um conhecimento. Não pode fazer dele um objeto de estudo, porque ele não é um fenômeno mental. É algo que acontece no coração. Sim, as batidas do seu coração sabem o que é amor, mas trata-se de um jeito totalmente diferente de saber; o intelecto é incapaz de entender as batidas do coração.

Mas existe, dentro de você, alguma coisa maior do que o coração — o seu ser, a fonte da sua vida. Assim como você sabe das coisas por meio da mente, que é a parte mais superficial da sua individualidade, você também sabe das coisas por meio do coração, que é mais profundo do que a mente. A mente não pode sondar o coração, ele é profundo demais para a mente compreender. Mas, por trás do coração, num ponto mais profundo ainda, está o seu ser, a própria fonte da sua vida. E essa fonte também tem um jeito de saber.

Quando a mente sabe, damos a isso o nome de conhecimento.

Quando o coração sabe, damos a isso o nome de amor.

E quando o ser sabe, damos a isso o nome de meditação.

Mas todos os três falam línguas diferentes, que não podem ser traduzidas entre si. E quanto mais fundo você vai, mas difícil fica traduzir, porque, no centro mais profundo do seu ser, não existe nada além de silêncio. Ora, como traduzir o silêncio por meio de sons? No momento em que você traduz o silêncio por meio de sons, você o destrói. Nem a música pode traduzi-lo. Talvez a música chegue mais perto, mas ainda assim ela é um som.

A poesia não chega tão perto quanto a música, porque as palavras, por mais belas que sejam, ainda são palavras. Elas não têm vida própria, estão mortas. Como você pode traduzir a vida por meio de algo morto? Sim, talvez entre elas você possa ter um vislumbre — mas é *entre* elas, nas entrelinhas, não nas palavras, não nas linhas.

Esse é o maior erro de todas as religiões: elas têm enganado a humanidade, alardeando que sabem tudo.

Mas todos os dias elas são desmascaradas, assim como a sua falta de conhecimento; por isso elas lutam tanto contra qualquer tipo de progresso do conhecimento. Se Galileu descobre que a terra gira em torno do sol, o papa fica furioso. O papa é infalível. Ele é só um representante de Jesus, mas é infalível. O que dizer então de Jesus, que é o único filho bem-amado de Deus? E o que dizer de Deus? Mas, na Bíblia — que é um livro que desceu dos céus, escrito por Deus —, o sol gira em torno da terra. Agora Galileu causou um problema. Se ele está certo, Deus está errado. O único filho bem-amado de Deus está errado. E os representantes do único filho bem-amado de Deus durante esses dois mil anos, todos papas infalíveis, estão errados. Só um único homem, Galileu, destrói toda a pretensão, expõe toda a hipocrisia. Ele tem de ser silenciado. Ele estava velho, moribundo, em seu leito de morte, mas foi forçado a se apresentar diante do papa, quase arrastado aos seus tribunais, para se desculpar. O papa ordenou, "Você mude isso no seu livro, pois o livro sagrado não pode estar errado. Você é um mero ser humano; pode estar errado, mas Jesus Cristo não pode, o próprio Deus não pode, centenas de papas infalíveis não podem... Você está se postando contra Deus, contra seu filho e contra seus representantes. Mude isso no seu livro!"

Galileu deve ter sido um homem com um grande senso de humor — o que, a meu ver, é uma das maiores qualidades de um homem religioso. Só os idiotas são sérios; é inevitável que sejam sérios. Para ser capaz de rir você precisa de um pouquinho de inteligência.

Galileu deve ter sido inteligente. Ele era um dos maiores cientistas do mundo, mas devia ser uma das pessoas mais religiosas também. Ele disse, "É claro que Deus não pode estar errado, Jesus não pode estar errado, nenhum dos papas infalíveis pode estar errado, mas o pobre Galileu sempre pode estar errado. Não há nenhum problema quanto a isso — eu mudo isso em meu livro. Mas vocês só devem se lembrar de uma coisa: a terra ainda está girando em torno do sol. Quanto a isso eu não posso fazer nada; ela não segue as minhas ordens. Quanto ao meu livro, não há nenhum problema; farei a mudança, mas na nota de rodapé eu terei de acrescentar a seguinte informação: 'A terra não segue as minhas ordens, por isso ela continua girando em torno do sol'".

Todas as religiões do mundo têm de fingir que sabem tudo. Se algo existe, elas sabem. E sabem com perfeição; não poderia ser de outro modo.

Os jainistas dizem que seu profeta, seu messias, é onisciente. Ele sabe tudo, passado, presente e futuro, por isso tudo o que ele diz é a absoluta verdade. Buda zombava de Mahavira, o messias jainista. Eles foram contemporâneos 25 séculos atrás. Mahavira estava ficando velho, mas Buda ainda era jovem e capaz de brincar e dar risada. Ele ainda era jovem e vibrante; ainda não tinha se estabelecido. Depois que você se torna uma religião estabelecida, passa a ter interesses escusos. O Budismo estava apenas começando com Buda. Ele ainda tinha condições de brincar e rir, por isso ele brincava com Mahavira e com a sua onipotência, a sua onisciência, e a sua onipresença. Ele dizia, "Eu vi Mahavira diante de uma casa, pedindo esmolas" — porque Mahavira vivia nu e costumava pedir comida. Buda dizia, "Eu o vi em frente a uma casa vazia, não havia ninguém na casa e, no entanto, segundo os jainistas esse homem não conhece apenas o presente, mas também o passado e o futuro".

Buda dizia, "Eu vi Mahavira caminhando a alguns passos de mim e ele pisou no rabo de um cachorro. Era de manhã bem cedo e ainda não havia amanhecido. Só quando o cachorro pulou e latiu que Mahavira viu que estava pisando no rabo dele. Esse homem é onisciente e não sabia que havia um cachorro dormindo bem no meio do caminho e que ele ia pisar no rabo do coitado?"

Mas o mesmo aconteceu com Buda depois que ele se estabeleceu. Trezentos anos depois da sua morte, quando os seus ensinamentos e suas afirmações foram reunidas e publicadas pela primeira vez, os discípulos deixaram absolutamente claro, "Tudo que está escrito neste livro é absolutamente verdade e será verdade para sempre".

O erro básico cometido por todas as religiões é não ter coragem de aceitar que o conhecimento delas é limitado. Elas não são capazes de admitir a própria ignorância acerca de nenhuma questão. Têm sido tão arrogantes que continuam dizendo que sabem e criando histórias fictícias à guisa de conhecimento.

É nesse ponto que a religião verdadeira será diferente, muito diferente.

Sim, uma vez ou outra surgem indivíduos com capacidade para praticar a verdadeira religião; Bodhidharma, por exemplo. Esse ser humano, um dos mais amorosos que já existiram, foi para a China mil e quatrocentos anos atrás. Ele viveu nove anos nesse país e atraiu uma legião de seguidores. Mas não era um homem que pertencesse à estupidez das pretensas religiões. Formalmente, ele era um monge budista, e a China já tinha se convertido ao Budismo. Milhares de monges budistas já tinham chegado à China antes de Bodhidharma e quando ouviram que ele estava chegando se alegraram, pois ele era praticamente como Buda. Sua fama já havia se espalhado muito antes de ele chegar à China. Até o rei desse país, o grande imperador Wu, foi receber Bodhidharma na fronteira entre a Índia e a China.

Wu era a pessoa incumbida de converter toda a China ao Budismo, de Confúcio a Gautama Buda. Ele tinha colocado todas as forças e todos os seus tesouros nas mãos dos monges budistas — e era um grande imperador. Quando encontrou Bodhidharma, ele disse, "Já faz algum tempo que espero vê-lo. Estou velho e me alegro que tenha vindo; temos esperado todos esses anos. Quero lhe fazer algumas perguntas".

A primeira coisa que ele perguntou foi: "Devotei todos os meus tesouros, todos os meus exércitos e todo o funcionalismo público — tudo o que tenho — à conversão deste vasto território ao Budismo, e já construí milhares de templos para Buda". Ele havia construído um templo onde havia dez mil estátuas de Buda; tiveram de escavar uma montanha inteira para construir esse templo. Ele perguntou, "Como serei recompensado no outro mundo?"

Isso era o que os monges costumavam dizer a ele: "Você fez tanto para servir Gautama Buda que talvez, ao chegar ao outro mundo, ele próprio o esteja esperando para lhe dar as boas-vindas. Você desenvolveu tantas virtudes que uma eternidade de prazeres o aguarda".

Bodhidharma disse, "Tudo o que você fez não significou absolutamente nada. Você nem sequer iniciou a sua jornada, não deu nem o primeiro passo. Cairá no sétimo inferno — é o que eu digo".

O imperador Wu mal pôde acreditar: "Eu fiz tanto e você diz que irei para o sétimo inferno?!"

Bodhidharma riu e replicou, "O que quer que tenha feito foi por ganância, e nada que se faça por ganância pode tornar um homem religioso. Você renunciou a muitas riquezas, mas não fez isso incondicionalmente. Você está barganhando; trata-se de um negócio. Está investindo no outro mundo. Transferindo o seu saldo bancário deste mundo para o outro. Você é astuto, porque este mundo é passageiro — amanhã você pode morrer — e esses monges têm dito que o outro mundo é eterno. Então o que você está fazendo de fato? Desistindo de tesouros momentâneos para ganhar tesouros eternos — é realmente um bom negócio! Mas a quem está tentando enganar?"

Quando Boshidharma falou desse jeito com Wu, na frente de todos os monges, generais e reis menos importantes que tinham acompanhado o imperador e a sua corte, Wu ficou furioso. Ninguém nunca tinha falado com ele daquele jeito. Então ele disse a Bodhidharma, "Isso é jeito de uma pessoa religiosa falar?"

Bodhidharma respondeu, "É, esse é o único jeito de uma pessoa religiosa falar; todos os outros jeitos são de pessoas que querem enganar você. Esses monges que estão aqui estão enganando você; eles têm lhe feito promessas.

Você não sabe nada sobre o que acontece depois da morte, nem eles sabem, mas têm fingido saber".

Wu perguntou, "Quem é você para falar com tanta autoridade?"

E sabe o que Bodhidharma respondeu? Ele disse, "Não sei. Isso é algo que não sei. Eu mergulhei em mim mesmo, no âmago do meu próprio ser, e saí dali tão ignorante quanto antes. Não sei". Isso é o que eu chamo de coragem.

Nenhuma religião tem coragem de dizer, "Sabemos até certo ponto, mas há muita coisa que ainda não sabemos; talvez no futuro isso mude. E além desse conhecimento há um espaço que permanecerá incognoscível para sempre".

Se as religiões tivessem essa humildade, o mundo seria totalmente diferente. A humanidade não estaria nessa mixórdia; não haveria tanta angústia. No mundo todo, as pessoas vivem angustiadas. O que há para dizer a respeito do inferno? Nós já vivemos no inferno! Quanto mais sofrimento pode haver lá? E as pessoas responsáveis por isso são consideradas religiosas. Elas continuam fingindo, encenando o mesmo teatro. Depois de trezentos anos de ciência invadindo o território das religiões, destruindo sistematicamente o seu suposto conhecimento, vislumbrando novos fatos, novas realidades, o papa ainda é infalível, o shankaracharya hindu ainda é infalível.

A verdadeira religião terá a humildade de admitir que só algumas poucas coisas são conhecidas, ainda há muito mais por descobrir, e algumas coisas continuarão para sempre desconhecidas. São essas "coisas" o alvo de toda busca espiritual. Você não pode transformá-las num objeto de estudo, mas pode vivenciá-las, pode sorvê-las, pode saboreá-las — elas são existenciais!

O cientista continua separado do objeto que está estudando. Ele sempre está separado do objeto; por isso o conhecimento é possível, porque o conhecedor é diferente do conhecido. Mas a pessoa religiosa mergulha na sua subjetividade, onde o conhecedor e o conhecido são uma coisa só. Quando o conhecedor e o conhecido são uma coisa só, não existe possibilidade de conhecimento. Sim, você pode dançar ao sabor do que descobriu, mas não pode descrevê-lo. Isso pode cruzar o seu caminho; pode estar nos seus olhos, na maneira como você vê; pode estar no seu toque, na maneira como toca — mas não pode ser traduzido em palavras. As palavras são absolutamente inúteis quando se trata de religião. E todas essas pretensas religiões estão cheias de palavras. Eu considero todas elas uma grande asneira! Esse é o maior erro delas.

Isso me conduz ao segundo ponto, de que todas essas religiões têm sido contra a dúvida. Elas na verdade têm *medo* da dúvida. Só um intelecto impotente pode ter medo da dúvida; do contrário a dúvida é um desafio, uma oportunidade de questionar.

Todas elas têm dizimado a dúvida e forçado a mente de todo mundo a pensar que, se você tem dúvida, acabará indo para o inferno e sofrendo pela eternidade: "Nunca duvide". A crença é fundamental, a fé, a fé absoluta — não adianta ter só um pouco de fé, você precisa ter fé absoluta. O que você está pedindo aos seres humanos? Algo completamente desumano. Um ser humano inteligente — como ele pode acreditar totalmente? E, mesmo que tentasse, isso significaria que a dúvida existe, de outro modo por que ele precisaria lutar? Contra que dúvida ele estaria lutando para poder acreditar totalmente?

Existe a dúvida e ela não é destruída pela crença. A dúvida só é eliminada pela experiência.

Elas dizem: acredite. Eu digo: investigue. Elas dizem: não duvide. Eu digo: duvide até o fim, até chegar, conhecer, sentir e vivenciar. Então não haverá mais necessidade de reprimir a dúvida; ela evapora naturalmente. Você não precisa mais acreditar. Você não acredita no sol, não acredita na lua — por que acredita em Deus? Você não precisa acreditar em fatos comuns porque eles estão aí, para quem quiser ver. A rosa pode ser vista pela manhã; à tarde ela já murchou. Você *sabe* disso, não precisa duvidar. Essa "crença" na rosa é uma simples crença, não a negação de uma dúvida. Para que você não confunda a simples crença com uma crença complicada, eu uso uma palavra diferente para nomear a primeira: confiança. Você confia na rosa. Ela desabrocha, espalha o seu perfume e murcha. À noitinha, você não vai mais encontrá-la; suas pétalas caíram e o vento as levou. E você sabe que haverá outras rosas, que haverá mais perfume. Você não precisa acreditar; você simplesmente sabe por experiência própria, porque ontem havia rosas e elas também murcharam. Hoje outras desabrocharam — e amanhã a natureza seguirá seu curso.

Por que acreditar em Deus? Nem ontem você teve qualquer experiência de Deus, nem hoje... e que certeza existe de que terá amanhã? De onde você vai tirar essa certeza com relação ao amanhã? Porque ontem nada aconteceu, hoje nada aconteceu e amanhã é só uma esperança vazia, uma esperança vã. Mas é isso o que todas as religiões pregam — elimine a dúvida e acredite.

No momento em que elimina a dúvida, você destrói algo de imenso valor, pois é a dúvida que vai ajudá-lo a questionar e descobrir. Ao eliminar a dúvida, você corta a própria raiz do questionamento; ele deixa de existir. É por isso que raramente, muito de vez em quando, surge uma pessoa neste mundo que consegue sentir o eterno, que respira o eterno, descobre a pulsação do eterno — é muito raro. E quem é responsável por isso? Todos os rabinos e papas e shankaracharyas e imãs deste mundo — eles são responsáveis porque cortaram as próprias raízes do questionamento.

No Japão, eles cultivam uma árvore estranha. Existem árvores de trezentos ou quatrocentos anos de idade e com dez centímetros de altura. Quatrocentos anos! Se você olha uma árvore dessas, vê que ela é muito antiga, mas é uma árvore-anã, tem apenas dez centímetros de altura. Eles acham que isso é uma arte. Tudo o que eles fazem é cortar as raízes. O vaso de cerâmica em que a árvore está não tem fundo, por isso de vez em quando eles levantam o vaso e cortam as raízes. Quando você corta as raízes, a árvore não pode crescer. Ela envelhece, mas nunca cresce. Vai ficando cada vez mais velha, mas você a destrói. Ela podia se tornar uma árvore imensa, porque a maioria dessas árvores é figueira.

O Japão é um país budista e Gautama Buda tornou-se um ser iluminado debaixo de uma figueira. Em inglês, ela é chamada de *bo tree*, pois foi debaixo dessa árvore que Sidarta se tornou um buda, ou seja, atingiu o *bodhi*, a iluminação. O nome completo dessa figueira, em inglês, é *bodhi tree* [árvore bodhi], mas as pessoas costumam chamá-la de *bo tree*. Portanto, a maioria dessas árvores no Japão é dessa espécie de figueira. Ora, nenhum Buda pode se sentar sob uma figueirinha dessas. Sabe-se lá quantas pessoas deixaram de se tornar budas por causa do corte dessas árvores!

Mas o que essas pessoas estão fazendo no Japão mostra uma coisa importante: elas mostram o que as religiões têm feito com o homem. Elas têm cortado as suas raízes para que ele não cresça — só envelheça. E a primeira raiz que elas cortam é a da dúvida; quando essa raiz é cortada, deixa de existir questionamento.

A segunda raiz que elas cortam faz com que você se volte contra a sua própria natureza, condene a sua própria natureza. Obviamente, se a sua natureza é condenada, como você pode ajudá-la a fluir, a crescer e a seguir o seu próprio curso, como um rio? Não, as religiões não permitem que você seja como um rio, que flua em ziguezague. Todas as religiões querem que seja como um trem, ande nos trilhos, parando de estação em estação — na maior parte do tempo fazendo apenas manobras para ir de uma linha para outra, mas sem nunca sair dos trilhos. Esses trilhos eles chamam de disciplina, controle, autocontrole.

As religiões causaram um mal quase incalculável — seu cadinho de pecados está cheio, está transbordando. Só precisam que o joguem no Pacífico, a uns dez mil metros de profundidade, fundo o bastante para que ninguém o ache e comece o mesmo processo idiota novamente. As poucas pessoas inteligentes deste mundo deviam se livrar de tudo o que as religiões lhes fizeram sem o conhecimento delas. Elas deveriam se purificar de todo Judaísmo, de todo Hinduísmo, de todo Cristianismo, de todo Jainismo, de todo Budismo. Deveriam ser totalmente purificadas — só para se tornarem seres humanos novamente.

Aceite-se. Respeite-se. Deixe que a sua natureza siga o seu curso. Não force nada, não reprima nada. Duvide — porque a dúvida não é pecado, é um sinal de inteligência. Duvide e não pare de questionar até chegar a uma resposta.

Uma coisa eu posso dizer: quem questiona, chega a uma resposta. Isso é absolutamente certo; nunca deixou de acontecer. Ninguém terminou de mãos vazias depois de um questionamento autêntico.

O pior mal que as pretensas religiões fizeram à humanidade foi impedir que ela encontrasse a verdadeira religião. Todas elas fingiram ser a verdadeira religião. Todas as religiões do mundo condicionaram a mente humana desde a infância a acreditar que a religião que ela escolheu é a verdadeira religião — a religião em que você nasceu. O hindu acredita que a religião dele é a única verdadeira neste mundo, todas as outras são falsas. O mesmo acontece com o judeu, com o cristão, com o budista, com o muçulmano. Num ponto eles estão de acordo: todos eles acham que não precisam encontrar a verdadeira religião, pois já a encontraram — nasceram em seu seio.

Considero esse o pior mal das religiões porque, sem a autêntica religiosidade, você só pode vegetar, não pode viver de verdade. Você continua sendo superficial; não consegue atingir nenhuma profundidade, nenhuma autenticidade. Você não sabe nada sobre as suas próprias profundezas. Você sabe de si mesmo por meio dos outros, do que eles dizem. Assim como conhece o seu rosto fitando a sua imagem no espelho, você conhece a si mesmo por intermédio da opinião alheia; você não se conhece diretamente. E as opiniões das quais você depende são de pessoas que vivem em situação parecida; elas também não se conhecem.

Essas religiões criaram uma sociedade de pessoas cegas e continuam insistindo em dizer que você não precisa de olhos. Jesus tinha olhos; por que os cristãos precisam de olhos? Tudo o que você precisa fazer é acreditar em Jesus; ele o conduzirá ao paraíso, você só precisa segui-lo. Não lhe deixam pensar, porque pensando você pode se desviar. Se pensar, você fatalmente se desviará do caminho que querem que você siga, pois isso atiçará a sua dúvida, aguçará o seu intelecto. E isso é muito perigoso para as chamadas religiões. Essas religiões querem você entorpecido, morto, arrastando-se pela vida; elas o querem sem nenhuma inteligência. Mas elas sabem muito bem como camuflar tudo isso com uma linda palavra: fé. A fé nada mais é do que o suicídio da inteligência.

A verdadeira religião não pede que você tenha fé; a verdadeira religião pede que você *vivencie*. Ela não pedirá que você acabe com a sua dúvida, ela ajudará você a aguçá-la a tal ponto que você possa questionar até o fim. A verdadeira religião ajudará você a encontrar a verdade.

E, lembre-se, a minha verdade pode nunca ser a sua verdade, pois não há maneira de transferir a verdade de uma pessoa para outra. A verdade de Maomé é a verdade de Maomé; ela não será sua só porque você se tornou muçulmano. Para você, ela não passará de uma crença. E não dá para saber se Maomé sabia ou não alguma coisa. Quem sabe? Jesus podia ser apenas um fanático, um neurótico. Esse é um ponto com que todos os psiquiatras, psicólogos e psicanalistas concordam: que Jesus era um caso a se estudar. Declarar-se o único filho bem-amado de Deus, declarar "Eu sou o messias que veio para redimir este mundo dos seus pecados" — você acha isso normal?

Mesmo que Gautama Buda conhecesse a verdade, você não teria condições de saber se ele de fato conhecia ou não. Sim, você pode reconhecer alguém que saiba a verdade, se você mesmo a souber; então você é capaz de "pressenti-la". Do contrário, você simplesmente acredita na opinião pública; você está acreditando na psicologia de massa, que é a mais inferior de todas.

A verdade se revela à inteligência superior. Mas, se desde a mais tenra idade você é ensinado a acreditar, isso o deixa incapacitado, você é destruído. Se, desde cedo, é condicionado a ter fé, você perde a sua alma. Passa então a vegetar, não vive mais. E é exatamente isso o que milhões de pessoas estão fazendo ao redor do mundo: vegetando.

Que vida você pode ter? Você nem ao menos conhece a si mesmo. Não sabe de onde veio, nem para onde vai, nem a finalidade de tudo isso. Quem impediu você de saber? Não foi o demônio, mas sim os papas, os sacerdotes, os rabinos, os shankaracharyas — eles são os verdadeiros demônios.

Até onde eu posso ver, todas essas sinagogas, esses templos, essas mesquitas e igrejas são dedicadas ao diabo, não a Deus, pois o que fazem não é divino. É puro assassinato, é a escravização de toda a mente humana.

Nenhuma religião tem a coragem de dizer, "Existem coisas sobre as quais você pode perguntar; só não espere uma resposta. A vida é um mistério". Podemos dar um jeito de viver melhor, de viver mais tempo, de viver com mais conforto — só não podemos saber o que é a vida. Essa pergunta permanecerá para sempre sem resposta.

Todo o meu empenho aqui é ajudar você a voltar a ser um ignorante.

As religiões fizeram de você uma pessoa instruída, e foi esse o mal. Elas lhe transmitiram com tanta facilidade e simplicidade todo o catecismo cristão que você é capaz de repeti-lo em uma hora, tal qual um papagaio. Mas você não chegará à verdade, a real, aquela que o cerca externa e internamente. Esse catecismo não vai transmiti-la a você.

Mas deixar de lado todo o conhecimento que aprendeu é o maior problema, porque ele alimenta o seu ego. O ego quer todo o conhecimento na mão dele. E quando digo que você precisa deixar de lado toda a sua erudição e se tornar novamente uma criança, eu quero dizer que você tem de começar do ponto em que o rabino ou o padre o desorientou. Você tem de voltar a esse ponto.

Tem de ser outra vez inocente, ignorante, alheio a tudo, para que as perguntas possam começar a aflorar outra vez. O questionamento volta então a ser vibrante e, isso acontecendo, você deixa de vegetar. A vida passa a ser uma exploração, uma aventura.

Aprendido e natural: reivindique o eu com o qual você nasceu

No passado, todos os povos eram pagãos — simples adoradores da natureza. Não existia o conceito de pecado, não havia a questão da culpa. A vida era aceita do jeito que ela é. Não havia avaliações, nem interpretações — a razão ainda não interferia.

No momento em que a razão começou a interferir, a condenação entrou em cena. No momento em que a razão entrou em ação, surgiu a divisão e o homem ficou dividido em dois. Ele começou a condenar algo em seu ser — uma parte se tornou superior e a outra inferior, e você perdeu o equilíbrio. Mas isso tinha de acontecer, a razão tinha de entrar em cena, isso faz parte do crescimento. Assim como acontece com toda criança, também tem de acontecer com toda a humanidade.

Quando a criança nasce, ela é pagã. Toda criança nasce pagã e é feliz do jeito que é. Ela não tem idéia do que é certo ou errado; não tem ideais. Não tem critérios, não tem julgamento. Quando está com fome, ela pede comida. Quando está com sono, ela dorme. Segundo os mestres zen, esse é o suprasumo da religiosidade — comer quando tem fome, dormir quando tem sono. Deixa-se que a vida flua sem interferência.

Toda criança nasce pagã, mas cedo ou tarde ela perde essa simplicidade. Isso faz parte da vida; tem de acontecer. Faz parte do nosso crescimento, da nossa maturidade, do nosso destino. A criança tem de perder isso e redescobri-lo. Quando ela perde, passa a ser uma pessoa comum, mundana. Quando recupera, ela se torna religiosa.

A inocência da criança é corriqueira; é uma dádiva da existência. Não fomos nós que a conquistamos e temos de perdê-la. Só quando a perdemos nos damos conta dessa perda. Depois disso, encetamos uma busca para reencontrá-la. E só quando buscamos essa inocência e a conquistamos, nós a consumamos, tornamo-nos inocentes — e descobrimos a imensa preciosidade que ela é.

? **Sempre senti, desde a infância, que sou mais do que duas pessoas. Poderia dizer alguma coisa sobre isso?**

Todo mundo nasce como um único indivíduo, mas depois que amadurece o suficiente para participar da vida torna-se uma verdadeira multidão. O que você está sentindo não tem nada de especial; acontece com quase todo mundo. A única diferença é que você está tomando consciência disso, o que é bom. As pessoas não costumam ter essa consciência.

Se você simplesmente se sentar em silêncio e ouvir a sua mente, perceberá muitas vozes. Você ficará surpreso, conseguirá reconhecer essas vozes muito bem. Uma é do seu avô, a outra é da sua avó, outra é do seu pai, outra é da sua mãe. Uma é do padre, outra é de um professor, outra dos vizinhos, outra dos seus amigos ou dos seus inimigos. Todas essas vozes estão misturadas dentro de você, como se houvesse uma multidão aí dentro; e, se você quer encontrar a sua própria voz, é quase impossível. A multidão é densa demais.

Na verdade, faz muito tempo que você esqueceu a sua própria voz. Nunca lhe deram liberdade para expressar as suas opiniões. Sempre lhe cobraram obediência. Você foi ensinado a dizer sim para tudo que os mais velhos lhe diziam. Foi ensinado a imitar o que os seus professores ou sacerdotes faziam.

Ninguém nunca lhe disse para buscar a sua própria voz. "Você tem uma voz própria ou não tem?" Por isso a sua voz continuou totalmente subjugada e as outras ficaram muito altas, autoritárias, pois elas lhe davam ordens e você lhes obedecia — em detrimento de si mesmo. Você não tinha nenhuma intenção de segui-las, você pensava "Isso não está certo". Mas é preciso ser obediente para ser respeitado, para ser aceito, para ser amado.

Naturalmente, só uma voz está faltando dentro de você, só uma pessoa está faltando aí dentro: você mesmo. Tirando isso, existe uma multidão, e essa multidão está constantemente enlouquecendo você, porque uma voz diz, "Faça isto!" e a outra diz, "Nunca faça isto! Não ouça essa voz!", e você fica dividido.

Essa multidão aí dentro tem de ser suprimida. Você tem de dizer a ela, "Agora, por favor, deixem-me em paz!" As pessoas que se refugiaram nas montanhas ou se embrenharam na floresta, na verdade, não estão se afastando da sociedade; estão tentando encontrar um lugar onde possam dispersar essas vozes interiores.

Essas pessoas que ganharam um espaço dentro de você obviamente vão resistir muito antes de partir. Mas, se você quer ser um indivíduo por direito próprio, se quer se ver livre desse constante conflito e confusão interior, terá de dizer adeus a essas vozes — mesmo que pertençam ao seu respeitável pai, à sua mãe, ao seu avô. Não importa a quem essas vozes pertençam. Uma coisa é certa: elas não são suas. São vozes de pessoas que viveram no tempo delas e que não sabiam como seria o futuro. Elas transmitiram aos filhos a experiência delas, mas essa experiência não vai estar de acordo com o futuro desconhecido. Elas acham que estão ajudando os filhos a ficar mais preparados, a agir com mais sabedoria, para que a vida deles seja mais fácil e mais confortável, mas estão fazendo tudo errado. Com todas as boas intenções do mundo, elas estão destruindo a espontaneidade da criança, a consciência dela, a capacidade que ela tem de se firmar nas suas próprias pernas e de responder a um futuro novo, do qual seus antigos ancestrais não faziam idéia.

A criança vai enfrentar outras tempestades, vai deparar com situações novas, e ela precisa de uma consciência totalmente nova para responder a elas. Só assim a sua resposta será profícua; só assim ela poderá ter uma vida vitoriosa, uma vida que não seja apenas um desespero sem fim, mas uma contínua dança, que se aprofunda cada vez mais até que ela dê o seu último suspiro. A pessoa, então, se aproxima da morte dançando, cheia de alegria.

É bom que você tome consciência de que parece mais de uma pessoa. Todo mundo é mais de uma pessoa! E pelo fato de ter se conscientizado, é possível se livrar dessa multidão.

Fique silencioso e encontre o seu próprio eu. A menos que o descubra, será difícil dispersar essa multidão, pois todas essas pessoas diferentes que compõem a multidão estão fingindo que são o seu eu e você não tem como concordar ou discordar. Portanto, não crie desavenças com a multidão. Deixe que briguem entre si — elas são muito boas nisso! Deixe que briguem! Você, enquanto isso, tenta encontrar a si mesmo. E, depois que souber quem é, você pode simplesmente colocá-las para fora de casa — é simples assim! Mas primeiro você tem de encontrar a si mesmo. Depois que estiver presente, depois que o senhor estiver presente, que o dono da casa estiver lá, todas essas pessoas, que fingiam ser os senhores, começarão a se dispersar. Depois que você for você mesmo, estiver livre do passado — sem nada que o prenda ao passado, original, forte como um leão e inocente como uma criança —, você pode alcançar as estrelas, ou ir até além delas; o seu futuro é dourado.

Até agora as pessoas só falaram do passado dourado. Agora temos de aprender a língua do futuro dourado. Não é preciso que você mude o mundo todo; mude apenas a si mesmo e você começará a mudar o mundo inteiro, pois você faz parte deste mundo. Se um único ser humano mudar, essa mudança se irradiará para milhares e milhares de outros seres humanos. Você se tornará o estopim de uma revolução que pode dar origem a um novo tipo de humanidade.

Você disse que o conhecimento não tem nenhuma serventia no processo de autoconhecimento. Então, por favor, explique no que consiste o desenvolvimento do ser.

O ser nunca se desenvolve. O ser simplesmente é. Não existe evolução, não existe tempo no que se refere ao ser. Ele é eternidade, não é um "vir-a-ser". Espiritualmente, você nunca se desenvolve; você não pode. No que concerne ao objetivo máximo, você já o atingiu. Nunca deixou de atingi-lo.

Então o que é desenvolvimento? Desenvolvimento é só um tipo de despertar para a verdade que você é. A verdade nunca vai ser maior do que é; só o reconhecimento é maior, a lembrança é maior.

É por isso que eu não falo a respeito do "desenvolvimento do ser". Eu falo sobre todos os obstáculos que impedem o seu reconhecimento. E o conhecimento é o maior deles; por isso eu falo tanto a respeito dele. O conhecimento é a barreira.

Se você pensa que já sabe, nunca saberá. Se acha que já sabe, para que se dar ao trabalho de procurar? Você pode continuar dormindo e sonhando. No momento em que você reconhece que não sabe, esse reconhecimento da sua ignorância atinge como uma flecha o seu coração, transpassa você como uma lança. É no momento em que leva esse golpe que se toma consciência — no momento do choque.

O conhecimento é um tipo de pára-choque. Ele não deixa que você se abale e se choque. Está ali para proteger você, é como uma armadura à sua volta. Eu critico o conhecimento para que você possa se livrar dessa armadura, de modo que a vida possa lhe causar um choque que o leve a tomar consciência.

A vida está aí, pronta para abalar as suas estruturas a todo momento. O seu ser está aí, dentro de você, pronto para ser desperto a qualquer momento. Mas entre os dois existe o conhecimento. E quanto maior o conhecimento, mais tempo demora esse despertar.

Torne-se inculto.

Nunca pense na espiritualidade como um processo de crescimento. Ela não é um crescimento. Você já é um deus, um buda desde o princípio. Não tem de se tornar um buda — o tesouro existe, você só não sabe onde o deixou. Esqueceu a chave ou esqueceu como usar a chave. Você está tão embriagado de conhecimento que perdeu a noção de tudo o que você é. O conhecimento é alcoólico; ele embriaga as pessoas. Deixa a percepção anuviada, reduz a memória ao mínimo. Depois elas começam a ver coisas que não existem e deixam de ver o que existe.

É por isso que eu não falo sobre como você pode evoluir o seu ser. O ser já é o que deveria ser, ele é perfeito. Não é preciso acrescentar mais nada, nada *pode* ser acrescentado. Ele é uma criação da existência. Nasce da perfeição, por isso é perfeito. Basta que você acabe com todos os obstáculos que criou.

E toda a nossa sociedade continua se empenhando, continua se esforçando ao máximo, para criar obstáculos. A criança nasce e imediatamente criamos obstáculos para ela. Começamos a fazer comparações, "Fulano é mais bonito do que você, Sicrano é mais saudável do que você, e o filho de Beltrano — veja, veja as notas dele, tão inteligente! E você, o que está fazendo?" Começamos a fazer comparações. A comparação suscita a idéia de inferioridade e superioridade — e ambas são doenças, obstáculos. Agora a criança nunca mais pensará só em si mesma; ela sempre vai se comparar com alguém. O veneno da comparação surtiu efeito. Agora a pessoa vai viver infeliz; agora a felicidade do ser se tornará cada vez mais impossível.

Todo mundo nasce diferente, especial. Nenhuma comparação é possível. Você é você e eu sou eu. Um Buda é um Buda e um Cristo é um Cristo, nenhuma comparação é possível. Se comparar, você cria superioridade, cria inferioridade — os modos de ser do ego. E depois, claro, surgirá uma grande vontade de competir, uma grande vontade de derrotar os outros. Você vive preocupado, pensando se vai conseguir ou não derrotá-los, porque se trata de uma luta violenta e todo mundo está querendo a mesma coisa: ser o número um. Milhares de pessoas estão tentando se tornar a número um. Isso cria uma enorme violência, agressão, ódio, inimizade. A vida passa a ser um inferno. Se é derrotado, você se sente desolado... e são muito maiores as chances de ser derrotado do que de vencer. E, mesmo que se saia bem, você não será feliz porque o sucesso o deixa com medo: agora alguém pode querer tirar o seu lugar. Os rivais estão por todo lado, investindo violentamente contra você.

Antes de ter sucesso você vive com medo de não conseguir o que quer; depois que consegue, que ganha dinheiro ou conquista o poder, você vive com medo de que alguém o tire de você. Antes você vivia tremendo e agora não é diferente. Os que fracassam são infelizes e os que vencem também são infelizes.

Neste mundo, é muito difícil encontrar uma pessoa feliz, porque ninguém preenche as condições para ser feliz. A primeira condição é não fazer mais comparações. É desistir de todas essas idéias idiotas de ser superior ou inferior. Você não é nem uma coisa nem outra. Você é simplesmente você mesmo! Não existe ninguém igual a você, ninguém com quem possam compará-lo. Quando se dá conta disso, você passa a se sentir em casa.

Contudo, nós começamos a envenenar a mente das crianças com conhecimento. Começamos a lhes ensinar coisas que elas não sabem e ainda não conheceram por experiência própria. Ensinamos sobre Deus — e isso significa que estamos ensinando a elas uma mentira. Esse Deus não vai ser um Deus verdadeiro — elas não *sabem*; estamos forçando-as a acreditar, e essa crença se tornará um conhecimento. A crença não pode ser um saber verdadeiro; ela só poderá ser uma pretensão. Durante toda a vida elas acharão que sabem e nunca chegarão a saber de verdade. O alicerce é lançado sobre bases falsas.

Nós ensinamos às crianças, "Você tem uma alma imortal". Que grande bobagem estamos ensinando a elas! E eu não estou dizendo que a alma não seja imortal, não estou dizendo que não exista uma divindade, veja bem! Estou dizendo que essas coisas não deveriam ser ensinadas para se tornarem crenças.

Elas são experiências existenciais. A criança tem de ser ajudada a explorar o seu mundo interior.

Em vez de ajudar as crianças nessa exploração, nós damos a elas um conhecimento pronto. Esse conhecimento pronto passa a ser o problema maior. Como se livrar dele?

É por isso que eu falo da estupidez que é o conhecimento — porque, na verdade, trata-se de ignorância mascarada de conhecimento. No momento em que se livra dele, você se torna criança outra vez — renovada, viva, vibrante, curiosa; os seus olhos se encherão de encantamento e o seu coração começará a palpitar com o mistério da vida. Então a exploração se inicia e, com ela, a consciência. Você passa a perceber cada vez mais essa consciência interior que sempre existiu dentro de você, mas que foi abarrotada de conhecimento; por isso, para onde quer que se voltasse, você não encontrava consciência; sempre encontrava algum conteúdo flutuando na consciência.

O conhecimento é como nuvens no céu. Neste exato momento, existem muitas nuvens no céu. Se você olhar para cima não verá nem uma nesga de céu, só nuvens e mais nuvens. Esse é o estado da mente da pessoa instruída: pensamentos, escrituras, grandes teorias, dogmas, doutrinas — tudo isso está flutuando como nuvens e você não consegue enxergar o céu.

Deixe que essas nuvens se vão. Elas só estão aí porque você está se agarrando a elas. Elas só existem porque você continua apegado a elas. Solte-as, deixe que se afastem. Então você verá o céu limpo, um céu absolutamente infinito. Isso é liberdade. Isso é consciência. Esse é o verdadeiro saber.

Depois de ouvir várias e várias vezes dos grandes místicos "Conheça a si mesmo!", um grande filósofo ocidental, David Hume, escreveu, "Eu já tentei me conhecer um dia. Fechei os olhos e mergulhei dentro de mim. Descobri alguns desejos, alguns pensamentos, lembranças, sonhos, fantasias e coisas desse tipo. Mas não consegui encontrar mais ninguém ali. Não consegui encontrar a mim mesmo".

Esse é o retrato verdadeiro da mente da maioria das pessoas, com exceção de pouquíssimos budas. Se você olhar para dentro, o que encontrará? Conteúdos, nuvens passando.

Nem mesmo uma pessoa inteligente como David Hume conseguiu ver o principal: Quem é que está olhando para os conteúdos? Quem é essa consciência que vê essas lembranças, esses desejos flutuando pela mente? Essa testemunha obviamente não pode ser um desejo, não pode ser uma fantasia. Não pode ser nenhum pensamento. Tudo está passando diante dessa testemunha... e Hume estava procurando pela testemunha! Ora, você não pode buscar a testemunha como se ela fosse um objeto. O único jeito de conhecer a testemunha é livrar-se de todo conteúdo e ficar completamente vazio. Quando não há nada para ver, a sua capacidade se volta para si mesmo.

Isso é o que Jesus chama de conversão. Quando não há nada para ver, a pessoa começa a ver a si mesma. Quando não há nada para servir como obstáculo, a consciência fica pura, e essa pureza se torna autoconsciente.

E, quando eu uso o termo "autoconsciente" (*self-conscious*), não me refiro ao sentido que a palavra "autoconsciência" (*self-consciousness*) tem em inglês, ou seja, inibição, insegurança, constrangimento. Essa autoconsciência não é a consciência de si mesmo, é só uma consciência egóica. Você não sabe quem você é; como pode ser autoconsciente? A sua autoconsciência, no sentido de inibição, é uma doença. Você só passa a ser autoconsciente quando está diante de outras pessoas. Quando vai fazer um discurso, você fica autoconsciente e por causa dessa autoconsciência fica incomodado, quase paralisado. Ou, se está representando um papel num drama, você fica autoconsciente. A sua autoconsciência não passa do desejo do ego de fazer alguma coisa com tamanha perfeição que todos a apreciem.

Quando eu digo "autoconsciência", estou me referindo ao estado em que tudo desapareceu e não restou na sua consciência nenhum conteúdo — quando o espelho está refletindo a si mesmo. É como uma lamparina iluminando uma sala. Ela reflete as paredes, reflete os móveis, reflete a pintura das paredes, reflete o teto. Por um momento, imagine que as paredes não estejam mais ali, que a pintura tenha sumido e o teto desaparecido. Tudo desapareceu, só restou a lamparina acesa. Agora, o que a sua luz refletirá? Só vai refletir ela mesma; só iluminará ela mesma.

Esse é o estado do ser.

Livre-se do conhecimento. Livre-se da comparação. Livre-se das falsas identidades. Todo esse processo consiste em negar! Negue isto, negue aquilo e continue negando tudo. Continue negando até não restar mais nada — e então ela surgirá, a sua consciência pura se descortinará.

Vale a pena investir energia no aprimoramento da minha personalidade?

Você precisa abrir mão da sua personalidade para que possa encontrar a sua individualidade. O que chamamos de personalidade não é você; é uma máscara que as pessoas puseram em você. Ela não é a sua realidade autêntica, não é a sua face original. Você está me perguntando, "Vale mesmo a pena investir energia no aprimoramento da minha personalidade?" Invista energia na destruição da sua personalidade! Invista energia na descoberta da sua individualidade, e deixe essa distinção muito clara: a individualidade que você trouxe com você ao nascer. A individualidade é o seu ser essencial, e a personalidade é o que a sociedade fez com você, o que ela quis fazer com você.

Nenhuma sociedade até hoje foi capaz de dar liberdade às crianças para que sejam elas próprias. Parece arriscado dar essa liberdade. Elas podem ficar rebeldes. Podem não seguir a religião dos antepassados; podem não achar que os grandes políticos são realmente grandiosos; podem não confiar nos valores morais. Elas descobrirão a sua própria moralidade e o seu próprio estilo de vida. Não serão réplicas, não repetirão o passado; serão seres do futuro.

Isso faz surgir o medo de que elas se desviem. Antes que se desviem, toda sociedade tenta ensinar a elas uma maneira certa de viver, uma certa ideologia sobre o que é bom e o que é ruim, uma certa religião, uma certa escritura sagrada. Essas são maneiras de se criar a personalidade, e a personalidade funciona como uma prisão.

Mas milhões de pessoas neste mundo só conhecem a própria personalidade; não sabem que existe algo mais. Elas se esqueceram completamente de si mesmas, esqueceram-se até do caminho para chegar a elas mesmas. Tornaram-se, todas elas, atores, hipócritas. Estão fazendo coisas que nunca tiveram vontade de fazer e não estão fazendo coisas que adorariam fazer. A vida delas é tão fragmentada que elas nunca conseguem ficar em paz. A natureza delas está sempre se impondo e não as deixa em paz. E a chamada personalidade não pára de reprimi-las, forçando-as a mergulhar cada vez mais fundo na inconsciência. Esse conflito divide você e a sua energia — e uma casa dividida não consegue resistir por muito tempo. Essa é a desgraça dos seres humanos — é a razão por que não existe tanta dança, tanta música, tanta felicidade.

As pessoas estão muito preocupadas em guerrear consigo mesmas. Elas não têm energia e não têm tempo para mais nada a não ser brigar com elas próprias. Elas têm de lutar contra a sensualidade, tem de lutar contra a sexualidade, tem de lutar contra a individualidade, tem de lutar contra a originalidade. E tem de lutar *por* algo que elas não querem ser, que não faz parte da natureza delas, que não é o seu destino. Portanto, elas podem mostrar falsidade por um tempo, mas o verdadeiro sempre acaba aparecendo.

A vida passa, com os seus altos e baixos, e elas não conseguem descobrir quem são: o repressor ou o reprimido? O opressor ou o oprimido? E, façam o que fizerem, as pessoas não vão conseguir destruir a natureza delas. Elas com certeza podem envenená-la; podem destruir a sua alegria, podem destruir a sua dança, podem destruir o seu amor. Podem tornar a vida delas uma mixórdia, mas não podem destruir completamente a sua própria natureza. E também não podem jogar fora a sua personalidade, porque a personalidade carrega os antepassados, os pais, os professores, os padres, todo o passado. É uma herança, à qual elas se apegam.

Tudo o que eu ensino é: não se apegue à sua personalidade. Ela não é você, nunca vai ser você. Dê à sua natureza total liberdade. E respeite-se, tenha orgulho de si mesmo, seja lá o que você for. Tenha dignidade! Não se deixe destruir pelos mortos.

Pessoas mortas há milhares de anos estão empoleiradas sobre a sua cabeça. Elas são a sua personalidade — e você quer aprimorá-las? Então convoque mais alguns mortos! Escave mais alguns túmulos, desenterre mais esqueletos, cerque-se de todo tipo de fantasma. Você será respeitado pela sociedade. Será homenageado, recompensado; terá prestígio, será considerado um santo. Mas cercado pelos mortos você não conseguirá rir — não será de bom-tom —, você não conseguirá dançar, não conseguirá cantar, nem conseguirá amar.

A personalidade é uma coisa morta. Acabe com ela! Num sopro só, não aos poucos, não lentamente, hoje um pouquinho e amanhã um pouco mais, porque a vida é curta e o amanhã não é uma certeza. O falso é falso. Descarte-o totalmente!

Todo ser humano de verdade tem de ser rebelde... e rebelde contra quem? Contra a própria personalidade.

> O japonês era cliente, fazia muito tempo, de um restaurante grego, porque tinha descoberto que eles faziam um arroz frito muito saboroso. Toda noite ele ia ao restaurante e pedia "aroz flito". Isso sempre causava um ataque de riso no dono do restaurante. Às vezes ele chegava a chamar dois ou três amigos só para ouvir o japonês pedir "aroz flito".
>
> O japonês acabou ficando tão ofendido que resolveu tomar aulas de dicção só para dizer "arroz frito" corretamente. Na vez seguinte que foi ao restaurante, ele disse claramente: "Arroz frito, por favor".

Sem acreditar no que ouvia, o dono do restaurante pediu, "Pode repetir, por favor?"

O japonês replicou, "Você ouviu o que eu disse, seu glego cletino!"

Por quanto tempo você consegue fingir? A realidade vai aparecer uma hora dessas, e quanto antes melhor. Você não precisa melhorar a sua dicção — só precisa se livrar de toda essa coisa de personalidade. Seja simplesmente você mesmo. Não importa o quanto ela pareça tosca ou rústica no início, logo vai começar a adquirir a sua própria graça, a sua própria beleza.

E a personalidade... você pode burilá-la, mas vai estar burilando uma coisa morta, que não vai desperdiçar apenas com o seu tempo, com a sua energia e com a sua vida, mas também com as pessoas à sua volta. Nós todos afetamos uns aos outros. Quando todo mundo está fazendo alguma coisa, você também começa a fazer. A vida é extremamente contagiosa e todo mundo está aprimorando a sua personalidade — é por isso que essa idéia lhe ocorreu.

Mas isso não é necessário. Você não faz parte de um rebanho, não faz parte dessa gentalha. Tenha respeito por si mesmo e pelas outras pessoas. Orgulhe-se da sua liberdade. Quando você tem orgulho da sua liberdade, quer que todo mundo seja livre, pois a sua liberdade dá a você um amor e uma graça imensos. Você gostaria que todo mundo na vida fosse livre, amoroso e cheio de graça.

Isso só é possível se você for original — não algo construído, falso, mas algo que cresça dentro de você, que tenha raízes no seu ser, que floresça no tempo certo. E ter as suas próprias flores é o seu único destino, é o único caminho que faz sentido na vida.

Mas a personalidade não tem raízes; ela é feita de plástico, é artificial. Não é difícil descartá-la; só é preciso um pouquinho de coragem. E a sensação que eu tenho diante de milhares de pessoas é que todo mundo tem essa coragem, as pessoas apenas não a estão usando. Depois que você passa a usar a sua coragem, as suas fontes interiores adormecidas começam a ser ativadas e você fica ainda mais corajoso, mais rebelde. Você próprio se torna uma revolução.

Se você é uma revolução em si mesmo, isso é uma grande alegria, porque é sinal de que você cumpriu o seu destino. Você transcendeu a gentalha comum, a massa adormecida.

O que você quer dizer com "Seja simplesmente você mesmo"? Como posso ser eu mesmo se não sei quem sou? Eu conheço muitas das minhas preferências, coisas de que gosto ou de que não gosto, minhas tendências, que para mim são como o produto de um biocomputador programado a que chamamos mente. Ser simplesmente eu mesmo significa viver plenamente todo conteúdo da mente da maneira mais atenta possível?

Sim, significa exatamente isso — viver como uma consciência. Ter consciência de todos os programas da mente com que fomos condicionados, consciência de todos os impulsos, desejos, lembranças, fantasias... tudo o que a mente pode fazer. A pessoa não pode fazer parte de tudo isso, ela tem de ficar separada — *ver,* mas não *ser* —, observar tudo isso.

E uma das coisas mais importantes a se lembrar é que você não pode observar a sua capacidade de observação. Se fizer isso, então o *observador* é você, não a coisa observada. É por isso que você não pode ir além dessa sua capacidade. O ponto que você não pode transcender é o seu ser; o ponto além do qual você não pode ir é você. Você pode observar facilmente qualquer pensamento, qualquer emoção, qualquer sentimento. Só uma coisa você não pode observar: a sua capacidade de observação. Se conseguir observá-la, isso significa que você passou por uma mudança: o primeiro observador passou a ser só um pensamento; agora você é o segundo observador. Você pode voltar a ficar como antes, mas não pode se livrar dessa capacidade, porque ela é *você;* sem ela você não existe.

Portanto, quando eu digo "Seja simplesmente você mesmo", estou lhe dizendo, "Seja simplesmente uma consciência desprogramada, incondicionada". Foi assim que você chegou a este mundo e é assim que uma pessoa iluminada parte deste mundo. Ela vive no mundo, mas se mantém completamente à parte.

Um dos maiores místicos que já existiram, Kabir, tem um lindo poema que fala disso. Todos os seus poemas são simplesmente perfeitos; não poderia haver melhores. Um deles diz, "Eu devolverei a alma a mim concedida no nascimento tão pura e cristalina quanto a recebi. Eu a devolverei dessa maneira quando morrer". Ele estava se referindo à consciência, dizendo que ela se manteve impoluta. O mundo inteiro estava ali para poluí-la, mas ela permaneceu atenta.

Tudo de que você precisa é ficar atento, e nada afetará você. Essa "impermeabilidade" conservará a sua pureza, e essa pureza tem certamente o frescor da vida, a alegria da existência — todos os tesouros com que você já foi contemplado.

Mas você se apegou a pequenas coisas à sua volta e se esqueceu de quem é. Essa é a maior descoberta da vida e a peregrinação mais extasiante que você pode fazer rumo à verdade. E você não precisa ser um asceta, não precisa ser contra a vida; não precisa renunciar ao mundo e ir para as montanhas. Você pode ficar onde está, pode continuar a fazer o que está fazendo. Só precisa desenvolver uma coisa nova: o que quer que faça, faça com consciência, até mesmo o menor ato do corpo ou da mente — e a cada ato de consciência você se dará conta da beleza e do tesouro e da glória e da eternidade do seu ser.

Exterior e interior: em busca do ponto de encontro

Existiram muitas civilizações antes da nossa que chegaram ao apogeu, mas destruíram-se depois de se desenvolver de modo profundamente desequilibrado. Elas desenvolveram grandes tecnologias, mas se esqueceram de que nem o mais avançado progresso tecnológico é capaz de tornar as pessoas mais felizes, pacíficas, afetuosas e compassivas.

A nossa consciência não se desenvolve no mesmo passo que o progresso científico, e essa tem sido a causa da destruição de muitas civilizações. Temos criado monstros, no que diz respeito às máquinas, e ao mesmo tempo continuamos retardados, inconscientes e quase adormecidos. E é muito perigoso conferir poder a pessoas inconscientes.

É isso o que está acontecendo agora. Em termos de consciência, os políticos estão no nível mais inferior. Eles são espertos, são astutos. São calculistas também e se empenham a vida inteira para atingir um único objetivo: ser mais poderosos. O único desejo deles é ter mais poder — não é ter mais paz, mais alma, mais verdade, mais amor.

Por que você precisa de mais poder? — para dominar os outros, para destruir os outros. Todo o poder se acumula nas mãos de pessoas inconscientes. Portanto, por um lado, os políticos de todas as civilizações que se desenvolveram e pereceram — seria melhor dizer, cometeram suicídio — tinham o poder nas mãos. Por outro lado, os gênios da inteligência humana estavam em busca de mais e mais avanços tecnológicos e científicos, e tudo o que eles descobriam tinha de ir parar nas mãos dos políticos.

A destruição da terra não será causada por nada que venha de outro planeta — *nós* estamos preparando a nossa própria cova. Podemos estar conscientes disso ou não, mas todos nós somos coveiros e estamos cavando a nossa própria cova. Atualmente só existem alguns países que têm armas nucleares. Logo muitos outros também terão esse armamento e a situação sairá de controle, pois as nações terão tamanho poder de destruição que uma única nação poderá destruir o planeta inteiro. Uma única pessoa insana, um único político, só para mostrar poder, pode destruir toda a civilização e teremos de recomeçar do bê-á-bá. E a destruição não será apenas da espécie humana. Com ela perecerão também todos os outros seres vivos — os animais, as árvores, os pássaros, as flores. Tudo poderá desaparecer, tudo o que está vivo.

A razão disso é um desequilíbrio na nossa evolução. Continuamos a desenvolver tecnologia científica sem nos preocupar absolutamente com o fato de que a nossa consciência também deveria evoluir na mesma proporção. Na verdade, a nossa consciência deveria estar um pouco mais à frente, com relação ao nosso progresso tecnológico.

Se a nossa consciência estivesse no estado de iluminação... Nas mãos de alguém como Gautama Buda, a força nuclear não representaria mais uma ameaça. Nas mãos de alguém como ele, a força nuclear se tornaria uma força criativa — porque a força é sempre neutra; com ela você pode destruir ou pode encontrar maneiras de criar alguma coisa. Mas, neste exato momento, o nosso poderio é imenso e a nossa humanidade, insignificante. É como se tivéssemos colocado bombas nas mãos de uma criança para ela brincar.

Os seres humanos têm travado essa luta desde o princípio. Trata-se do desequilíbrio entre o interior e o exterior.

O exterior é mais fácil, é objetivo. Por exemplo, um homem, Thomas Alva Edison, descobriu a eletricidade, usada por toda a humanidade; não é preciso que todo mundo volte a descobri-la, várias e várias vezes. O crescimento interior é um fenômeno completamente diferente. Alguém como Gautama Buda pode se tornar iluminado, mas isso não significa que todo o resto da humanidade tenha se iluminado também. Todo indivíduo tem de encontrar a verdade por si. Portanto, tudo o que acontece no exterior vai se acumulando, se amontoando; todo o progresso científico vai sendo acumulado porque cada cientista se aproveita de tudo o que fizeram os seus antecessores. Mas a evolução da consciência não é regida pela mesma lei. Cada indivíduo tem de descobri-la por si; ele não pode se aproveitar das descobertas de mais ninguém.

Qualquer coisa que seja objetiva pode ser partilhada, pode ser ensinada em escolas, faculdades, universidades. Mas o mesmo não acontece com a subjetividade. Eu posso saber tudo sobre o mundo interior; mesmo assim, não posso transmitir isso a você. Uma das leis fundamentais da existência é a de que a verdade interior tem de ser descoberta pelo próprio indivíduo, por meio dos seus próprios esforços. Ela não pode ser comprada nem pode ser roubada. Ninguém pode dá-la a você de presente. Ela não é uma mercadoria, não é material; é uma experiência imaterial.

Alguém pode dar provas dessa experiência imaterial por meio da sua individualidade, da sua presença, da compaixão, do amor, do silêncio. Mas só há indicações de que algo aconteceu dentro dela. Essa pessoa pode incentivar você, pode dizer que esse mergulho interior não é em vão: "Você encontrará tesouros, como eu mesmo encontrei". Todo mestre nada mais é que um argumento, uma prova, uma testemunha. Mas a experiência continua sendo individual.

A ciência torna-se social, a tecnologia torna-se social; o reino subjetivo continua sendo individual. Esse é o maior problema, como estabelecer um equilíbrio.

Numa das florestas mais belas do mundo, a famosa Floresta Negra, na Alemanha, as árvores estavam simplesmente morrendo sem nenhum motivo aparente. O governo alemão tentou encobrir os fatos, mas não se pode esconder uma verdade para sempre. A floresta estava morrendo e não era por "causas naturais". Ela estava morrendo porque algumas fábricas da região emitiam gases na atmosfera que tornavam a chuva ácida. Quando a chuva caía sobre uma árvore, ela começava a morrer, era envenenada. Atualmente, talvez metade da Floresta Negra já esteja completamente aniquilada.

Existe em torno da terra uma camada de ozônio que serve como uma proteção; ela protege a vida no planeta. Nem todos os raios solares fazem bem à vida e a camada de ozônio reflete alguns desses raios nocivos. Existem raios que são mortíferos; se entrarem na atmosfera, começam a destruir a vida. A camada de ozônio só não barra os raios que não são contra a vida, que são favoráveis a ela. Mas, por pura estupidez, temos feito buracos nessa camada. Mandando foguetes para a lua, por exemplo — que é um simples exercício de estupidez. Quando os foguetes atravessam a atmosfera, eles fazem buracos na camada de ozônio; e quando voltam para a terra, fazem outros. Agora esses raios destrutivos do sol estão entrando na atmosfera.

Quando esta civilização for destruída, as pessoas poderão pensar que se tratou de uma calamidade natural. Mas não é verdade; nós é que a causamos. Por causa do acúmulo de dióxido de carbono e de outros gases, a temperatura da terra está começando a subir, causando problemas. O gelo dos pólos, do norte e do sul, está derretendo porque a temperatura está muito elevada. Qualquer um que pesquisar esse fenômeno daqui a centenas de anos poderá pensar que se tratou de uma calamidade natural. Mas, não, foi a nossa estupidez.

Podemos aprender muito observando o que está acontecendo agora e refletindo sobre outras civilizações que desapareceram, ou por meio da guerra ou de calamidades aparentemente naturais. Mas essas calamidades não foram sempre naturais. Essas civilizações podem ter feito alguma estupidez que causou essas calamidades. Já existiram civilizações extremamente desenvolvidas na terra, mas elas provocaram o mesmo caos que estamos começando a provocar agora. Todas elas mergulharam nas mesmas trevas em que estamos mergulhando agora. Elas não perderam a consciência — nunca a tiveram. Tinham simplesmente a mesma consciência superficial que temos hoje.

O que as pessoas podem fazer para prevenir a calamidade que se aproxima a cada dia? A morte deste planeta não está muito distante — ela provavelmente acontecerá em algumas décadas, e com base numa estimativa otimista; para os pessimistas pode acontecer amanhã. Mas, mesmo que ela ainda demore uns cem anos, o que você vai fazer para ajudar a consciência humana a se elevar a ponto de podermos evitar o suicídio global iminente? Essa ameaça vem de muitas direções. As armas nucleares são uma delas; e pode se tornar realidade a qualquer momento. A qualquer momento pode ser deflagrada uma guerra em que só basta apertar um botão para que o planeta todo seja devastado. Não será uma questão de contra-atacar com exércitos e aviões. Se os oceanos transbordarem com todo o gelo do Himalaia, dos pólos, dos Alpes e de outras cordilheiras, morreremos todos afogados.

O único modo de evitar isso é criar um estado mais meditativo neste mundo. Mas este mundo é tão insano que essa hipótese às vezes pode parecer inacreditável.

Se, nos anos vindouros, conseguirmos fazer uma revolução, atingir uma nova consciência, talvez as conseqüências do que esteja acontecendo agora possam ser evitadas. É preciso todo o nosso empenho para que isso aconteça.

Este é um período particularmente sombrio e ficará cada vez mais se as pessoas não se tornarem uma luz para si mesmas e não irradiarem essa luz. A menos que todos comecem a compartilhar a sua luz e o seu fogo com aqueles que a buscam avidamente, a aurora não virá naturalmente. Temos de viver totalmente atentos para fazer tudo o que for possível para ajudar a consciência a evoluir.

Trata-se de uma grande batalha contra a escuridão, mas é também uma grande oportunidade, um grande desafio e uma grande empolgação. Você não precisa viver de cenho carregado por causa disso. Você tem de travar essa batalha com amor, com dança, com todas as suas canções e com toda a sua alegria, pois só dessa maneira é possível trazer a aurora e dispersar a escuridão.

Existe uma lei cósmica que diz, "O lótus só pode nascer do lodo". Os políticos e os sacerdotes de todas as religiões, os governos e toda a sua burocracia —, todos eles estão criando lodo suficiente. Agora temos de fazer brotar os lótus. Você não tem de chafurdar no lodo que eles criaram; tem de plantar as sementes dos lótus.

A semente do lótus é um milagre: ela transforma o lodo na mais bela flor que pode existir. No Oriente, o lótus é quase reverenciado por duas razões. Primeiro, porque ele nasce do lodo. A palavra inglesa *human* significa simplesmente "lodo", *mud* em inglês. A palavra árabe *admi* significa simplesmente lodo, porque Deus fez os seres humanos do pó da terra. Mas existe a possibilidade de que, do lodo, brote uma flor de lótus. Ela é uma flor grande cujas pétalas só se abrem quando o sol nasce e os pássaros começam a cantar e todo o céu se tinge de várias cores. Quando escurece e o sol de põe, as pétalas do lótus se fecham. O lótus é um amante da luz.

O lótus também é reverenciado porque as suas pétalas, e até as suas folhas, são tão aveludadas que, à noite, ficam cobertas de gotas de orvalho. Aos primeiros raios do sol da manhã, essas gotas brilham como pérolas — ele fica mais belo ainda, criando arco-íris em torno delas. Mas o mais bonito é que, embora descansem sobre as pétalas e folhas, essas gotas de orvalho não tocam a folha. Basta a mais leve brisa para que elas deslizem pela flor, sem deixar rastro.

A flor de lótus tem um significado simbólico no Oriente, pois lá se diz que devemos viver neste mundo sem nos deixar afetar por ele. Devemos permanecer neste mundo, mas este mundo não deve permanecer em nós. Precisamos passar por ele sem levar conosco nenhuma impressão, nenhum impacto, nenhum arranhão. Se, no momento da morte, você puder dizer que a sua consciência é tão pura, tão inocente, quando era ao nascer, você terá vivido uma vida religiosa, uma vida espiritual. Portanto, a flor de lótus tornou-se um símbolo de um estilo de vida espiritual. Ela cresce do lodo e continua imaculada. É um símbolo de transformação. O lodo se transforma na mais bela e perfumada flor que este planeta já viu. Gautama Buda era tão apaixonado pelo lótus que se referia ao "paraíso do lótus".

Com nossa profunda meditação e gratidão pela vida, é possível que neste planeta possa haver cada vez mais consciência e mais flores; ele pode se tornar o paraíso do lótus.

Mas para isso é preciso uma luta acirrada para que haja uma grande revolução na consciência humana, e todos são convocados para essa revolução. Contribua com tudo o que você puder. Toda a sua vida tem de ser devotada a essa revolução. Você não terá outra chance, outro desafio para o seu próprio crescimento e para o crescimento de todo este belo planeta.

Este é o único planeta vivo de toda a existência; sua morte será uma grande tragédia. Mas pode ser evitada.

? **A visão científica da realidade objetiva e a experiência subjetiva da existência parecem duas dimensões completamente separadas e inconciliáveis. Essa é de fato a natureza das coisas ou é apenas uma ilusão da nossa mente?**

A maneira como a ciência aborda a existência e a maneira como a religião faz isso eram, no passado, duas perspectivas separadas e inconciliáveis. Isso acontecia devido à insistência das velhas religiões em superstições, sistemas de crença, negação dos questionamentos e da dúvida. Na realidade, não existe nada de inconciliável entre ciência e religião, nem existe separação entre elas. Mas a religião insiste na crença — a ciência não pode aceitá-la.

A crença está encobrindo a sua ignorância. Ela nunca revela a você a verdade; ela só lhe dá certos dogmas, certos credos, e você pode criar uma ilusão de conhecimento por meio deles. Mas esse conhecimento não passa de uma ilusão. Qualquer coisa que se baseie na crença é falsa. Como as religiões insistem continuamente na crença e o método básico da ciência é a dúvida, aconteceu a separação e elas se tornaram inconciliáveis. Tudo continuará desse jeito se a religião não enfrentar o desafio da dúvida.

Na minha maneira de ver, só existe ciência, com duas dimensões. Uma dimensão enfoca a realidade exterior, a outra dimensão enfoca a realidade interior. Uma é objetiva, a outra é subjetiva. Os dois métodos não são diferentes, assim como não são as suas conclusões. E ambos têm a dúvida como ponto de partida.

A dúvida tem sido tão condenada que você se esqueceu da beleza que ela tem, da riqueza que ela tem.

A criança não nasce com nenhuma crença, ela nasce com uma consciência curiosa, incrédula, cética. A dúvida é natural, a crença não é. A crença é imposta pelos pais, pela sociedade, pelos sistemas educacionais, pelas religiões. Todas essas pessoas estão a serviço da ignorância, e têm feito isso há milhares de anos. Têm mantido a humanidade na escuridão e havia uma razão para isso: se a humanidade viver na escuridão, se nada souber sobre a realidade, é muito fácil explorá-la, escravizá-la, ludibriá-la, condená-la à miséria e à dependência. Todas essas coisas estavam implicadas.

As velhas religiões não estavam preocupadas com a verdade. Elas falavam sobre ela, mas estavam mais interessadas em mantê-la longe dos olhos das pessoas. Até pouco tempo atrás elas tiveram êxito, mas agora todas estão agonizando. E quanto mais rápido perecerem, melhor.

Afinal de contas, por que você precisa de uma crença? Você não acredita numa rosa. Ninguém lhe pergunta, "Você acredita na rosa?" Você simplesmente achará graça e dirá, "Não é uma questão de que acreditar ou não; eu sei que a rosa existe". O saber dispensa a crença.

Mas o cego acredita na luz; ele tem de acreditar, pois não enxerga. E a crença mantém a pessoa religiosa cega. Se ninguém lhe dissesse para acreditar, se lhe dissessem que ela é cega e que precisa recuperar a visão, então talvez ela tivesse possibilidade de enxergar um dia. No momento em que enxerga a luz, você não precisa mais acreditar nela; você a vê, sabe que ela existe. A crença só mostra a sua ignorância, a sua cegueira — mas lhe dá uma noção falsa de que você sabe.

Se investigar, meditar, mergulhar fundo dentro de si mesmo, você descobrirá uma realidade fantástica, mas não encontrará Deus. Você encontrará a consciência em seu desabrochar mais completo, eterno, mas não encontrará um velhinho de barbas longas — e a barba, a esta altura, já terá quilômetros de comprimento; há séculos ele está sentado lá! Você não encontrará Deus. Todas as religiões têm pavor de investigar — é por isso que elas se separaram da ciência. E todas as religiões têm sido contra a ciência, porque mais cedo ou mais tarde a ciência vai provar — ela já provou — que seu método da dúvida nos aproxima da realidade. Ele desvenda os segredos da vida; torna você realmente inteligente, alerta, consciente da verdade.

Mas a ciência até agora só se preocupou com o mundo objetivo que nos cerca. Eu condeno as religiões porque elas mantiveram a humanidade na escuridão, e condeno os cientistas porque eles estão fazendo uma idiotice — estão conscientes de tudo, investigando tudo o que existe neste mundo, menos eles próprios. O cientista em seu laboratório é a única pessoa que fica fora da investigação. Tudo o mais ele investiga — e investiga mesmo, sem nenhum preconceito. Mas esquece quem é o investigador.

Será que alguma investigação é possível sem um investigador? Será que há possibilidade de se observar a realidade objetiva sem um observador? E é isso o que a ciência tem feito há trezentos anos. As religiões são criminosas, mas a ciência também é responsável por esse crime — embora sua responsabilidade seja menor, pois a ciência só existe há trezentos anos. Mas a ciência nada pode dizer sobre o mundo subjetivo, contra ou a favor, pois não o investigou.

As religiões têm de desaparecer completamente — elas são uma espécie de câncer na alma humana — e a ciência tem de estender a sua investigação, tem de concluí-la. Ela está pela metade. Ela está só olhando o objeto e se esquecendo da pessoa que está olhando para ele. A ciência tem de atingir uma nova dimensão que se volta para dentro. A dúvida será o método de ambas, por isso não será preciso uma conciliação. A dúvida é o centro. Desse centro você pode penetrar na realidade objetiva — que é o que a ciência tem feito até agora. Você pode mergulhar na sua interioridade a partir dessa mesma dúvida, coisa que a ciência ainda não fez. E pelo fato de não ter feito, o mundo subjetivo foi deixado nas mãos das religiões.

As religiões fingem investigar o mundo subjetivo, o mundo da consciência; mas é só fingimento, porque essa investigação tem início na crença. Depois que você acredita numa coisa, a sua investigação está acabada. Você já destruiu o questionamento, já deu fim à busca.

Você não pode iniciar uma investigação a partir da crença. Toda investigação, seja ela objetiva ou subjetiva, precisa de uma mente aberta — e a dúvida dá a você essa maravilhosa qualidade: a mente aberta. E, lembre-se, porque existe a possibilidade de você confundir — dúvida não significa *descrença*, porque a descrença é contra a crença que você tem na cabeça. Karl Marx e seus seguidores, os comunistas, dizem que Deus não existe. Essa é a crença deles. Nem Karl Marx nem Lênin nem nenhum comunista jamais se preocupou em investigar se Deus realmente existe ou não. Eles aceitaram essa idéia da mesma maneira que os cristãos, os hindus, os muçulmanos e os judeus aceitaram que existe um Deus. Eu não faço distinção entre o ateu e o não-ateu; eles estão no mesmo barco.

Eu não faço distinção entre o cristão, o hindu e o comunista. Na superfície, eles parecem bem diferentes. O comunista não acredita em Deus; as religiões acreditam em Deus. Isso é muito superficial; se você olhar um pouquinho mais fundo, arranhar a superfície, ficará surpreso: a descrença é tão ignorante quanto a crença. Ambos aceitaram algo com base na fé, sem nenhuma investigação. Por isso eu digo que o comunismo é uma religião ateísta. Os muçulmanos têm a sua Meca, os judeus têm a sua Jerusalém, os comunistas têm o seu Kremlin. E é muito interessante ver uma foto do Kremlin — ele parece uma igreja! Talvez fosse uma igreja antes da revolução. Ele não foi feito pelos comunistas, com certeza. Pode ter sido a maior igreja da Rússia. Eles tomaram posse dela e a transformaram na sede do governo. Mas a arquitetura mostra simplesmente que se trata de uma igreja.

Não só a arquitetura do Kremlin, mas a mente das pessoas que dominaram o pessoal do Kremlin era exatamente igual à dos papas, aiatolás, shankaracharyas — não tinha nenhuma diferença! Nos fundamentos básicos, eles estavam de acordo. Os comunistas acreditam no *Capital*, e os cristãos acreditam na Bíblia, mas qual é a diferença? Esses livros são diferentes, mas a pessoa que acredita, a mente que acredita, é a mesma.

Como a ciência negou — por mais estranho que pareça — a própria existência do cientista, ela continua fazendo os seus joguinhos com ratos, fazendo experimentos. Continua trabalhando com ratos, macacos, com todas as outras coisas deste mundo. A investigação científica chegou nas moléculas, nos átomos, nos elétrons. Mas, em toda essa pesquisa, o cientista se esqueceu de uma coisa: que ele também existe. Sem o cientista, o laboratório não serve para nada. Quem está fazendo os experimentos? Com certeza existe uma consciência, uma certa percepção, uma certa entidade com capacidade de observar. Esse é um fato muito simples; mas durante trezentos anos a ciência não foi capaz de aceitá-lo. Eu os considero culpados, porque, se tivessem aceito esse fato e feito dele também objeto de um estudo científico, as religiões já teriam desaparecido há muito tempo. Se as religiões ainda existem, a ciência tem de aceitar que, em parte, é também responsável.

A própria palavra *ciência* explica o meu ponto de vista. *Ciência* significa conhecimento, saber. Qualquer conhecimento, qualquer saber, precisa de três coisas: um objeto de estudo, um sujeito para estudá-lo e, entre o objeto e o sujeito, surge o saber.

Se não existissem seres humanos na terra, ainda assim haveria árvores, haveria roseiras, mas elas não saberiam que são roseiras e árvores. As nuvens passariam, mas ninguém saberia que era a estação das chuvas. O sol nasceria, mas não haveria a aurora, porque não haveria ninguém para descrevê-la. O conhecedor é o fenômeno mais valioso da existência e, como a ciência o tem negado, as religiões têm tido absoluta liberdade para continuar insistindo com todas as suas velhas crenças.

O meu trabalho é ajudar todas as religiões a morrer em paz. A área que estão ocupando agora deve ser ocupada pela ciência. Podemos manter as duas palavras: ciência para a realidade objetiva e religião para a realidade subjetiva, mas na verdade não há necessidade de se manter as duas. É melhor conservar uma só — ciência — com duas dimensões: uma se dirigindo para fora e a outra, para dentro.

O método científico começa com a dúvida. Ele continua duvidando até chegar num ponto em que a dúvida é impossível. Quando depara com a realidade, a dúvida deixa de existir.

As religiões têm reprimido a dúvida. Eu não encontrei até hoje nenhum líder religioso que não tenha, lá no fundo, uma dúvida persistente. Todas as suas crenças podem ter reprimido essa dúvida, mas não podem destruí-la. Você não pode perscrutar a sua própria mente. Você acredita em Deus, mas não persiste uma dúvida? Na verdade, se você não tem nenhuma dúvida, por que precisaria acreditar? Se você não tem a doença, por que está carregando tantos remédios? A crença prova a existência da dúvida; e a crença só se mantém na superfície; ela empurra, força a dúvida a mergulhar no inconsciente. Mas não pode destruí-la.

A crença não tem nenhum poder. Ela é impotente. A dúvida é uma energia imensa. A crença já é algo morto, um cadáver. Você pode carregar o cadáver o quanto quiser, mas não se esqueça de que ele é um fardo desnecessário sobre você. Logo você começará a feder tanto quanto ele, até que ele finalmente o transforme também num cadáver. Não é muito bom andar na companhia de um morto. É perigoso. A crença tem de desaparecer de todas as línguas. A dúvida tem de ser entronada e a crença, destronada.

A dúvida cria imediatamente uma ponte entre o objetivo e o subjetivo. Eles são dois pólos da mesma realidade, e a dúvida é a ponte.

Por que eu exalto tanto a dúvida? Porque ela leva você a investigar, ela levanta questões, ela o leva a empreender novas aventuras. Ela nunca deixa que você permaneça na ignorância. Continua fazendo você avançar até encontrar uma luz.

As pessoas vivem me perguntando, "Você acredita nisto? Você acredita naquilo?" e eu sempre digo a elas que essa pergunta não faz sentido. Ou você sabe uma coisa ou não sabe. A crença não tem nenhum espaço em meu ser, em lugar nenhum. Se eu não sei, então vou tentar descobrir — é disso que se trata a dúvida, é disso que se trata a investigação. E, se eu sei, então não há necessidade nenhuma de acreditar; eu sei por experiência própria. Por que eu deveria acreditar em Jesus Cristo ou em Gautama Buda? Não há necessidade.

A ciência precisa abrir as portas dos recursos que as religiões mantiveram fechadas. Existe um vasto universo fora de você — ele é infinito. Você pode continuar explorando esse universo indefinidamente, ele não tem fim. Mas existe um universo maior ainda dentro de você, e tão próximo — bem dentro de você! E você também pode explorá-lo. Você virá a descobrir quem você é, mas esse ainda não é o fim; a experiência continua se aprofundando infinitamente.

Uma pessoa pode ser tanto científica quanto religiosa, e esse será o ser humano completo. Eu defini a nova humanidade de muitas maneiras, de diferentes ângulos. Esse é um traço que também tem de ser incluído na descrição da nova humanidade. Seremos completos, inteiros, familiarizados com o mundo exterior e familiarizados com o mundo interior. E no momento em que você conhece ambos, sabe que eles não são duas energias diferentes, mas uma só, estendida em duas polaridades. Uma torna-se o objeto, a outra torna-se o sujeito. Eu preferiria chamá-la de ciência do interior, ciência do espírito. E isso que é chamado de ciência hoje em dia, seja lá o que for, eu chamaria de ciência do exterior. Mas interior e exterior são dois lados da mesma moeda. O exterior não pode existir sem o interior nem o interior sem o exterior. Portanto, não existe separação nem essa questão de conciliar as duas.

Essa questão da conciliação só vem à tona porque temos a tendência de pensar numa ciência que está pela metade e em religiões falsas que dependem da crença e não da investigação.

Você tem de ser um investigador. E a sua única responsabilidade deve ser conhecer a si mesmo. Ensinaram-lhe tantas responsabilidades menos essa! Disseram-lhe que você devia prestar contas aos seus pais, à sua mulher, ao seu marido, aos seus filhos, à nação, à igreja, à humanidade, a Deus. A lista é praticamente interminável. Mas a responsabilidade mais importante não está nessa lista.

Eu gostaria de queimar essa lista toda! Você não tem de prestar contas a nação nenhuma, a igreja nenhuma, a Deus nenhum. Você só é responsável por uma coisa: o seu autoconhecimento. E o maior milagre é que, se você cumprir com essa responsabilidade, conseguirá cumprir com muitas outras sem fazer nenhum esforço. No momento em que encontra o seu próprio ser, uma revolução acontece na maneira como você vê as coisas. Toda a sua visão da vida passa por uma mudança radical. Você começa a se dar conta de novas responsabilidades — não como se fossem algo que tem de ser feito, como se fossem obrigações a cumprir, mas algo que se faz por prazer.

Você nunca mais fará nada por dever, por se sentir responsável, porque isso é algo que esperam de você. Você fará tudo pela felicidade que isso lhe dá, por um sentimento de amor e compaixão. Não é uma questão de dever, é uma questão de compartilhar. Você sente tanto amor e tanta felicidade que gostaria de compartilhar.

Por isso eu só ensino uma responsabilidade, que é para consigo mesmo. Todo o resto virá naturalmente sem nenhum esforço da sua parte. E, quando as coisas acontecem sem que seja preciso fazer esforço, elas se revestem de uma grande beleza.

A ciência tem de aceitar que tem negligenciado a parte mais importante da existência: a consciência humana. E assim que ela começar a se voltar para a interioridade do ser humano, as religiões começarão a desaparecer naturalmente. Elas não terão mais sentido. Se a pessoa pode saber, por que vai acreditar? Se ela pode vivenciar, por que vai ler na Bíblia ou no Alcorão? Se você tem comida à sua disposição, eu não acho que vá preferir ler um livro de receita. As receitas podem ficar para mais tarde, ou talvez nem sejam necessárias.

Você tem dentro de si a chave secreta, e agora é responsabilidade da ciência ajudar você a encontrá-la. A minha visão da religiosidade é científica. É por isso que eu não ofereço nenhum sistema de crença. Eu ofereço métodos, assim como a ciência tem métodos. Os cientistas estudam os objetos por meio de métodos; nós estudamos a nossa consciência com os nossos métodos.

Os nossos métodos chamam-se meditações. Eles são absolutamente científicos. Nenhuma oração é científica, porque primeiro você tem de acreditar em Deus para depois rezar, afinal a oração tem de ser endereçada a alguém.

A meditação não é endereçada a ninguém; ela é só um método para você mergulhar dentro de si mesmo. E você vai estar aí dentro. Não vai precisar acreditar que você existe. Na verdade, mesmo que você queira, não pode negar o seu próprio ser. A própria negação provará a sua existência. Essa é a única coisa que não se pode negar. Todo o resto pode ser negado. Talvez seja uma miragem no deserto, talvez seja um sonho, talvez seja uma alucinação, talvez você esteja hipnotizado, vendo coisas que não existem. Tudo neste mundo pode ser negado, exceto você mesmo. Você é a realidade mais básica — inegável, indubitável — de todas.

E encontrá-la é uma experiência científica.

No mundo vindouro, a nova humanidade não precisará mais se preocupar em descobrir uma maneira de conciliar ciência e religião, uma maneira de aproximá-las, uma maneira de fazê-las parar de brigar e de se destruir — não haverá necessidade. Podemos criar uma ciência usando a mesma metodologia pela qual todas as outras ciências foram criadas. Podemos estabelecer a meditação como método científico, o que não é difícil, pois todas as pessoas podem praticá-la. Ela não requer um grande laboratório, você é o laboratório! E nada mais é necessário, nem tubos de ensaio, nem queimadores, nem substâncias químicas — nada disso será necessário.

Tudo de que você precisa para se conhecer já está ao seu dispor desde o dia do seu nascimento. Agora basta um pequeno giro de 180 graus.

?

Se é verdade que o nosso próprio ser já está dentro de nós, por que só poucas pessoas conseguem encontrá-lo? E como podemos saber a diferença entre essa verdade e toda a mixórdia que encontramos dentro de nós quando nos voltamos para o nosso mundo interior?

A nossa ignorância é a única razão. Não que ele não esteja dentro de nós — ele sempre esteve —, mas nós nos esquecemos dele. Não nos lembramos, nossos olhos ficaram anuviados. A visão perdeu a clareza cristalina necessária para redescobri-lo.

Você já reparou? Às vezes está tentando se lembrar do nome de alguém. Você sabe qual é, mas ele não está lhe ocorrendo. Você simplesmente não consegue se lembrar. Diz que ele está na ponta da língua. Você diz, "Eu *sei* como ele se chama". Mas se alguém o pressiona — "Se sabe, por que não diz?" —, você lamenta, "Não está me ocorrendo agora!"

Você já passou por isso? Sabe o nome da pessoa, sabe que sabe, mas tem um branco. Mas esse branco não está vazio, não é passivo. Ele é extremamente ativo, intensamente ativo. Ele está em busca, o próprio branco está em busca do nome esquecido.

E, se observar, você notará outra coisa: alguém sugere um nome e você diz, "Não, não é esse". Isso é maravilhoso! Você não conhece a verdade, mas reconhece o falso. Você diz, "Não é esse". Alguém sugere outro nome. Você diz, "Não, eu sei que nome é, e não é esse". Esse branco não é uma coisa morta; ele é dinâmico. Ele reconhece o falso, sabe o que não é verdade, mas se esqueceu da verdade.

Portanto, se alguém estiver lhe ensinando sobre um falso deus, você imediatamente percebe. Não há nenhum problema quanto a isso. Se alguém estiver lhe oferecendo uma coisa falsa, você imediatamente percebe. Não sabe o que é verdadeiro, não sabe qual é a verdade, mas sente no mesmo instante que se trata de uma inverdade, porque a verdade está guardada dentro de você. Você pode esquecê-la, mas não esqueceu onde ela está guardada.

É por isso que, sempre que ouve a verdade, algo dentro de você imediatamente a reconhece. Não é uma questão de tempo. Aqueles que não conseguem percebê-la acharão que você está hipnotizado. Eles acham que a pessoa tem de provar, tem de ponderar, tem de pensar a respeito, meditar e depois acreditar. Mas, sempre que você ouve a verdade, pela sua própria natureza ela preenche o seu branco, pois a verdade dentro de você foi evocada.

Sempre que ouvir uma verdade, saiba que ela não vem do exterior. O exterior é só uma oportunidade para o interior se abrir. Você percebe imediatamente quando algo é verdade. Não que possa discutir sobre ela, que possa prová-la, que esteja convencido dela, nada disso. Você é transformado por ela, não convencido. Trata-se de uma conversão, não uma convicção.

Sábio e esperto: desatando os nós da mente

A mente não consegue se aquietar. Ela precisa pensar, precisa se preocupar, incessantemente. A mente funciona como uma bicicleta; enquanto você pedala, ela continua andando. No momento em que você pára de pedalar, ela começa a cair. A mente é um veículo de duas rodas assim como a bicicleta, e o seu pensamento é um pedalar constante.

Mesmo que consiga, às vezes, ficar um pouquinho em silêncio, você começa imediatamente a se preocupar, "Por que estou em silêncio?" Você fará qualquer coisa para se preocupar, para pensar, porque a mente só pode existir de uma maneira: em movimento. Ou ela busca alguma coisa ou foge de alguma coisa, mas está sempre em movimento. Nesse movimento está a mente. No momento em que você pára, ela desaparece.

Neste exato instante, você está identificado com a mente. Você acha que você é a mente. É daí que vem o medo. Se você está identificado com a mente, é natural pensar que, se ela parar, você está acabado, deixa de existir. E você não sabe nada a respeito dela.

A realidade é que você não é a mente. Você é algo que está além dela. Por isso é absolutamente necessário que ela pare, para que pela primeira vez você possa constatar que você não é a mente... pois você continua existindo. A mente se foi e você continua ali — e com uma alegria maior, uma glória maior, uma luz maior, uma consciência maior e um ser maior. A mente estava fingindo... e você caiu na armadilha.

O que você tem de entender é o processo de identificação — como uma pessoa se identifica com alguma coisa que não é ela mesma.

Há uma antiga parábola no Oriente na qual uma leoa saltava de morro em morro quando, justamente entre dois deles, deu à luz um filhote. O filhote caiu na estrada onde estava passando um grande rebanho de ovelhas. Ele naturalmente se misturou às ovelhas, passou a viver entre elas e começou a se comportar como uma ovelha. Não fazia idéia, nem mesmo imaginava em seus sonhos, que era um leão. Como poderia saber? Todos em volta dele eram ovelhas e nada mais. Ele nunca tinha rugido como um leão; uma ovelha não ruge. Nunca tinha vivido sozinho como um leão; uma ovelha nunca vive sozinha. Ela fica sempre com o rebanho — o rebanho é aconchegante, seguro, livre de perigos. Se você reparar, verá que as ovelhas andam tão juntas que quase tropeçam umas nas outras. Elas têm medo de ficar sozinhas.

Mas o leão começou a crescer. Era um fenômeno estranho. Mentalmente, ele estava identificado com as ovelhas, mas biologicamente contrariava essa identificação; a natureza não acompanha a mente. Ele se tornou um belo leão, mas como a coisa foi acontecendo aos poucos, as ovelhas se acostumaram a ele, assim como ele tinha se acostumado a elas.

As ovelhas achavam que ele era um pouco esquisito, é claro. Ele não se comportava da maneira certa — era meio maluco — e continuou a crescer. Não se esperava que isso acontecesse. Ele estava fingindo que era um leão! Mas elas sabiam que ele não era; elas o conheciam desde que nascera. Tinham cuidado dele e o amamentado também. Por natureza, ele era carnívoro — nenhum leão é herbívoro, mas esse leão era, porque as ovelhas são herbívoras. Ele costumava comer capim com grande alegria. Elas aceitavam essas pequenas diferenças, o fato de ele ser um pouquinho grande e ter a aparência de um leão. Uma ovelha muito esperta um dia disse, "Ele é só uma aberração da natureza. De vez em quando acontece".

E o próprio leão aceitava isso como se fosse verdade. A sua cor era diferente, o seu corpo era diferente — ele devia ser uma aberração, uma anomalia. Mas a idéia de que ele era um leão lhe parecia impossível! Todas aquelas ovelhas em volta dele, e as ovelhas psicanalistas deram a ele explicações: "Você é só uma aberração da natureza. Não se preocupe. Estamos aqui para cuidar de você".

Mas um dia um velho leão passou pelo lugar e viu esse jovem leão no meio do rebanho, destacando-se entre as ovelhas. Ele mal pôde acreditar em seus olhos! Nunca tinha visto coisa parecida nem jamais ouvido falar, em toda a sua vida, da história de um leão que vivesse em meio às ovelhas sem lhes causar nenhum medo. E o leão se movia exatamente como as ovelhas, comendo capim!

O velho leão não podia acreditar no que via. Até se esqueceu de que ia caçar uma ovelha para o café da manhã. Esqueceu-se completamente do café da manhã. Aquilo era tão estranho que ele estava determinado a capturar aquele jovem leão e descobrir o que estava acontecendo. Mas ele já era velho e o leão, quase um filhote — ele conseguiu fugir. Embora acreditasse que fosse uma ovelha, diante do perigo ele se esqueceu dessa identificação. Correu como um leão e não deixou que o outro o alcançasse.

Finalmente, o velho leão conseguiu capturá-lo. O leãozinho chorava e dizia, "Por favor, me perdoe. Eu sou uma pobre ovelha. Solte-me, eu imploro!"

O velho leão disse, "Seu idiota! Pare com essa bobagem e venha comigo até o lago". Ali perto havia um lago. Ele o levou até lá. O leãozinho relutou um pouco, mas acabou concordando a contragosto. O que ele, uma simples ovelha, podia fazer contra um leão? Ele poderia matá-lo caso não fosse, então concordou. O lago era tranqüilo, sem ondulações, quase um espelho.

O velho leão disse ao outro, "Olhe aqui. Olhe a minha cara e olhe a sua. Olhe o meu corpo e olhe o seu, refletido na água".

No mesmo instante ouviu-se um enorme rugido! As colinas ecoaram. A ovelha desapareceu; ele era um ser totalmente diferente — reconheceu a si próprio. A identificação com a ovelha não era uma realidade, era só um conceito mental. Agora ele tinha visto a realidade. O velho leão concluiu, "Não preciso lhe dizer mais nada. Você entendeu".

O jovem leão sentia uma energia estranha que nunca sentira antes — como se até então ela estivesse adormecida. Ele podia sentir um poder colossal, embora antes fosse apenas uma ovelhinha fraca e humilde. Toda a sua humildade, toda a sua fragilidade simplesmente evaporaram.

Essa é uma antiga parábola sobre o mestre e o discípulo. A função do mestre é apenas levar o discípulo a ver quem ele é e a constatar que a imagem que tem de si próprio não é verdadeira.

A sua mente não foi criada pela natureza. Procure fazer sempre esta distinção: o seu cérebro foi criado pela natureza. O seu cérebro é um mecanismo que pertence ao corpo, mas a sua mente foi criada pela sociedade à qual você pertence — pela religião, pela igreja, pela ideologia que os seus pais seguiam, pelo sistema educacional que lhe ensinaram, por todo tipo de coisa.

É por isso que existe uma mente cristã e uma mente hindu, uma mente muçulmana e uma mente comunista. Os cérebros são naturais, mas as mentes são um fenômeno criado pelo homem. Tudo depende do rebanho de ovelhas a que você pertence. Você pertence ao rebanho hindu? Então, naturalmente, você se comportará como um hindu.

A meditação é o único método que pode levá-lo a tomar consciência de que você não é a mente, o que dá a você uma tremenda maestria. Depois você pode escolher o que há de certo na sua mente e o que não há, pois você está distante, é um observador, uma testemunha. Você não fica mais tão apegado a ela... e esse é o seu medo. Você se esqueceu completamente de si mesmo; passou a ser a mente. A identificação é completa.

Quando eu digo, "Fique em silêncio, fique sereno. Esteja sempre alerta e atento aos seus processos mentais", você pode surtar, morrer de medo; isso é como morrer. Num certo sentido, você está certo, mas não se trata da sua morte, mas da morte dos seus condicionamentos. Combinados, eles são chamados de "mente".

Depois que você for capaz de fazer essa distinção claramente — ver que você está separado da mente e que a mente está separada do cérebro —, isso acontece no mesmo instante, simultaneamente: quando você se retira da mente, passa a perceber que a mente está no meio; de um lado está o cérebro e do outro a sua consciência.

O cérebro é simplesmente um mecanismo. Você pode fazer com ele o que quiser. O problema é a mente, porque foram os outros que a criaram para você. Não foi você quem a criou. Ela não é nem sequer sua; é emprestada.

Os sacerdotes, os políticos — as pessoas que estão no poder, que têm interesses em jogo — não querem que você saiba que está acima da mente, que está além dela. Eles têm feito tudo para que você continue identificado com a mente, pois a mente é manipulada por eles, não por você. Você está sendo enganado de um modo muito sutil. Quem manipula a sua mente está fora de você.

Se a consciência se identifica com a mente, o cérebro não pode fazer nada. Ele é um simples mecanismo. Qualquer coisa que a mente queira, o cérebro faz. Mas, se você se separar da mente, ela perde o poder; do contrário, ela é soberana.

? **É assustador pensar na mente perdendo o seu poder. Como uma pessoa pode viver sem a mente?**

Uma pessoa iluminada pode usar a mente de modo mais eficaz do que o maior dos intelectuais, por uma simples razão: ela está fora da mente e tem uma visão panorâmica. Talvez as partes do cérebro que não estejam funcionando nos seres humanos normais comecem a funcionar quando a consciência vai além da razão normal, transcendendo os confinamentos da racionalidade. As outras partes só funcionam quando ocorre essa transcendência.

Essa é a experiência de todos aqueles que se tornaram seres iluminados. E, quando digo isso, digo com base na minha própria experiência. Eu não acreditaria se Buda me dissesse. Talvez ele estivesse mentindo, talvez estivesse enganado; talvez não fosse mentiroso, mas não dissesse a coisa certa. Talvez não tivesse intenção de mentir, mas poderia estar confuso; poderia estar cometendo um equívoco.

Mas eu sei disso por experiência própria, porque se trata de uma mudança tão grande que você não pode deixar de perceber. É quase como se metade do seu corpo estivesse paralisada; então, um dia, de repente, você sente que ele não está mais. Os dois lados do seu cérebro estão funcionando perfeitamente. Como você pode deixar de reparar? Se uma pessoa que está paralisada de repente descobre que não está mais, ela não consegue perceber? É impossível não perceber!

Eu sei distinguir perfeitamente bem o instante imediatamente antes da minha iluminação e o instante imediatamente depois. Com absoluta certeza, eu sei que alguma coisa dentro da minha mente — de cuja existência eu não tinha nem consciência — despertou e começou a funcionar. Desde então não tive mais problemas. Desde então, não existe mais problema para mim, nem preocupação, nem tensão.

Todas essas qualidades vêm de outras partes da mente que não estão funcionando. E, quando toda a mente funciona e você está fora dela, você é o mestre. A mente é a melhor serviçal que você pode ter, e o pior mestre que você pode encontrar. Mas, normalmente, a mente é o mestre — e nesse caso também, só metade dela. Ela é o mestre — e metade dela está paralisada! Quando você passa a ser o mestre, a mente se torna uma serviçal e se recupera plenamente, passando a ser absolutamente saudável.

O homem iluminado está "fora da mente", mas tem pleno controle da mente. Sua percepção é o suficiente. Se você observar alguma coisa continuamente, terá uma leve experiência do que significa ser uma pessoa iluminada... não a experiência completa, mas uma noção, uma amostra. Se você observar a sua raiva continuamente, ela desaparece. Você está ardendo de desejo; observe esse desejo de perto e logo ele vai desaparecer.

Se a mera observação faz com que as coisas evaporem, o que dizer da pessoa que está acima da mente, simplesmente consciente da mente em sua totalidade? Todas essas coisas vis de que você gostaria de se livrar simplesmente evaporam. E, lembre-se, todas elas têm energia. Raiva é energia — quando a raiva evapora, a energia que fica se transforma em compaixão. Trata-se da mesma energia. Por meio da observação, a raiva desaparece — ela era só o molde, a forma em torno da energia —, mas a energia permanece. Ora, a energia da raiva, sem a raiva, é compaixão. Quando o sexo deixa de existir, tudo o que resta é a energia extraordinária do amor. E cada coisa feia que desaparece da sua mente, deixa atrás de si um grande tesouro.

A pessoa iluminada não precisa se livrar de nada nem tem de praticar coisa alguma. Tudo o que está errado desaparece naturalmente, pois não resiste à conscientização. E tudo que é bom se desenvolve naturalmente, pois essa conscientização lhe serve como um tônico.

A pessoa iluminada se elevou acima da mente mecânica e atingiu uma consciência não-mecânica. Você pode destruir o cérebro, e então a mente estará acabada, mas não pode destruir a consciência, pois ela não depende do cérebro nem do sistema cerebral. Você pode destruir o corpo, pode destruir o cérebro, mas, se conseguiu libertar a sua consciência de ambos, você sabe que está intacto, que não sofreu nem um arranhão.

Existe uma lei intrínseca: os pensamentos não têm vida própria. Eles são parasitas; vivem da sua identificação com eles. Quando diz, "Estou com raiva!", você está dando vida a essa raiva, pois está se identificando com ela. Mas, quando diz, "Estou observando a raiva borbulhar dentro de mim, na minha tela mental", você deixa de dar vida, de dar energia a ela. Você conseguirá perceber que, pelo fato de não estar identificado, a raiva é absolutamente impotente. Não exerce nenhum efeito sobre você, não o transforma nem o afeta. Ela fica absolutamente vazia e sem vida. Passará logo e deixará o céu limpo e a tela da mente vazia.

Bem aos poucos, você começará a se distanciar dos pensamentos. É nisso que consiste todo o processo de testemunho e observação. Em outras palavras — George Gurdjieff costumava chamar isso de não-identificação —, você deixa de se identificar com os seus pensamentos. Fica simplesmente alheio a eles, sem se envolver — indiferente, como se pertencessem a outra pessoa. Você rompe a sua ligação com eles. Só assim você consegue observá-los.

A observação requer uma certa distância. Se você está identificado, essa distância não existe, os pensamentos estão próximos demais. É como se você aproximasse demais um espelho dos olhos; não consegue enxergar seu rosto. É necessária uma certa distância; só assim você consegue ver o seu rosto no espelho.

Se os pensamentos estão próximos demais, você não consegue observá-los. Você fica impressionado e é influenciado por eles: a raiva deixa você com raiva, a ganância deixa você ganancioso, a luxúria deixa você cheio de luxúria, pois não existe nenhuma distância. Eles estão tão próximos que a tendência é pensar que você e eles são uma coisa só.

A observação acaba com essa unidade e cria uma separação. Quanto mais você observa, maior fica a distância. Quanto maior a distância, menos energia eles sugam de você. E eles não têm outra fonte de energia. Logo começam a sucumbir, a desaparecer. Nesses momentos em que eles estão desaparecendo, você terá os primeiros vislumbres da não-mente.

No Ocidente, a psicanálise surgiu e se desenvolveu graças a Freud, Adler, Jung e Wilhelm Reich, para solucionar problemas oriundos da mente, como as frustrações, os conflitos, a esquizofrenia e a loucura. Fazendo uma comparação com as técnicas de meditação, você poderia explicar as contribuições, limitações e deficiências do sistema da psicanálise com relação aos problemas humanos enraizados na mente?

Primeiro é preciso entender que nenhum problema enraizado na mente pode ser solucionado sem que se transcenda a mente. Você pode postergar o problema, pode devolver à pessoa uma certa normalidade, pode diluir o problema, mas não pode solucioná-lo. Você pode fazer com que a pessoa viva melhor em sociedade por meio da psicanálise, mas a psicanálise nunca resolve o problema. E sempre que um problema é postergado, é desviado, ele cria outro problema. Ele simplesmente muda de lugar, mas não desaparece. Ele irromperá novamente mais cedo ou mais tarde, e cada vez que isso acontecer ficará mais difícil postergá-lo ou se desviar dele.

A psicanálise é um alívio temporário, porque ela é incapaz de conceber qualquer coisa que transcenda a mente. Um problema só pode ser resolvido quando você vai além dele. Se não pode ir além dele, então *você* é o problema. Então quem vai resolvê-lo? E como se vai resolvê-lo? Você é o problema; ele não é algo que está separado de você.

A Ioga, o Tantra e todas as técnicas de meditação se baseiam numa premissa diferente. Eles dizem que os problemas estão do lado de fora, estão em torno de você; você nunca é o problema. Você pode transcendê-los; pode olhar para eles como um observador olha para um vale, do alto de uma montanha. Esse eu testemunha pode solucionar o problema. Na verdade, só testemunhar o problema já é quase o suficiente para resolvê-lo, pois, quando você testemunha um problema — quando consegue observá-lo imparcialmente, quando não se vê envolvido por ele —, você é capaz de dar um passo para trás e olhar para ele. A própria clareza que advém do testemunho dá a você uma indicação, uma chave secreta. E quase todos os problemas se originam da falta de clareza para entendê-los. Você não precisa de soluções, precisa de clareza.

O problema entendido da maneira certa se resolve naturalmente, pois ele surge por meio da mente que não compreende. Você cria o problema porque não compreende. Portanto, o básico não é solucionar o problema; é criar mais entendimento. Com mais compreensão, com mais clareza, o problema pode ser encarado com imparcialidade — observado como se não pertencesse a você e sim a outra pessoa. O problema só será resolvido quando você conseguir criar uma distância entre você e ele.

A meditação cria uma distância, dá a você perspectiva. Você vai além do problema. O nível de consciência muda. Com a psicanálise você continua no mesmo nível. O nível nunca muda; você volta a se ajustar ao mesmo nível. A sua percepção, a sua consciência, a sua capacidade de testemunhar não mudam. Quando entra em meditação, você voa cada vez mais alto. Consegue olhar os problemas de um nível mais alto. Eles agora estão no vale e você, no alto de uma montanha. Dessa perspectiva, dessa elevação, todos os problemas parecem diferentes. E quanto maior é a distância, mais capaz você é de observá-los como se não lhe pertencessem.

Lembre-se de uma coisa: quando um problema não lhe pertence, você consegue dar bons conselhos sobre como resolvê-lo. Quando o problema pertence a outra pessoa, quando alguém mais está em dificuldade, você sempre consegue demonstrar sabedoria. Você consegue dar bons conselhos; mas, se ele lhe pertence, você fica simplesmente sem saber o que fazer. O que acontece? O problema é o mesmo, mas você não está envolvido. Quando se trata do problema de outra pessoa, existe um certo distanciamento que lhe permite encará-lo com imparcialidade. Todo mundo é bom conselheiro quando o problema é dos outros, mas quando o problema é seu toda sabedoria se perde porque não há distanciamento.

Alguém morreu e a família está angustiada: você consegue dar bons conselhos. Consegue dizer que a alma é imortal, que ninguém morre de fato, que a vida é eterna. Mas, quando morre alguém que você ama, que significa muito para você, alguém próximo, íntimo, você se debulha em lágrimas. Não consegue ser um bom conselheiro para si mesmo — dizer que a vida é imortal e ninguém morre. Isso fica parecendo absurdo.

Então, lembre-se, quando está aconselhando os outros, você pode parecer um bobalhão. Se disser a alguém que acabou de perder um ente querido que a vida é eterna, essa pessoa vai pensar que você é um idiota. Para ela você está dizendo bobagem. Ela sabe o quanto é duro perder um ser amado. Nenhuma filosofia vai lhe dar consolo. E ela sabe por que você está dizendo isso — porque o problema não é seu. Você pode bancar o sábio, mas ela não pode.

Por meio da meditação, você transcende o seu ser ordinário. Surge em você um novo platô de onde você pode olhar as coisas de maneira nova. Cria-se uma distância. Os problemas existem, mas eles estão muito longe agora, como se acontecessem a outra pessoa. Agora você pode dar bons conselhos a si mesmo, embora isso nem seja necessário. A própria distância faz com que você fique mais sábio.

Portanto, toda a técnica de meditação consiste em criar uma distância entre os problemas e você. Neste momento, do jeito que é, você está tão enredado nos seus problemas que não consegue pensar, não consegue contemplar, não consegue enxergar através deles nem testemunhá-los.

A psicanálise só propicia um reajustamento. Ela não é uma transformação; esse é um ponto importante. Outro ponto: com a psicanálise, você fica dependente. Precisa de um especialista e esse especialista fará tudo. Ela durará três anos, quatro anos ou até cinco anos, se o problema for muito profundo, e você se tornará apenas um dependente — não estará crescendo. Pelo contrário, estará se tornando cada vez mais dependente. Precisará dessa psicanálise todo dia, ou duas vezes por semana, ou três vezes por semana. Se perder uma sessão, você ficará perdido. Se interromper o tratamento, ficará perdido. Ele se torna intoxicante, torna-se alcoólico. Você começa a depender de outra pessoa — alguém que é especialista. Você pode contar a essa pessoa o seu problema e ela o resolverá. Vocês discutirão a respeito e ela trará à tona as raízes inconscientes. Mas a outra pessoa fará tudo; a solução será dada por outra pessoa.

Lembre-se, um problema resolvido por outra pessoa não lhe proporcionará mais maturidade. Um problema resolvido por outra pessoa pode dar a ela mais maturidade, mas não a você. Você pode ficar mais imaturo ainda; depois disso, sempre que tiver um problema você vai precisar do conselho de um especialista, de um profissional. E eu acho que os seus problemas não trazem maturidade nem para os psicanalistas, porque eles fazem psicanálise com outros psicanalistas. Eles têm os seus próprios problemas. Eles solucionam os seus, mas não conseguem resolver os próprios. Mais uma vez, é uma questão de distanciamento.

Todo psicanalista procura outra pessoa para resolver os seus problemas. Ele é como qualquer outro profissional de saúde. Se o próprio médico fica doente, ele não pode se autodiagnosticar. A doença está tão próxima que ele fica com medo e procura outra pessoa. Se você é cirurgião, não pode operar o seu próprio corpo — ou pode? Não há distância. Não é fácil operar o próprio corpo. Mas também não é fácil ver a sua esposa muito doente, precisando passar por uma cirurgia delicada — você não pode operá-la porque a sua mão tremeria. A intimidade é tão grande que você ficaria aterrorizado; não seria um bom cirurgião. Você teria de pedir a outra pessoa que operasse a sua mulher.

Por que isso acontece? Você é cirurgião, já fez muitas cirurgias. Mas não pode operar nem a sua mulher nem o seu filho, pois a distância não é grande o suficiente — é como se não houvesse distância nenhuma, e sem essa distância é impossível ser imparcial. Por isso o psicanalista pode ajudar outras pessoas, mas precisa procurar ajuda, precisa de outro psicanalista quando está com problemas.

É estranho pensar que até uma pessoa como Wilhelm Reich tenha enlouquecido no fim da vida. Não dá para pensar em Gautama Buda ficando louco — acha que dá? Se alguém como Buda pode enlouquecer, então não haveria como escaparmos desse sofrimento. É inconcebível pensar em Buda ficando louco.

Veja a vida de Sigmund Freud. Ele é o pai e fundador da psicanálise; estudou profundamente os problemas. Mas, no que diz respeito a ele próprio, nem um único problema foi solucionado. Nem um único problema foi solucionado! O medo era um problema para ele, assim como é para todo mundo. Ele tinha muito medo e estava sempre nervoso. A raiva também era um problema para ele, assim como é para qualquer pessoa. Os seus acessos de raiva eram tão fortes que ele chegava a ter síncopes. Esse homem sabia muito sobre a mente humana, mas, quando se tratava dele próprio, esse conhecimento parecia inútil.

Jung também saía de si quando estava muito preocupado; ele costumava ter ataques. Qual era o problema? A distância é o problema. Eles viviam pensando em problemas, mas não tinham ampliado a sua consciência. Eles pensavam de modo intelectual, racional, lógico, e chegavam a uma conclusão. Às vezes essas conclusões podiam estar certas, mas não é esse o ponto. Eles não cresceram do ponto de vista da consciência, não transcenderam em nenhum sentido. E, a menos que você transcenda, os problemas não podem ser resolvidos; eles só podem ser ajustados.

Freud disse, nos últimos dias da sua vida, que o homem é incurável. Podemos esperar, no máximo, que ele seja um ser ajustado; não nos resta outra esperança. Isso é o máximo! O homem não pode ser feliz, ele disse. Podemos, na melhor das hipóteses, dar um jeito para que ele não seja tão infeliz. Isso é tudo. Que tipo de solução pode resultar de uma atitude dessas? E ele disse isso depois de quarenta anos de experiência com seres humanos! Concluiu que não há nada que se possa fazer pelo ser humano, que somos infelizes por natureza e permaneceremos nessa condição.

Do prisma da meditação, não é o ser humano que é incurável; é a nossa consciência pequeníssima que cria o problema. Expanda a consciência, aumente a consciência e o problema diminui. Eles existem na mesma proporção: se existir pouca consciência haverá muitos problemas; e se existir muita consciência haverá poucos problemas. Com consciência total, os problemas simplesmente desaparecem, como o sol nasce pela manhã e seca as gotas de orvalho. Com consciência total, não existem problemas, pois eles nem sequer aparecem. A psicanálise pode, no máximo, ser uma cura, mas os problemas vão continuar surgindo; ela não é profilática.

A meditação vai lá no fundo. Ela mudará você de modo que os problemas não apareçam. A psicanálise está preocupada com problemas. A meditação está preocupada com você, diretamente, não está preocupada com problema nenhum. É por isso que os maiores psicólogos de todos os tempos — Buda, Mahavira ou Lao-Tsé — não falam sobre problemas. Por causa disso, a psicologia ocidental acha que a psicologia é um fenômeno novo. Ela não é!

Foi só no início do século XX que Freud conseguiu provar cientificamente a existência de algo como o inconsciente. Buda já falava sobre isso 25 séculos atrás, mas ele nunca tentou resolver nenhum problema, porque, segundo dizia, os problemas são infinitos. Se você viver a vida toda preocupado em resolver todos os problemas, nunca será capaz de resolvê-los de fato. Concentre a sua atenção na pessoa, esqueça os problemas. Concentre-se no próprio ser e ajude-o a se desenvolver. À medida que se desenvolve, ele fica mais consciente e os problemas vão desaparecendo; você não precisa se preocupar em resolvê-los.

Por exemplo, uma pessoa é esquizofrênica, está dividida, fragmentada. A psicanálise tratará essa personalidade fragmentada — procurará um meio de trabalhar esse problema, de ajustar essa pessoa para que ela consiga ter uma vida normal, consiga viver pacificamente em sociedade. A psicanálise tratará o problema, a esquizofrenia. Se essa pessoa procurasse Buda, ele não falaria sobre o estado de esquizofrenia. Ele diria, "Medite para que o seu eu interior recupere a integridade. Quando isso acontecer, a cisão na periferia desaparecerá". A cisão existe, mas não é a causa, é só o efeito. Em algum lugar, nas profundezas do ser, existe uma dualidade e essa dualidade criou essa "rachadura" na periferia. Você pode continuar cimentando a rachadura, mas internamente ela continuará existindo. Posteriormente, vai aparecer em outro lugar. E você volta a cimentá-la; e ela volta a aparecer em outro lugar. Por isso, se você trata um problema psicológico, outro aparece imediatamente; e, quando você tratar esse outro, um terceiro eclodirá. Para os profissionais isso é bom, porque eles vivem disso. Mas não ajuda em nada. Teremos de ir além da psicanálise e, a menos que se recorra a métodos para o desenvolvimento da consciência, para o crescimento interior do ser, para a expansão da consciência, a psicanálise não ajudará muito.

Agora, isso já está acontecendo; a psicanálise já está obsoleta. Os sagazes pensadores do Ocidente agora estão estudando um modo de expandir a consciência, e não de resolver problemas — um modo de tornar as pessoas mais alertas e conscientes. Isso já aconteceu, as sementes já estão brotando. A ênfase precisa ser lembrada.

Eu não estou preocupado com os seus problemas. Problemas existem aos milhões, e é inútil tentar resolvê-los, pois é você quem os cria e nunca se livra deles. Eu soluciono um e você cria dez. Ninguém consegue superá-lo, pois o criador continua por trás dos problemas. E, enquanto tento resolvê-los, estou apenas desperdiçando minha energia.

Eu colocarei os seus problemas de lado; vou me preocupar apenas com você. É o criador que tem de ser transformado. E, depois que o criador é transformado, os problemas na periferia desaparecem. Ninguém mais coopera com eles, ninguém mais os ajuda a criá-los, ninguém mais tira proveito deles. Você pode achar estranha a expressão "tirar proveito", mas lembre-se bem de que você tira proveito dos seus problemas; por isso você os cria. Você continua criando problemas por várias razões.

Toda a humanidade está doente. Existem razões básicas, causas básicas, que continuam sendo ignoradas. Sempre que uma criança está doente, ela ganha atenção; quando está saudável, ninguém nem liga para ela. Sempre que uma criança está doente, os pais a amam — ou pelo menos fingem que amam. Mas, quando ela está bem, ninguém se preocupa com ela. Ninguém pensa em lhe dar um beijo ou um abraço gostoso. A criança aprende o truque. E o amor é uma necessidade básica, a atenção é um nutriente básico. Para a criança, a atenção é potencialmente mais necessária do que o leite. Sem atenção, algo dentro dela morre.

Talvez você já tenha ouvido falar de pesquisas em laboratório em que se realizam experimentos com plantas. Até as plantas crescem mais rápido se você der atenção a elas, se apenas olhá-las com amor. Duas plantas são usadas no experimento. Uma delas recebe atenção, amor — só sorrisos e toques carinhosos — e a outra não recebe atenção nenhuma. Tudo mais de que precisam é fornecido a ambas — a quantidade de água necessária, de fertilizantes, de luz solar; eles dão às duas tudo de que precisam, mas só uma delas recebe atenção. A outra é ignorada; todos passam sem nem olhar para ela. Os pesquisadores constatam que uma das plantas cresceu mais rapidamente e deu flores maiores, enquanto a outra cresceu mais lentamente e deu flores menores.

Atenção é energia. Quando alguém olha para você com amor, essa pessoa está lhe dando alimento — um alimento muito sutil. É por isso que toda criança precisa de atenção, e você só lhe dá atenção quando ela está doente, quando está com algum problema. Por isso, se ela precisa de atenção, criará problemas, vai se tornar encrenqueira.

O amor é uma necessidade básica. O seu corpo só cresce se receber alimento, a sua alma só cresce se receber amor. Mas você só consegue receber amor quando está doente, quando tem algum problema; do contrário ninguém lhe dá amor. A criança aprende os seus costumes e então começa a criar problemas. Sempre que ela está doente ou tem um problema, todo mundo lhe dá atenção.

Você já observou? Na sua casa, as crianças estão brincando em silêncio, em paz. Basta chegarem algumas visitas para que elas comecem a criar confusão. Isso acontece porque você passa a dar atenção às visitas e as crianças se sentem carentes. Elas querem que a atenção dos pais, a atenção das visitas, a atenção de todo mundo se volte para elas. Elas farão alguma coisa, criarão alguma confusão. Isso é inconsciente, mas acaba se tornando um padrão. E, quando você chega à idade adulta, continua com esse mesmo comportamento.

O psicanalista é alguém que ganha a vida dando atenção. Durante uma hora, ele olha para você atentamente. Qualquer coisa que você diga, qualquer bobagem, ele ouve com uma atitude quase reverente. E convence você a falar mais, a dizer qualquer coisa, relevante ou irrelevante, para expressar o que pensa. Aí você se sente bem.

Muitos pacientes se apaixonam pelo psicanalista. E é um grande problema resguardar esse relacionamento paciente-terapeuta porque, mais cedo ou mais tarde, ele acaba se transformando num relacionamento romântico. Por quê? Por que a paciente se apaixona pelo psicanalista? Ou o contrário, por que o paciente se apaixona pela psicanalista? Porque, pela primeira vez na vida, ela ou ele está recebendo atenção. A necessidade de amor é satisfeita.

A menos que o seu ser básico seja transformado, não adiantará nada resolver problemas. Você tem um potencial infinito para criar outros novos. A meditação é um esforço para, primeiro, tornar você independente; e, segundo, mudar o tipo e a qualidade da sua consciência. Com uma nova qualidade de consciência, os antigos problemas não podem existir, eles simplesmente desaparecem. Você era uma criancinha; tinha outros tipos de problema. Quando ficou mais velho, eles simplesmente desapareceram. Para onde eles foram? Você não teve de solucioná-los, eles simplesmente evaporaram. Você não consegue nem se lembrar dos problemas da sua infância. Mas você cresceu e eles deixaram de existir.

Depois que você cresceu um pouco mais, passou a ter outro tipo de problema; quando se tornou adulto, eles deixaram de existir. Não que você tenha conseguido resolvê-los — ninguém é capaz de resolver problemas; você simplesmente cresceu e os deixou para trás. Quando fica mais velho, você ri daqueles problemas que costumava ter e que pareciam tão prementes, tão destrutivos a ponto de levá-lo, muitas vezes, a pensar em suicídio. E agora que já está mais maduro, você simplesmente dá risada. Para onde foram todos aqueles problemas? Você os resolveu? Não, você simplesmente cresceu. Eles pertenciam àquela sua etapa de crescimento.

Algo parecido acontece quando você amplia a sua consciência. Os problemas também passam a não existir mais. Chega um momento que você fica tão consciente que eles param de aparecer. Meditação não é análise. Meditação é crescimento. Ela não diz respeito a problemas; ela diz respeito ao ser.

Líder *versus* seguidor

Compreendendo a responsabilidade de ser livre

Segundo a afirmação profética de Nietzsche, "Deus está morto e o homem está livre". Essas palavras revelam uma profunda percepção intuitiva. Pouquíssimas pessoas conseguiram captar o sentido profundo dessa afirmação. Trata-se de um marco na história da consciência. Se existe um Deus, o homem nunca pode ser livre — essa é uma impossibilidade. Com a existência de Deus, o homem continuará sendo um escravo e liberdade continuará sendo uma palavra vazia. Só com a inexistência de Deus a liberdade começa a fazer sentido.

Mas a afirmação de Friedrich Nietzsche está pela metade; ninguém tentou completá-la. Ela parece completa, mas Friedrich Nietzsche não se deu conta de que existem religiões neste mundo que negam a existência de Deus e, mesmo nessas religiões, o homem não é livre. Ele não se lembrou do Budismo, do Jainismo, do Taoísmo — de todas as religiões, as mais profundas. Para todas essas três religiões, Deus não existe. Pelas mesmas razões de Nietzsche, Lao-Tsé, Mahavira e Gautama Buddha negavam Deus — porque eles podiam ver que, com Deus, o homem é apenas um fantoche. Então todos os esforços em favor da iluminação não fazem sentido; se você não é livre, como pode se tornar iluminado? E, se existe alguém onipotente, todo-poderoso — ele pode dar um fim na sua iluminação. Pode acabar com tudo!

Mas Nietzsche não se deu conta de que existem religiões sem um Deus. Durante milhares de anos existiram pessoas conscientes de que a existência de Deus é a maior barreira para a liberdade humana — elas eliminaram Deus. Mas o homem continuou sem liberdade.

O que estou tentando levar você a entender é que não basta declarar a morte de Deus para que o homem seja livre. Você terá de declarar também a morte de uma outra coisa: a morte da religião.

A religião também tem de morrer; ela precisa ter o mesmo destino de Deus. Temos de criar uma religiosidade sem Deus e sem religião, sem que haja ninguém acima, mais poderoso que nós, e sem nenhuma religião organizada para criar diferentes tipos de prisão — cristã, muçulmana, hindu, budista. Lindas prisões...

Com Deus e a religião mortos, outra coisa morre automaticamente: o sacerdócio, o líder, as diferentes formas de líder religioso. Eles passam a não ter mais função. Deixa de existir uma religião organizada que precise de um papa ou de um shankaracharya ou um Aiatolá Khomeini. Não haverá mais um Deus que eles possam representar; eles não terão mais função.

Buda, Mahavira e Lao-Tsé descartaram Deus do mesmo modo que Friedrich Nietzsche — sem saber, sem reparar que, enquanto houver religião, mesmo sem haver um Deus os sacerdotes continuarão a manter o homem na escravidão.

Para que a idéia de Friedrich Nietzsche estivesse completa, seria preciso também a morte da religião. Não há por que existir religião se não existe um Deus. Para que existir uma religião organizada? As igrejas, os templos, as mesquitas, as sinagogas têm de desaparecer. E com elas os rabinos, os bispos e todos os tipos de líderes religiosos, que ficariam sem emprego, seriam supérfluos. Mas, então, uma tremenda revolução aconteceria: a humanidade ficaria livre para sempre.

No entanto, para entender as implicações dessa liberdade, você tem de entender as limitações da descoberta de Friedrich Nietzsche. Se essa descoberta estivesse completa, que tipo de liberdade estaria ao nosso alcance? Deus está morto, o homem está livre... livre de quê? A nossa liberdade seria como a liberdade de qualquer outro animal. Não está certo chamá-la de liberdade — seria licenciosidade. Não se trata de liberdade porque não vem acompanhada de nenhuma responsabilidade, de nenhuma consciência. Não ajudará o homem a se elevar às alturas, a alcançar um patamar mais alto do que ele alcançou em sua escravidão. A menos que a liberdade o ajude a chegar a um patamar mais alto do que em sua escravidão, ela não significa nada.

É possível que a sua liberdade o leve a cair abaixo da sua escravidão, porque a escravidão tem uma certa disciplina, uma certa moralidade, certos princípios. Ela tem uma certa religião organizada para vigiar você, para mantê-lo com medo dos castigos e do inferno, ávido por recompensas e pelo céu, e um pouquinho acima dos animais selvagens — que têm liberdade, concordo, mas uma liberdade que não faz do animal um ser superior. Ela não dá a ele nenhuma qualidade de consciência que você possa notar.

Nietzsche não fazia idéia de que não basta dar ao homem liberdade — não só não basta como é perigoso, pois pode reduzi-lo à animalidade. Em nome da liberdade, ele pode se desviar do caminho que o leva a estados de consciência mais elevados.

Quando Deus estiver morto — a religião como instituição organizada estará morta — e o homem, livre para ser ele mesmo. Pela primeira vez ele estará livre para explorar o seu ser mais profundo sem impedimentos. Estará livre para mergulhar nas profundezas do seu ser e se elevar às alturas da sua consciência. Não haverá ninguém para impedi-lo; a sua liberdade será total. Mas essa liberdade só é possível se conseguirmos manter uma qualidade que chamo de religiosidade, pois essa qualidade está viva e em perfeita harmonia com a liberdade humana; ela promove o crescimento do ser humano.

Quando me refiro à "religiosidade", quero dizer que o ser humano, do modo como ele é, não é o bastante. Nós podemos ser mais, podemos ser muito mais. Qualquer ser humano, seja do jeito que for, não passa de uma semente. Não sabemos que potencial que carregamos dentro de nós.

A religiosidade significa simplesmente um desafio para crescermos, um desafio para a semente atingir o ponto máximo da sua expressão, irromper em milhares de flores e espalhar a fragrância que estava guardada dentro dela. Essa fragrância eu chamo de religiosidade. Ela não tem nada a ver com as supostas religiões, não tem nada a ver com Deus, não tem nada a ver com o clero; tem a ver com você e com as suas possibilidades de crescimento.

Portanto, eu uso a palavra "religiosidade" só como um lembrete de que Deus pode morrer, as religiões podem deixar de existir, mas a religiosidade é algo que faz parte da trama da própria existência. Ela é a beleza do sol nascente, é a beleza de um pássaro no céu. É a beleza de um lótus em flor. É tudo que é confiável, tudo que é sincero e autêntico, tudo que é amoroso e compassivo. Ela inclui tudo o que exalta você, que não deixa você parar onde está, mas sempre o lembra de que ainda tem um longo caminho a percorrer. Todo lugar onde você pára para descansar é apenas uma pousada onde passar a noite; pela manhã mais uma vez pegamos estrada e continuamos nossa peregrinação. Essa é uma peregrinação eterna, e você está sozinho — e é totalmente livre.

Por isso é uma grande responsabilidade — que não é possível para alguém que acredita em Deus, não é possível para alguém que acredita num sacerdote, que acredita na igreja, pois gente assim quer jogar a sua responsabilidade nos ombros de outra pessoa. Os cristãos acham que Jesus é o salvador, portanto a responsabilidade é dele: "Jesus voltará e nos livrará do sofrimento, nos tirará deste inferno". A liberdade simplesmente faz de você o responsável por tudo o que é e que vai ser.

Essa é a razão de eu usar a palavra "religiosidade". Ela é belíssima. Não se trata de organização; não é hindu, não é muçulmana, não é cristã. É simplesmente uma fragrância que mantém você em movimento.

E não existe lugar onde parar. Na vida, não existe ponto final, não existe nem mesmo um ponto-e-vírgula — só algumas vírgulas pequenininhas. Só por um instante você pode descansar, mas esse descanso é só para acumular energia para seguir em frente, para subir mais alto.

Pastor e ovelha: deixando de ser um fantoche

A própria idéia de Deus lhe provoca uma sensação de alívio — você não está sozinho; alguém está cuidando das coisas; este cosmos não é simplesmente um caos, ele é *realmente* um cosmos; existe um sistema por trás dele, existe uma lógica; ele não é um amontoado ilógico de coisas, não é uma anarquia. Alguém dita as regras; o rei soberano está atento aos menores detalhes — nem uma única folha se agita sem que ele a agite. Tudo é planejado. Você faz parte de um grande destino. Talvez o significado seja desconhecido para você, mas ele existe, porque Deus existe. Deus traz um grande alívio. A pessoa começa a sentir que a vida não é um simples acaso; por trás, existe um significado, um sentido, um destino. Deus dá a idéia de destino.

Não existe nenhum Deus — essa crença simplesmente mostra que o homem não sabe por que está aqui. Simplesmente mostra que o homem está desamparado. Simplesmente mostra que não existe nenhum significado que o homem possa encontrar. Criando a idéia de Deus, ele pode acreditar que existe um significado e pode viver esta vida fútil seguro de que existe alguém olhando por ele.

Imagine só, você está num avião e alguém chega e diz, "Não há ninguém pilotando o avião". De repente, há uma onda de pânico. "Ninguém?!" Isso significa que todos a bordo estão condenados à morte. Então alguém diz, "Tem de haver um piloto — invisível, não podemos vê-lo, mas ele está aqui. Do contrário, como este belo mecanismo estaria funcionando? Pense um pouco, tudo está correndo tão bem — tem de haver um piloto! Talvez não sejamos capazes de vê-lo, talvez ainda não demonstremos devoção suficiente para vê-lo, talvez nossos olhos estejam fechados, mas o piloto existe. Se não existisse, como seria possível? Este avião decolou, está voando tranqüilamente, os motores estão roncando. Tudo isso prova que existe um piloto".

Se alguém conseguir convencê-lo, você conseguirá relaxar novamente na poltrona. Fechará os olhos e voltará a sonhar — poderá cair no sono. Há um piloto, você não precisa se preocupar.

Não há piloto nenhum, ele é uma criação humana. O homem criou Deus à sua própria imagem. Ele é invenção do homem. Deus não é uma descoberta. É uma invenção. E Deus não é a verdade — é a maior mentira que já se viu.

? Você acredita mesmo que Deus não existe?

Eu não acredito que Deus não existe, eu sei com toda certeza que ele não existe. E dou graças a Deus que ele não existe, porque a existência de Deus criaria tantos problemas, tantas dificuldades que a vida ficaria quase impossível. Você talvez não tenha olhado para ele desse ângulo do qual estou falando — talvez ninguém tenha jamais tentado olhar para ele desse ângulo.

Os cristãos dizem que Deus criou o mundo. Na verdade, a hipótese de Deus é necessária para a criação. O mundo existe; alguém deve tê-lo criado. Se existe um criador, esse criador é Deus. Mas você vê a implicação disso? Se o mundo está criado, então não pode haver evolução. Evolução significa que a criação continua.

Pense na história cristã: Deus criou o mundo em seis dias e, no sétimo dia, descansou; desde então ele continua descansando. Toda a criação foi concluída em seis dias. Ora, como pode haver evolução? Criação significa que a coisa toda acabou! Já se colocou um ponto final. Depois do sexto dia, ponto final; daí em diante não há possibilidade de evolução.

Evolução implica que a criação não está completa; por isso a possibilidade de evoluir. Mas Deus não pode criar um mundo incompleto; isso iria contra a natureza dele. Ele é perfeito e tudo o que ele faz é perfeito. Nem ele está evoluindo nem o mundo está evoluindo; tudo está estático, morto. É por isso que a igreja era contra Charles Darwin, porque esse homem estava apresentando uma idéia que, mais cedo ou mais tarde, acabaria com Deus. Esses líderes da igreja, num aspecto, eram perspicazes: eles podiam ver as implicações futuras da idéia de evolução.

Normalmente, você não faz nenhuma ligação entre criação e evolução. Que ligação pode haver entre Deus e Charles Darwin? Mas existe uma ligação. Charles Darwin está dizendo que a criação é um processo contínuo, que a existência é sempre imperfeita, que nunca será perfeita; só assim ela pode continuar evoluindo, atingindo novos patamares, novas dimensões, abrindo novas portas, novas possibilidades.

Deus terminou sua obra em seis dias — e não faz muito tempo, só 4.004 anos antes de Jesus nascer. Deve ter sido no dia 1º de janeiro, uma segunda-feira, porque nós damos um jeito de ajustar Deus a tudo que criamos. Ele tem de seguir o nosso calendário. Se você me perguntar, eu direi que deve ter sido uma segunda-feira, 1º de abril, Dia da Mentira, porque esse dia parece absolutamente perfeito para se criar uma existência completinha, pronta para usar.

Se a evolução fosse impossível, a vida perderia todo sentido, não teria mais futuro; só restaria, então, o passado.

Não é de estranhar que as pessoas religiosas estejam sempre voltadas para o passado — elas só têm passado. Tudo já foi feito; não resta mais nada para se fazer no futuro, o futuro está vazio, está em branco, e, no entanto, você tem de viver nesse futuro. Tudo o que tinha de acontecer já aconteceu 4.004 anos antes de Jesus nascer. Depois disso não houve mais nenhum acréscimo, nenhuma evolução, nenhum desenvolvimento.

Deus criou o mundo assim como o oleiro faz um vaso, uma coisa morta feita de barro. Mas você precisa lembrar que o oleiro destrói o vaso na hora que quiser. Se você conferir a Deus o poder de criação, você também confere a ele o poder da incriação. Essas são implicações que não foram levadas em consideração. Deus pode incriar. Todo ano há o Dia da Mentira; em qualquer ano, no Dia da Mentira, ele pode incriar. Ele levará no máximo seis dias para fazer isso.

A própria idéia de que você foi criado faz de você uma coisa, tira de você o seu ser.

Você só será um ser se Deus não existir. Deus e você, como um ser, não podem co-existir. Por isso eu digo que tenho certeza de que Deus não existe, porque aonde quer que eu vá vejo seres.

A presença de seres é prova suficiente de que Deus não existe; não pode existir. Ou você existe ou Deus existe; ambos não podem existir. A pessoa que passa a acreditar em Deus está perdendo, sem saber, a sua humanidade. Ela se torna uma coisa. Por isso existem coisas cristãs, coisas hindus, coisas muçulmanas, mas não seres. Eles abriram mão da sua condição de seres por livre e espontânea vontade; concederam o próprio ser a Deus. A ficção ganhou vida e a vida passou a ser uma ficção. Eu estou simplesmente recolocando as coisas no seu devido lugar.

Se digo que Deus não existe, isso não quer dizer que eu tenha contra ele qualquer rancor. Eu não ligo a mínima para ele, quer exista quer não — isso não é da minha conta. Quando digo que ele não existe, o meu propósito é lhe devolver a sua condição de ser humano; mostrar-lhe que você não é uma coisa criada arbitrariamente por alguém.

Por que ele decidiu, num belo dia, 4.004 anos antes de Jesus nascer, criar o mundo? O que suscitou a idéia da criação? Será que alguma outra coisa o forçou a criar? Será que havia alguma serpente seduzindo-o para criar? Por que naquele dia e não antes? Eu quero que você perceba onde quero chegar. É arbitrário, é um capricho. Se a história é verdadeira, Deus é insano. O que ele andou fazendo a eternidade inteira para que a idéia da criação demorasse tanto para lhe ocorrer?

A própria idéia da criação faz de nós uma arbitrariedade, um capricho, ao passo que a evolução não é arbitrária, não é uma excentricidade. A evolução é eterna; ela nunca tem fim. Nunca existiu um tempo em que não houve existência e nunca haverá um tempo em que ela não existirá. Existência significa eternidade.

Deus faz tudo ficar tolo, pequeno, arbitrário, sem sentido, excêntrico. Estava ali aquele velho, e ele deve ser realmente muito velho — mas muito velho mesmo — e então lhe ocorreu essa idéia da criação, e em seis dias ele já tinha criado tudo. É por isso que a igreja era contra Charles Darwin: "Você está dizendo que a criação ainda não está completa, que ela está evoluindo. Você está contradizendo a Bíblia, as sagradas escrituras. Você é contra Deus, contra a idéia da criação!"

Charles Darwin estava dizendo simplesmente, "Não sou contra Deus, eu não conheço nenhum Deus". Ele era uma pessoa muito temerosa e era cristão. Costumava rezar; na verdade, ele começou a rezar mais depois que escreveu a teoria da evolução. Passou a ter muito medo; quem sabe ele não estivesse fazendo alguma coisa contra Deus? Antes ele acreditava que Deus havia criado o mundo, mas os fatos da natureza estavam contando uma história diferente — tudo estava evoluindo, a vida nunca ficava igual.

Portanto, se a pessoa acredita em Deus, ela não pode acreditar que você é um ser. Só *coisas* são criadas; elas têm um começo e um fim — os seres são eternos.

Por causa disso, duas religiões na Índia, o Jainismo e o Budismo, descartaram a idéia de Deus, pois continuar com essa idéia simplesmente significa que você está rejeitando a idéia de ser, que faz muito mais sentido. Eles até queriam ficar com as duas, mas, pela lógica, era impossível. Depois que você aceita que foi criado, acaba aceitando também a outra parte, que o mesmo homem cheio de caprichos, um belo dia, pode resolver incriar você. Então que significado você tem? É só um brinquedinho nas mãos de algum velho ilusionista? Então, qualquer hora que quiser, ele pode brincar com os seus brinquedinhos ou, senão, destruí-los? Foi realmente uma atitude corajosa, essa de Mahavira e de Buda, de optar pelo ser e descartar a idéia de Deus — e isso também, há 25 séculos atrás. Eles simplesmente viram que não podiam conciliar as duas; elas se contradiziam. Mas eles não tinham idéia da evolução; essa foi uma descoberta posterior. Agora nós sabemos que a criação vai contra a idéia de evolução também.

Criação e evolução são duas coisas absolutamente contrárias. Criação significa conclusão; evolução significa crescimento constante. O crescimento só é possível se as coisas forem imperfeitas e continuarem imperfeitas. Enquanto estiverem crescendo, sempre existe a possibilidade de mais crescimento.

É preciso levar em consideração mais algumas coisas.

Se você foi criado, não pode ter liberdade. Você já viu alguma máquina que tenha liberdade? Alguma "coisa" que tenha liberdade? Qualquer coisa que tenha sido criada está nas mãos do criador, é como um fantoche. Ele tem os fios nas mãos; puxa um... Você já deve ter visto um espetáculo de fantoches. Os fios são puxados — o homem está atrás do pano; você não pode vê-lo, só vê os fantoches — e eles dançam, brigam, mas é tudo de mentira. O titereiro é a realidade.

Esses fantoches não podem ter liberdade para brigar, para amar, para se casar — todas essas coisas acontecem num espetáculo de fantoches. Dançar ou não dançar, ou se não querem dançar, dizer, "Não! Não vou dançar!" O fantoche não pode dizer não. E todas as religiões lhe ensinaram que você não pode dizer não: não diga não a Deus, ao messias, às sagradas escrituras; nunca, nunca pense em dizer não.

Por quê? Se não pode dizer não, o que significa o seu sim? É só um corolário — o sim só tem sentido quando você é capaz de dizer não. Se você *tem* de dizer sim, então não existe alternativa senão dizer sim. Ouvi dizer que, quando Ford começou a fabricar carros, ele próprio costumava ir ao *showroom* para ver os clientes, conversar com eles. Ford lhes dizia, "Você pode escolher qualquer cor, contanto que seja preta" — porque na época só existiam carros pretos. Você é livre, contanto que a sua resposta seja sim. Que tipo de liberdade é essa?

Os fantoches não podem ter liberdade. E, se Deus simplesmente fez você, você é um fantoche. É melhor se rebelar contra ele e ser um ser humano do que se submeter e fazer parte de um espetáculo de fantoches, porque, no momento que aceita ser um fantoche, você comete suicídio.

Você vê fantoches no mundo inteiro, com cores diferentes, nomes diferentes, rituais diferentes. Os hindus dizem que nem uma folha cai da árvore sem que essa seja a vontade de Deus — e o que dizer de você? Tudo acontece de acordo com a vontade de Deus. Na verdade, ele já determinou tudo no momento que criou; tudo já está predestinado. Ora, é muito estranho que pessoas inteligentes também continuem acreditando nessa bobagem!

Veja que absurdo, por um lado Deus criou você; por outro, se faz alguma coisa errada, você é castigado.

Se Deus criou você, então ele determinou a sua natureza e você não pode contrariá-la, não tem liberdade para isso. Se Deus existe, você não tem nenhuma possibilidade de ter liberdade; então como pode cometer um crime, como pode ser um pecador? E como pode ser um santo? Tudo é determinado por ele. Ele é o responsável, não você.

Mas as pessoas continuam acreditando nessas duas coisas: Deus criou o mundo, Deus criou o homem, a mulher, tudo — e depois jogou a responsabilidade em cima de você? Se existe alguma coisa errada em você, Deus é responsável e devia ser punido. Se você é um assassino, então Deus criou um assassino; então ele deveria ser responsabilizado pelos Adolf Hitlers e pelos Joseph Stalins e pelos Mao Tsé-Tungs. Ele criou essa gente.

Mas, não, a mente religiosa perde a inteligência, fica enferrujada, esquece completamente que essas coisas são incompatíveis; que Deus e a liberdade são incompatíveis. Se você é livre, então não existe Deus nenhum.

Talvez você não tenha pensado a respeito. Como pode ser livre com um criador que fica o tempo todo vigiando você? Que está o tempo todo mantendo você na linha e dirigindo você? Primeiro, ele introjetou tudo em você como um programa fixo. E você vai seguir esse programa; não tem outro jeito. Você inclui dados no computador e ele só pode responder com base nesses dados. Se você começa a perguntar coisas que não estão no seu banco de dados, ele não pode responder. O computador é um mecanismo; primeiro você tem que alimentá-lo com todas as informações, depois, sempre que necessário, você pode fazer perguntas e ele lhe trará essas informações.

Se existe um criador, então você é só um computador. O criador inseriu algumas informações em você, programou você, e você está agindo de acordo com essa programação. Se você é um santo, isso não é mérito seu — estava no programa. Se você é um pecador, não pode ser condenado por isso nem se considerar ruim — fazia parte do programa. Se existe um Deus que criou o mundo, então ninguém é responsável senão ele. E a quem ele pode prestar contas? Não existe ninguém acima dele! Você não é responsável porque ele criou você; ele não é responsável porque não há ninguém a quem ele possa prestar contas. Deus significa que o mundo perdeu toda a responsabilidade, e a responsabilidade é o próprio cerne da sua vida.

Portanto, aceitar Deus não é ser religioso, porque, sem responsabilidade, como você pode ser religioso? Sem liberdade, como pode ser religioso? Se não é um ser independente, como pode ser religioso? Não existe idéia mais anti-religiosa que Deus.

Se você analisar a questão sob todos os aspectos, então aqueles que acreditam em Deus não são religiosos, não podem ser religiosos. Então, quando eu digo que Deus não existe, estou tentando salvar a religiosidade.

O perigo não vem do demônio, o perigo vem de Deus. O demônio é só a sombra de Deus. Se Deus desaparecer, a sombra também desaparece. Deus é o verdadeiro problema.

Quando eu digo que Deus é o maior inimigo da religiosidade, isso choca as pessoas supostamente religiosas, porque elas acham que religião é rezar para Deus, prestar culto a Deus, entregar-se a Deus. Elas nunca pensaram sobre responsabilidade, liberdade, crescimento, consciência, existência; elas nunca se importaram com nada disso — embora essas sejam as verdadeiras questões religiosas. Essas pessoas não sabem o que estão perdendo. Estão perdendo tudo o que há de mais valioso, tudo o que há de mais belo, tudo o que poderia se tornar uma bênção para elas. A pessoa supostamente religiosa começa a focar a atenção numa ficção e esquece a sua própria realidade, esquece de si mesma e pensa em alguém, lá em cima, no céu. Essa pessoa lá no céu não é existencial, mas você pode enfocar uma coisa não-existencial e se esquecer de si mesmo. Mas é aí que a verdadeira religião acontece: dentro de você.

Rezar, portanto, não tem nada a ver com religião. O que você está fazendo quando reza? Você está criando, primeiro, uma imagem da sua própria imaginação, rendendo-se à sua própria imaginação e, depois, conversando com essa imagem. Você só está encenando um ato insano. Em todas as igrejas, em todas as sinagogas, em todos os templos e em todas as mesquitas do mundo, essas pessoas estão fazendo algo insano; mas o mundo inteiro está cheio de pessoas insanas.

Como elas têm feito isso há séculos e você as aceita como pessoas religiosas, você fica chocado quando eu digo que elas não são. Elas não são nem mesmo normais, quanto mais religiosas! Elas estão abaixo do nível de normalidade. Estão fazendo algo tão estúpido que, se continuarem assim, acabarão perdendo o pouco de inteligência que ainda têm. Talvez já tenham até perdido.

Para mim, a religiosidade é um fenômeno extraordinário. Ela não é fictícia. Ela significa entrar no próprio cerne da realidade. É conhecer a existência a partir do seu próprio centro. Mas você terá de deixar de lado as suas ficções. Essas ficções nunca deixarão que você mergulhe em si mesmo, porque elas estão projetadas do lado de fora e você fica completamente identificado com elas. Você sabe disso. Você assiste a um filme ou a um programa de TV e sabe muito bem que vai se debulhar em lágrimas, embora tenha consciência de que se trata apenas de uma tela e que não há ninguém ali. Você esquece totalmente que é apenas um telespectador; você se identifica a tal ponto com alguém que, se essa pessoa está sofrendo, lágrimas escorrem dos seus olhos. E é isso o que as pessoas supostamente religiosas estão fazendo! Elas ficaram ocupadas imaginando deuses e deusas de todos os tipos e espécies e se esqueceram completamente de si mesmas. Estão reverenciando algo que não existe, mas fazem isso com tamanha intensidade que acabaram criando uma alucinação.

É possível que um cristão veja Jesus com os olhos abertos; é possível que um hindu veja Krishna com os olhos abertos. Mas muito mais difícil seria Jesus aparecer para um hindu. Jesus nunca aparece para um hindu — nunca, nem por engano — e Krishna nunca aparece para um cristão. Uma vez ou outra isso nem causaria tanto mal, mas Jesus e Krishna nunca cometem esse erro. Os cristãos não vão permitir que eles o cometam; a alucinação que eles têm é com Jesus, não podem ter alucinações com Krishna. Só aparece na tela o que você projeta.

Se você está projetando um filme, é só esse filme que aparece na tela; se projetar outro filme, é esse outro filme que aparecerá ali. Não é possível projetar um filme e ver outro diferente projetado na tela. É por isso que Krishna não pode aparecer para um cristão ou para um muçulmano ou para um judeu. Jesus não pode aparecer para ninguém a não ser para os cristãos.

Ainda assim, continuamos reforçando, estimulando a nossa imaginação e as nossas alucinações. E o que você ganhou com isso? Depois de milhares de anos de alucinação, o que você ganhou? Esta humanidade que você vê por este mundo afora, esta balbúrdia? Esse é o resultado de milhares de anos de práticas religiosas, disciplinas, rituais, orações? Milhões de igrejas, sinagogas, templos, no mundo todo — e esse é o resultado? O ser humano que você vê, o povo de verdade, esta humanidade é resultado de todo esse esforço?

O resultado tinha de ser esse, porque desperdiçamos todos esses anos com uma completa estupidez, chamada religião. Perdemos um tempo que poderíamos ter usado para nos elevar a alturas desconhecidas, para mergulhar em profundezas insondáveis; para conquistar a liberdade do espírito, a compaixão da alma, integridade, individualidade. Se todos esses milhares de anos não tivessem sido desperdiçados nessa busca por um Deus falso, nessa embromação — que não vale nada, nem um centavo sequer — e você me pergunta, "Você não acredita mesmo?"

Não é uma questão de acreditar ou não acreditar — não há ninguém em quem acreditar ou não acreditar! Não existe Deus nenhum!

Portanto, por favor, lembre-se: não comece a dizer que eu sou um descrente. Eu não sou nem crente nem descrente. Estou simplesmente dizendo que a coisa toda não passa de uma projeção da mente humana e é hora de pararmos com esse jogo contra nós mesmos. É hora de dizer adeus a esse Deus para sempre.

Qual é a origem do fundamentalismo religioso? Qual é a psicologia por trás dele e como essa psicologia muda em relação a outras formas de religião que parecem mais tolerantes e amorosas?

A religião é um fenômeno muito complexo e essa complexidade precisa ser entendida.

Existem sete tipos de religião no mundo. O primeiro tipo é motivado pela ignorância. Como as pessoas não conseguem tolerar a própria ignorância, elas a escondem. Como é difícil aceitar que não se sabe, isso é contra o ego, as pessoas acreditam. Seu sistema de crença serve para proteger o ego. As crenças parecem úteis, mas com o passar do tempo elas se tornam extremamente prejudiciais. A princípio, elas parecem proteger, mas depois se tornam muito destrutivas. A própria ignorância é o que motiva esse tipo de religião.

Uma boa parte da humanidade ainda pratica esse tipo de religião, que simplesmente evita a realidade, evita essa lacuna que a pessoa sente em seu próprio ser, evita o buraco negro da ignorância. Os seguidores desse primeiro tipo são os fanáticos. Eles nem sequer toleram a existência de outros tipos de religião no mundo. A religião deles é *a* religião. Como eles têm muito medo da própria ignorância, se estiverem diante de outra religião eles podem começar a ter suspeitas, dúvidas. Não terão tanta certeza. Para ter certeza, eles precisam ser teimosos, insanamente teimosos. Não podem ler as escrituras alheias, não podem ouvir a respeito de outras facetas da verdade, nem podem demonstrar tolerância diante de outras revelações de Deus. A revelação deles é a única e o seu profeta é o único. Todo resto é absolutamente falso. Essas pessoas falam em termos absolutos, enquanto a pessoa de entendimento é sempre relativa.

Essas pessoas causaram um grande mal à religião. Por causa delas, a própria religião ficou parecendo uma coisa meio idiota. Lembre-se de não cair vítima desse primeiro tipo. Quase 90% da humanidade vive de acordo com ele e isso não é melhor do que ser irreligioso. Talvez seja até pior, pois a pessoa irreligiosa não é fanática. Ela é mais aberta, pelo menos está disposta a ouvir, a conversar a respeito, a debater, a estudar e investigar. Mas a pessoa do primeiro tipo de religião não está disposta nem sequer a ouvir.

Quando era universitário, eu costumava me hospedar na casa de um dos meus professores. A mãe dele era uma hinduísta fervorosa, sem cultura nenhuma, mas muito religiosa.

Um dia, numa noite fria de inverno, com o fogo da lareira crepitando na sala, eu lia o Rig Veda. Ela entrou na sala e perguntou, "O que você está lendo assim tão tarde da noite?" Só para provocá-la, respondi, "É o Alcorão". Ela pulou sobre mim, arrancou o Rig Veda das minhas mãos e atirou-o na lareira. Depois disse, "Você é muçulmano? Como ousa trazer um Alcorão para a minha casa?!"

No dia seguinte eu disse ao filho dela, meu professor, "A sua mãe parece muçulmana — porque esse tipo de atitude é mais comum entre muçulmanos". Os muçulmanos queimaram um dos maiores tesouros do mundo antigo, a biblioteca de Alexandria. O fogo continuou queimando durante quase seis meses; a biblioteca era tão grande que levou seis meses para queimar completamente. E o homem que a queimou era um califa muçulmano. Sua lógica era a lógica do primeiro tipo de religião. Ele chegou com o Alcorão numa mão e uma tocha acesa na outra, e se dirigiu ao bibliotecário, "Tenho só uma pergunta simples a fazer. Nesta enorme biblioteca, com milhões de livros..." Esses livros continham tudo que a humanidade tinha aprendido até então, o que, na verdade, era muito mais do que sabemos hoje. Essa biblioteca continha informações sobre a Lemúria, sobre os atlantes e todas as escrituras de Atlântida, o continente que desapareceu no mar. Era a mais antiga de todas as bibliotecas, um grande tesouro. Se ela ainda existisse, a humanidade poderia ser totalmente diferente, porque ainda estamos redescobrindo muitas coisas que já tinham sido descobertas.

Esse califa disse, "Se esta biblioteca contiver apenas o que está no Alcorão, então não é necessária; é supérflua. Se ela contiver mais do que está no Alcorão, então está errada e tem de ser destruída imediatamente". De qualquer jeito, ela tinha de ser destruída. Se contivesse o mesmo que o Alcorão, então era supérflua. Para que manter uma biblioteca tão grande desnecessariamente? O Alcorão bastava. E, se contivesse muito mais livros do que o Alcorão, então essas informações deviam estar erradas, porque o Alcorão é a verdade. Ele segurava o Alcorão numa mão, enquanto ateava fogo com a outra — em nome do Alcorão. Maomé deve ter chorado e soluçado lá no céu, nesse dia, porque em nome dele a biblioteca estava sendo queimada.

Esse é o primeiro tipo de religião. Fique sempre alerta, porque esse homem obstinado existe em todo o mundo. Ele existe nos hindus, existe nos muçulmanos, existe nos cristãos, nos budistas, nos jainistas — existe em todo mundo. E todos têm de ficar atentos para não serem pegos. Só assim é possível passar para os tipos mais elevados de religião.

O problema com esse primeiro tipo de religião é que somos quase sempre criados em seu seio. Somos condicionados de acordo com ele, por isso ele parece quase normal. O hindu é criado com a idéia de que os outros estão errados. Mesmo que lhe ensinem a ser tolerante, essa tolerância é de alguém que sabe com relação a outros que não sabem. O jainista é criado com a crença de que só ele está certo; os outros são todos ignorantes, estão tateando na escuridão. Esse condicionamento pode ser tão profundo que você pode esquecer de que se trata de um condicionamento e de que você tem de se elevar acima dele. A pessoa pode se acostumar com um certo condicionamento e começar a achar que ele é a sua natureza ou que é a verdade. Por isso é preciso ficar muito alerta e atento para descobrir essa possibilidade mais inferior em si mesmo e não ser apanhado por ela.

Às vezes, nós lutamos para transformar a nossa vida, mas continuamos a acreditar nesse primeiro tipo de religião. A transformação não é possível, porque nosso empenho se dá num contexto tão inferior que ele não pode ser realmente religioso. O primeiro tipo de religião só é religião no nome; não deveria ser chamado assim.

A característica desse primeiro tipo é a imitação. Ele insiste na imitação; imitar Buda, imitar Cristo, imitar Mahavira — imitar alguém. Não seja você mesmo, seja outra pessoa. E, se você é muito teimoso, pode se obrigar a ser outra pessoa.

Você nunca será outra pessoa. Lá no fundo, você não pode ser. Sempre será você mesmo, mas pode se empenhar a tal ponto que comece a parecer outra pessoa.

Toda pessoa nasce com uma individualidade única e toda pessoa tem um destino só seu. Imitação é crime, é um ato criminoso. Se você tenta se tornar alguém como Buda, pode até ficar parecido com ele, pode andar como ele, pode falar como ele, mas sairá perdendo. Perderá tudo que esta vida está pronta para lhe dar. Buda é um fenômeno que acontece uma vez só. Não faz parte da natureza das coisas se repetir. A existência é tão criativa que ela nunca repete nada. Você nunca vai encontrar no passado, no presente ou no futuro alguém que seja exatamente como você. Isso nunca aconteceu. O ser humano não é um mecanismo como os carros da Ford numa linha de montagem. Você é uma alma, é um indivíduo. A imitação é um veneno. Nunca imite ninguém, do contrário você será uma vítima do primeiro tipo de religião, que não é religião coisa nenhuma.

Há então o segundo tipo, que é motivado pelo medo.

O homem tem medo, este mundo é muito estranho e o homem quer se sentir seguro, protegido. Na infância, o pai protege, a mãe protege. Mas existem muitas pessoas, milhões delas, que nunca saíram da infância. Elas continuam paradas lá atrás e ainda precisam de um pai e de uma mãe. Por isso Deus é chamado de "Pai" ou de "Mãe". Elas precisam de um pai divino para protegê-las; não são maduras o suficiente para viver por sua própria conta. Precisam de segurança.

Você já deve ter observado crianças pequenas com um ursinho de pelúcia, com seus brinquedos, com um brinquedo especial ou um cobertorzinho, qualquer coisa que tenha uma personalidade especial para a criança. O ursinho de pelúcia você não pode substituir. Você pode até dizer que vai achar outro melhor, mas não adianta. Existe uma relação de amor entre a criança e o ursinho de pelúcia "dela". Esse ursinho é especial; você não pode substituí-lo. Ele fica sujo, fedido, vira um trapo, mas a criança continua carregando-o para todo lado. Você não pode lhe dar um novo, limpinho. Até os pais têm de tolerá-lo. Até eles têm de respeitá-lo porque senão a criança fica ofendida. Se a família vai viajar, tem de levar o ursinho também; tem de tratá-lo quase como se fosse da família. Eles sabem que isso é uma besteira, mas para a criança tem um significado.

Que significado o ursinho tem para a criança? Num certo sentido, é um significado objetivo. Ele está ali, fora da criança; faz parte da realidade. Com certeza não é só fruto da imaginação, não é apenas subjetivo; não é um sonho, existe de fato. Mas ele não é só objetivo; ele faz parte de muitos sonhos da criança. Trata-se de um objeto, mas tem um significado muito subjetivo também. Para a criança, é quase como se o ursinho tivesse vida. Ela conversa com ele, às vezes fica zangada com ele e o atira longe; depois pede desculpa e o pega de volta. O ursinho tem personalidade, é quase humano. Sem o ursinho a criança não consegue dormir. Ela dorme segurando o ursinho, abraçada a ele; sente-se segura. Com o ursinho de pelúcia, o mundo fica em ordem, tudo fica no seu devido lugar. Sem o ursinho, a criança de repente se sente sozinha.

Muitas crianças crescem fisicamente, mas nunca espiritualmente, e precisam de ursinhos de pelúcia a vida inteira. As suas imagens de Deus nos templos e nas igrejas não passam de ursinhos de pelúcia.

Então, quando um hindu vai a um templo da sua religião, ele vê algo que um muçulmano não vê. O muçulmano só consegue ver uma estátua de pedra. O hindu vê uma coisa que ninguém mais consegue ver; a estátua é o seu ursinho de pelúcia. Ela está ali, do ponto de vista objetivo, mas não é só objetiva. Muita da subjetividade do devoto é projetada na estátua; ela funciona como uma tela.

Se você for hindu, quando entra num templo jainista nenhum sentimento de reverência brota em você. Pode até acontecer de você ficar um pouco ofendido, porque as estátuas de Mahavira estão nuas, sem roupas. Você pode ficar meio ofendido. Mas um jainista demonstra um grande respeito; com o seu ursinho de pelúcia, ele se sente protegido.

Por isso, sempre que você tem medo, começa a se lembrar de Deus. O seu Deus é um subproduto do seu medo. Quando está se sentindo bem, não tem medo, você nem lembra. Não há necessidade.

O segundo tipo de religião é motivado pelo medo. Ele é doentio, é quase neurótico — porque você só atinge a maturidade quando percebe que está sozinho, e que precisa ficar sozinho e encarar a realidade como ela é. Esses ursinhos de pelúcia transitórios são apenas fruto da sua imaginação; eles não vão ajudar em nada. Se algo tiver de acontecer, vai acontecer; o ursinho não vai proteger você. Se a morte tiver de chegar, ela vai chegar. Você continua evocando o nome de Deus, mas a proteção não vem. Você não está evocando ninguém, está simplesmente evocando o seu medo. Talvez essa evocação lhe dê uma certa coragem.

Talvez a oração lhe dê uma certa coragem, mas não há Deus nenhum para atendê-la. Não há ninguém para atender à sua prece, mas, se você acreditar que alguém vai atendê-la, talvez fique um pouco mais aliviado, relaxado.

A religião motivada pelo medo é a religião do "Não faça" — não faça isto, não faça aquilo —, porque o medo é negativo. Os Dez Mandamentos são, todos eles, baseados no medo — não faça isto, não faça aquilo —, como se a religião não fosse nada mais do que evitar coisas. Não faça isto, não faça aquilo — proteja-se, fique seguro, nunca se arrisque, nunca tome um caminho perigoso; na verdade, não se permita viver! Assim como o primeiro tipo é fanático, o segundo tipo de religião é negativo. Ela dá uma certa rigidez, uma certa inflexibilidade. É uma busca por segurança que não é possível, porque a vida é sinônimo de insegurança. Ela existe como insegurança, como perigo e risco.

A palavra-chave da religião motivada pelo medo é "inferno" e, logicamente, repressão: "Não faça isto". O segundo tipo de pessoa está sempre com medo — e basta reprimir uma coisa para não ficar mais livre dela; na verdade, ela tem mais poder sobre você, porque, quando reprime algo, isso mergulha fundo no seu inconsciente. Chega até as suas próprias raízes e envenena todo o seu ser.

Lembre-se, a repressão não é um caminho para a liberdade. A repressão é pior do que a expressão, porque, por meio da expressão, a pessoa algum dia certamente se libertará. Mas, por meio da repressão, ela sempre ficará obcecada. Só a vida lhe dá liberdade. Uma vida vivida dá a você liberdade. As partes não vividas da vida continuam exercendo um fascínio, e a mente continua às voltas com qualquer coisa que tenha sido reprimida.

A religião de verdade dá a você destemor: deixe que esse seja o critério. Se a religião causar medo em você, então não é religião de verdade.

O terceiro tipo de religião se baseia na ganância.

É uma religião do "fazer". Enquanto a religião motivada pelo medo é uma religião do "Não faça", a motivada pela ganância é a religião do "Faça": "Faça isto". Assim como a religião motivada pelo medo tem como palavra-chave "inferno", a religião da ganância tem como palavra-chave "céu". É preciso fazer tudo de tal modo que o mundo — o outro mundo — seja completamente seguro e a sua felicidade depois da morte esteja assegurada.

A religião da ganância é formal, ritualística, ambiciosa, motivada pelo desejo. Ela é cheia de desejos. Veja o conceito que Maomé tem do paraíso, ou que os cristãos têm, ou que os hindus têm. As proporções podem ser diferentes, mas eis uma coisa estranha: tudo que essas pessoas dizem que é preciso negar nesta vida, elas vão receber no céu, em grandes quantidades. Esperam que você seja celibatário neste mundo só para ir para o céu, onde belas garotas, eternamente jovens, que nunca terão mais do que 16 anos, estarão à sua disposição. Maomé diz para não ingerir bebidas alcoólicas. Mas no céu, eles têm rios de vinho! Isso parece um absurdo. Se algo é errado, então é errado. Como pode se tornar bom e certo no céu? Então Omar Khayyám está certo. Ele diz, "Se no céu há rios de vinho, então vamos praticar neste mundo, pois, do contrário, será difícil viver no paraíso. Façamos desta vida um pequeno ensaio, para que possamos desenvolver o gosto e a capacidade". Omar Khayyám parece mais lógico. Na verdade, ele está fazendo piada com o conceito de Maomé acerca do paraíso. Está dizendo que o conceito todo é uma besteira. Mas as pessoas se tornam religiosas por causa da ganância.

Uma coisa é certa: qualquer coisa que você acumule neste mundo lhe será tomado; a morte tomará de você. Portanto, a pessoa gananciosa quer acumular alguma coisa que não possa ser tomada pela morte. Mas o desejo de acumular é o mesmo. Agora a pessoa acumula virtudes; a virtude é a moeda do outro mundo. Continue acumulando virtudes para que possa viver no outro mundo para sempre, e para sempre em meio à luxúria.

Esse tipo de pessoa é basicamente mundano. Seu conceito de outro mundo não passa de uma projeção deste mundo. Ela "fará" porque tem desejos, tem ambição, tem sede de poder, mas esse "fazer" não vem do coração. É um tipo de manipulação.

> Mulá Nasruddin e seu jovem filho viajavam pelo interior do país durante um inverno. Estava nevando e o carro de bois quebrou. Eles finalmente encontraram uma fazenda onde passar a noite. A casa era fria e o sótão onde tinham sido acomodados era mais gelado que um cubo de gelo. Vestindo apenas a roupa de baixo, o Mulá mergulhou na cama de penas e cobriu a cabeça com as cobertas. O rapaz ficou um pouco embaraçado.
>
> "Desculpe, pai, mas não acha que devemos fazer nossas orações antes de nos deitar?"
>
> Mulá abriu um olho debaixo das cobertas. "Filho, já rezei muito justamente para o caso de ocorrer situações como esta."

As coisas estão só na superfície. Ganância, medo, ignorância estão só na periferia. Esses são três tipos de religião e estão todos misturados. Você não encontra alguém que seja puramente, absolutamente, do primeiro tipo ou do segundo ou do terceiro. Onde existe ganância também existe medo; onde existe medo existe ganância; e seja onde for que exista medo e exista ganância, também existe ignorância — porque um não pode existir sem o outro. Portanto, não estou falando de tipos puros. Só estou fazendo essa classificação para que você possa entender. Mas eles estão todos misturados.

Esses três são os tipos mais inferiores de religião. Nem deveriam ser chamados de religião.

Existe, então, um quarto tipo: a religião da lógica, do calculismo, da esperteza. Ela é a religião do "Faça" e do "Não faça". É mundana, materialista, oportunista, intelectual, teórica, escritural, tradicional. Essa é a religião dos pânditas, dos eruditos que tentam encontrar uma prova da existência de Deus por meio da lógica, que acham que os mistérios da vida podem ser compreendidos por meio da mente. Esse tipo de religião cria a teologia. Não se trata de uma religião verdadeira, é só uma cópia carbono da religião. Mas todas as igrejas se baseiam na teologia. Quando um Buda existe neste mundo, ou um Maomé, ou um Krishna, ou um Cristo, os pânditas, os eruditos e as pessoas cultas, intelectualmente inteligentes e sagazes, reúnem-se em torno deles. Então começam um longo debate para descobrir, "O que Jesus significa?" Começam a criar uma teologia, um credo, um dogma, uma igreja. São pessoas muito bem-sucedidas porque são muito lógicas. Não podem dar a você nenhuma luz, não podem lhe oferecer nenhuma verdade, mas lhe dão grandes organizações. Dão a você a igreja católica, a igreja protestante. Dão a você grandes teologias — pura racionalização, não se trata de nenhuma experiência real; só intelectual, norteada pela mente. Todo o seu edifício é um castelo de cartas: basta uma brisa e a casa cai. Todo o seu edifício é como tentar navegar num barquinho de papel. Parece um barco de verdade, a forma é a de um barco, mas ele é de papel. Está condenado, já está condenado. A lógica é um barco de papel. A vida não pode ser compreendida por meio da lógica. Por meio da lógica nasce uma filosofia, mas não uma religião de verdade.

Essas quatro normalmente são conhecidas como religiões.

A quinta, a sexta e a sétima são religiões de verdade. A quinta é a religião baseada na inteligência; não na lógica, não no intelecto, mas na inteligência. E existe uma grande diferença entre intelecto e inteligência.

Intelecto é lógica; a inteligência é paradoxal. O intelecto é analítico; a inteligência é sintética. O intelecto divide, corta em pedaços para entender uma coisa. A ciência se baseia no intelecto, na dissecação, na divisão, na análise. A inteligência junta as coisas, reúne as partes para formar um todo — porque esse é um dos maiores entendimentos que há: a parte só existe por meio do todo, não o contrário. E o todo não é apenas a soma das partes, é mais do que isso.

Por exemplo, você pode ter uma rosa e levá-la a um cientista, a um lógico. Você diz a ele, "Eu quero entender esta rosa". O que ele fará? Dissecará a rosa, separará todos os elementos que fazem dela uma flor. Quando voltar, você descobrirá que a rosa não existe mais. Em vez da flor, haverá apenas frascos rotulados. Os elementos foram separados, mas uma coisa é certa — não haverá nenhum frasco cujo rótulo tenha a inscrição "beleza".

A beleza não é material, e não pertence às partes. Depois que você disseca uma flor, depois que a integridade da flor é destruída, ela perde a beleza. A beleza pertence ao todo, é a graça que vem com o todo. É mais que a soma das partes. Você pode dissecar um ser humano; no momento em que faz isso, a vida acaba. Você fica apenas com um corpo morto, um cadáver. Pode descobrir quanto alumínio tem ali, quanto ferro, quanta água; pode estudar todo o mecanismo — os pulmões, os rins, tudo —, mas uma coisa já não haverá mais: a vida. Uma coisa não existirá mais e ela era o que havia de mais valioso. Uma coisa não existirá mais e ela era o que nós queríamos na verdade entender. Todo o resto está ali.

Onde está aquela fragilidade? Onde está aquele vigor, aquele pulsar de vida? Quando ele estava presente na rosa, ela estava num formato totalmente diferente e a vida estava presente. A rosa estava repleta de presença; a vida estava ali pulsando no seu coração. Todas as partes estão ali, mas você não pode dizer que as partes são a mesma coisa que a rosa. Elas não podem ser, porque as partes existem no todo.

O intelecto disseca, analisa. É o instrumento da ciência. A inteligência é o instrumento da religião; ela integra. Por isso, uma das maiores ciências da espiritualidade nós chamamos de Ioga. Ioga significa metodologia para unificar. Ioga significa juntar as coisas. Deus é a totalidade maior, é todas as coisas juntas. Deus não é uma pessoa, Deus é uma presença, a presença que existe quando o total está funcionando em grande harmonia — as árvores e os pássaros e a terra e as estrelas e a lua e o sol e os rios e o oceano — tudo junto. Esse "tudo junto" é Deus. Se você dissecá-lo, nunca encontrará Deus. Disseque o homem; você não conseguirá encontrar a presença que lhe dava vida. Disseque o mundo; você não vai encontrar a presença que é Deus.

Inteligência é o método de unir as coisas. Uma pessoa inteligente é muito sintética. Ela sempre busca um todo superior, porque o significado está sempre no todo superior. Ela sempre busca algo superior, no qual o inferior se dissolva e funcione como uma parte, funcione como uma nota na harmonia do todo, dando a sua própria contribuição para a orquestra do todo, mas sem estar separado dele. A inteligência se move para cima, o intelecto se move para baixo. O intelecto se volta para a causa.

Por favor, compreenda; trata-se de um ponto muito delicado.

O intelecto se volta para a causa; a inteligência se volta para a meta. A inteligência avança rumo ao futuro; o intelecto se volta para o passado. O intelecto reduz tudo ao mais baixo denominador. Se você pergunta o que é amor, o intelecto diz que não é nada além de sexo — o mais baixo denominador. Se você pergunta o que é oração, o intelecto diz que não é nada além de sexo reprimido.

Pergunte à inteligência o que é sexo e ela dirá que não é nada além do que a semente da oração. É o amor em potencial. O intelecto reduz ao mais inferior; reduz tudo ao mais inferior. Pergunte ao intelecto o que é um lótus e ele dirá que não é nada, só uma ilusão; a realidade é o lodo — porque o lótus nasce do lodo e depois volta para o lodo. O lodo é a coisa de verdade, o lótus é só uma ilusão. O lodo permanece, o lótus vem e vai embora. Pergunte à inteligência o que é o lodo e ela dirá, "É a potencialidade para ser um lótus". Então o lodo desaparece e desabrocham milhares de flores de lótus.

A inteligência voa cada vez mais alto e todo o seu empenho é para atingir o supremo, o pináculo da existência. Pois as coisas só podem ser explicadas pelo superior, não pelo inferior. Você não pode explicar nada pelo inferior, só pode justificar. E quando o inferior se torna muito importante, toda beleza se vai, toda verdade, todo bem. Tudo o que tem algum significado se vai. E aí você grita, "Onde está o sentido da vida?"

No Ocidente, a ciência destruiu todos os valores e reduziu tudo a matéria. Agora todo mundo está preocupado em descobrir o sentido da vida, porque o significado existe no todo superior. Veja, você está sozinho; você se pergunta, "Qual é o sentido da vida?" Depois se apaixona por uma mulher e a vida passa a ter um certo sentido. Agora dois se transformam em um — isso é um pouquinho superior. Duas pessoas se uniram. Duas forças opostas se fundiram, a energia feminina e a masculina. Agora é mais como um círculo.

É por isso que, na Índia, temos o conceito de *Ardhanarishwar*. Shiva é retratado como se fosse metade mulher e metade homem. Segundo o conceito de *Ardhanarishwar,* o homem é uma metade e a mulher é outra metade. Quando um homem e uma mulher passam a se amar profundamente, uma realidade mais elevada se manifesta: certamente maior e muito mais complexa, porque duas energias estão se encontrando. Então nasce uma criança; agora existe uma família — mais sentido ainda. Agora o pai vê sentido em sua vida; ele precisa criar o filho. Ele ama a criança, trabalha duro, mas o trabalho deixa de ser só trabalho. Ele está trabalhando pelo filho, pelo seu bem-amado, pelo seu lar. Ele trabalha, mas não sente mais o peso do trabalho. Não vai mais para o trabalho se arrastando. Mesmo cansado, depois de um dia inteiro de trabalho, ele chega em casa dançando. Vendo o sorriso no rosto do filho, ele se sente extremamente feliz. A família é uma unidade mais elevada que o casal, e daí em diante. E Deus nada mais é que a comunhão do todo, a maior família de todas. Você se torna parte de uma unidade maior, muito maior que você. O sentido surge instantaneamente, sempre que você se torna parte de uma unidade maior.

Quando um poeta escreve um poema, o sentido se revela — porque o poeta não está sozinho; ele criou alguma coisa. Quando o dançarino dança, o sentido se revela. Quando a mãe dá à luz o filho, o sentido se revela. Sozinho, apartado de tudo, isolado como uma ilha, você não tem sentido. Todos juntos, temos um sentido. Quanto maior o todo, maior o significado. Nesse nível de entendimento, Deus é o maior todo concebível e, sem Deus, você não pode atingir o significado mais elevado. Deus não é uma pessoa; Deus não está sentado em algum lugar. Essas idéias são simplesmente estúpidas. Deus é a presença total da existência, do ser, é a própria base do ser. Deus existe onde quer que haja uma união; onde quer que haja ioga, Deus passa a existir. Você está andando sozinho; Deus está dormindo a sono solto. De repente, você vê alguém e sorri; Deus é despertado e o outro, incluído. O seu sorriso não está isolado; ele é uma ponte. Você construiu uma ponte até o outro. A outra pessoa também sorriu, houve uma resposta. Entre vocês dois surge um espaço chamado Deus — um ligeiro pulsar. Quando você se aproxima de uma árvore, senta-se ao lado dela, completamente alheio à sua existência, Deus está mergulhado no sono. De repente, você olha para a árvore e sente um arroubo pela árvore — Deus se faz presente. Onde quer que exista amor, Deus está presente; onde quer que haja resposta, Deus está presente. Deus é o espaço; ele existe onde quer que exista união. É por isso que se diz que o amor é a mais pura possibilidade de Deus, porque ele é a mais sutil união de energias.

Daí a insistência de algumas tradições místicas em afirmar que o amor é Deus: "Esqueça Deus, basta o amor. Mas nunca esqueça o amor, porque Deus só não basta". Inteligência é discernimento, entendimento. Verdade é a palavra-chave, *sat*. A pessoa que usa a inteligência, segue em direção a *sat*, a verdade.

Acima da inteligência está o sexto tipo de religião. Eu o chamo de religião da meditação.

Meditação é percepção, espontaneidade, liberdade. Ela não é tradicional, é radical, revolucionária, individual. A palavra-chave é *chit*, consciência. A inteligência ainda é a forma mais elevada de intelecto, a forma mais pura de intelecto. A escada é a mesma. O intelecto está escada abaixo e a inteligência está escada acima, mas a escada é a mesma. Na meditação, a escada é descartada. Não existe mais movimento na mesma escada, nem para cima nem para baixo. Agora, não há mais movimento, mas um estado de não-movimento interior, um mergulho em si mesmo, uma introspecção.

O intelecto está voltado para o outro; a inteligência também. O intelecto se separa do outro, a inteligência se une ao outro, mas ambos são voltados para o outro. Por isso, se você entender da maneira certa, pode perceber que os quatro primeiros tipos de religião eu não considero religiosos. São pseudoreligiões. Religião de verdade começa no quinto tipo — e o quinto é o mais inferior, embora seja de verdade.

O sexto tipo de religião é o da meditação, da consciência, *chit*. A pessoa simplesmente vai para dentro. Todas as direções são deixadas de lado, todas as dimensões são deixadas de lado. Ela tenta simplesmente ser ela mesma, tenta simplesmente ser. É no sexto tipo que está o Zen. A própria palavra "Zen" vem de *dhyana*, meditação.

Aí chegamos ao tipo mais elevado: o sétimo, a religião do êxtase, *samadhi*, iluminação. Enquanto a palavra-chave do quinto tipo é *sat*, verdade, e a do sexto tipo, a religião da meditação, é *chit*, consciência, a do sétimo e do oitavo tipo é *anand*, bem-aventurança, êxtase. Juntas, elas formam a palavra *satchitananda* — verdade, consciência, êxtase.

O sétimo tipo é alegria, celebração, canção, dança, êxtase — *anand*. A meditação se torna uma grande alegria — porque uma pessoa pode ser meditativa e se tornar triste. A pessoa pode ser meditativa, pode se tornar muito silenciosa, e pode perder a bem-aventurança. Porque a meditação torna você silencioso, absolutamente sereno, mas a menos que a dança aconteça dentro, algo fica faltando. Ter paz é bom, a paz é algo belíssimo, mas algo ainda fica faltando; fica faltando a bem-aventurança. Quando a paz se torna uma dança ela é bem-aventurança. Quando a paz se torna ativa, transbordante, ela é bem-aventurança. Quando a bem-aventurança está encapsulada numa semente, ela é paz. E quando a semente germina, e não apenas germina, mas a árvore floresce e vêm as flores e a semente se torna florescência, então é iluminação. Esse é o tipo mais elevado de religiosidade.

A paz tem de dançar e o silêncio tem de cantar. E, a menos que sua realização mais profunda se torne uma gargalhada, algo ainda fica faltando. Algo ainda precisa ser feito.

Poder e corrupção: as raízes da política interna e externa

Um dos princípios fundamentais do fascismo é a idéia de que os indivíduos não são importantes, é o grupo que decide o que é real. Mas aí surge o problema: até onde isso vai? Se o grupo é real e os indivíduos não são reais, ou são só partes do grupo, então a igreja é muito mais real — é um grupo maior; então a nação é muito mais real, porque é um grupo ainda maior; então toda a humanidade é mais real ainda, porque é um grupo muito maior ainda. O indivíduo está completamente esquecido. E onde quer que haja um conflito entre o indivíduo e o grupo, claro que o indivíduo tem de se sacrificar — porque ele é irreal. Ele só existe como parte do grupo.

É assim que se destrói qualquer possibilidade de revolução completamente, totalmente. Mas todas as sociedades adoram o fascismo. Nenhuma sociedade quer indivíduos, porque a própria existência do indivíduo é um ponto de interrogação sobre muitas coisas que a sociedade continua fazendo.

E o indivíduo está fadado a ser rebelde. O indivíduo é um não-conformista, ele não pode se conformar. Ele só pode dizer sim para o que sente que vale a pena dizer sim, mas isso depende do seu sentimento, da sua compreensão intuitiva, da sua própria inteligência. Ele não pode ser forçado a se submeter. Ele pode se render ao amor, mas ninguém pode forçá-lo a se render; ele preferiria morrer. Ele não pode ser um escravo obediente — não que ele não saiba obedecer. Quando sente empatia por alguma coisa, quando assume um compromisso com alguma coisa, está envolvido com alguma coisa, ele obedece, obedece totalmente, mas está na verdade obedecendo à sua própria luz interior; não está seguindo nenhuma ordem vinda de fora.

Ser um indivíduo é ser apolítico. Toda política depende de pessoas que não sejam indivíduos, que sejam apenas falsos indivíduos, que pareçam estar separados, mas que na verdade não estão — eles são dependentes do grupo, totalmente dependentes do grupo para terem segurança, proteção, respeitabilidade, poder, prestígio; para alimentarem o seu ego.

O indivíduo de verdade não tem ego, por isso ele não precisa depender da sociedade. A sociedade dá a você o ego e, se você quer alimentá-lo, precisa depender de outras pessoas; só elas podem nutrir o seu ego. O indivíduo conhece o seu eu verdadeiro, por isso não precisa de ego nenhum. Ser um indivíduo é ser inteiro e saudável.

A psicanálise tornou-se muito importante e significativa porque nós tiramos a individualidade das pessoas. Demos a elas falsos egos que não satisfazem. Esses egos são como *junk food* — colorida, atraente, mas nem um pouco nutritiva. E o ser humano que vive com o ego está sempre distante dele mesmo; está sempre se sentindo vazio, sem sentido. Ele quer preencher o seu ser com alguma coisa: pode ter obsessão por comida na tentativa de se sentir preenchido; pode comer demais, ter obsessão por comida. Ou pode passar a ter obsessão por dinheiro, por ouro, por poder. Todos esses são meios de tentar encontrar um sentido. Mas nada adianta, tudo é inútil. Você só deseja ardentemente enquanto as coisas estão muito distantes; quando você as alcança, de repente vê que estava perseguindo sombras.

Você não se sente vazio porque não tem muito dinheiro. Você se sente vazio porque ainda não encontrou o seu eu verdadeiro, porque não encontrou a sua autêntica individualidade. A individualidade faz de você uma luz para si mesmo.

O indivíduo é um universo em si mesmo. Mas nenhuma sociedade quer indivíduos, por isso há séculos a individualidade tem sido destruída e trocada por uma coisa artificial. Essa coisa artificial é chamada personalidade.

As pessoas confundem muito personalidade com individualidade. Acham que personalidade é individualidade. Não é — na verdade, ela é uma barreira. Você nunca terá individualidade se não estiver pronto para abrir mão da personalidade. A individualidade nasce com você, é o seu ser. A personalidade é um fenômeno social, ela é dada a você. Quando está sentado numa caverna no Himalaia, você não tem nenhuma personalidade, mas tem individualidade. A personalidade só pode existir com referência aos outros. Quanto mais pessoas conhecem você, mais personalidade você tem — daí o desejo de ter um nome e ser famoso. Quanto mais pessoas respeitam você, mais você gosta da sua personalidade; ela fica fortalecida.

Por isso tanta avidez por respeitabilidade. Você pode conquistá-la por meio do dinheiro ou pode conquistá-la renunciando ao dinheiro. Pode conquistá-la comendo muito ou pode conquistá-la comendo muito pouco, jejuando. Pode conquistá-la acumulando coisas ou pode conquistá-la acumulando conhecimento. Mas a idéia toda é esta: você está olhando nos olhos dos outros para saber o que eles sentem a seu respeito. Você passa a ser muito virtuoso, muito moralista, só para ter personalidade, mas a personalidade não vai preencher o seu vazio. Ao longo dos séculos a individualidade tem sido destruída, e as pessoas estão carregando personalidades.

As pessoas que perderam contato com o próprio ser, as pessoas que estão confinadas demais aos limites da própria personalidade e não têm nem idéia do que seja individualidade, estão prontas para se tornar parte de um grupo. Elas se sentem muito à vontade afiliando-se a um grupo, porque no momento em que se tornam parte de um grupo deixam de ter responsabilidade. Elas podem relaxar, não têm mais preocupações. Agora o grupo assume a responsabilidade.

É por isso que as pessoas são hindus, cristãs, muçulmanas. Por quê? Por que as pessoas adotam supostas ideologias, rançosas, absolutamente obsoletas? Por uma única razão: isso dá a você segurança, o sentimento de que você pertence a algo, de que há pessoas que estão com você — você não está sozinho. O cristão sabe que milhões de pessoas são cristãs. O hindu sabe que ele não está sozinho, milhões de pessoas estão com ele — como ele pode estar errado? Como milhões de pessoas podem estar erradas? Ele deve estar certo! Ele não sabe nada sobre o que é certo ou errado, mas a massa ao redor dele lhe dá a sensação de que sabe — uma sensação falsa, obviamente.

A verdade não tem nada a ver com a massa; a verdade é sempre alcançada pelos indivíduos. Alguém como Buda chega à verdade, alguém como Jesus, como Maomé, como Moisés, como Zaratustra. Mas eles chegam à verdade quando estão absolutamente sozinhos, num estado profundamente meditativo, quando esquecem tudo sobre o mundo e sobre o outro, quando não estão mais obcecados pelo outro de nenhuma maneira possível, quando estão absolutamente sozinhos, mergulhando na própria consciência e chegando lá no fundo, no seu próprio âmago. Então eles sabem o que é a verdade.

Mas a massa mantém você distante de si mesmo. A massa é uma fuga do seu ser de verdade. A massa possibilita que você continue interessado pelos outros; ela nunca lhe possibilita um encontro consigo mesmo.

Se você se torna parte de um grupo, abrindo mão da sua individualidade, está cometendo suicídio. E é isso o que as pessoas estão fazendo. Elas estão cansadas de si mesmas; querem cometer suicídio. Podem não ter coragem suficiente para se suicidar de fato, mas esses grupos dão a elas maneiras de cometer um suicídio psicológico: "Torne-se parte de um grupo".

E um grupo pode ter uma mente — não uma alma. Um grupo pode ter facilmente uma mente — é assim que as pessoas são. Os católicos têm uma determinada mente, os muçulmanos têm uma determinada mente, os hindus têm uma determinada mente. As pessoas que não têm individualidade começam a adquirir uma certa mente — a mente da massa. No exército, só o que eles querem é destruir o indivíduo e dar a você um uniforme, um número. Ora, dar a você um número é um jeito sutil de destruir a sua individualidade. Um nome dá a você uma singularidade, "Número 11" tira de você toda a sua individualidade.

Frank é uma questão totalmente diferente — se Frank morrer, se Robert morrer, uma pessoa morre; se o Número 11 morrer, quem liga? Frank não pode ser substituído por ninguém, mas e o Número 11? — isso não é problema nenhum! Você pode atribuir esse número a outra pessoa e ela se torna esse número. No exército, do ponto de vista científico, tecnológico, a individualidade é destruída. O seu nome deixa de existir e você passa a ser um número. O seu cabelo também é cortado da mesma maneira. Você é obrigado a seguir ordens idiotas ano após ano; esquerda volver, direita volver, descansar... para quê?!

No exército não existe "por quê". Você simplesmente recebe ordens e tem de obedecer. Na verdade, quanto mais idiota for a ordem, melhor — isso prepara você para o trabalho no exército. Depois de anos seguindo ordens, um dia eles dizem, "Atire neste homem!" e você atira, como um robô, sem nem perguntar por quê — você nem se lembra como se pergunta por quê. No exército, a mente grupal entra em cena, não a alma grupal, lembre-se.

A alma é sempre indivíduo; a mente é sempre grupo. Qualquer mente, observe atentamente e você verá que ela pertence a um grupo. Se você acredita em Deus, isso significa que pertence a um certo grupo que acredita em Deus; esse grupo deu a idéia, o condicionamento, a você. Quais são as suas crenças? De onde elas vieram? Vieram da mente social — da igreja, do estado; você pode encontrar a fonte de onde elas vieram. Você pode observar a sua mente e ver que tudo que carrega na mente e pensa que é seu, na verdade, não é. Tudo vem de fontes diferentes — pais, professores, sacerdotes, políticos —, os outros deram a você. Existe algo como uma mente cristã, algo como uma mente muçulmana, algo como uma mente judia e algo como uma mente budista — mas não existe uma alma budista, nem existe uma alma cristã.

As mentes pertencem aos grupos. No exército, fica absolutamente claro que as pessoas perderam a mente que tinham. O regimento, sim, tem uma mente. E em menor extensão isso acontece também com a sociedade. Mas a alma é sempre individual; ninguém pode dá-la a você. Ela já está em você; tem de ser descoberta.

A maior aventura que pode acontecer a um ser humano é o movimento da mente para a não-mente, o movimento da personalidade para a individualidade. A não-mente tem uma individualidade; a mente é social.

Dizem que o poder corrompe e o poder absoluto corrompe de modo absoluto. Você concorda?

Tenho analisado a famosa afirmação de lorde Acton de todos os ângulos possíveis e descobri que ela sempre dá margem a novas descobertas. Ele diz que o poder corrompe, e o poder absoluto corrompe de modo absoluto. Eu não acho, porque não vejo a coisa acontecendo dessa maneira. Mas lorde Acton estava falando com base em toda a sua experiência de vida; ele próprio era político, portanto o que ele estava dizendo não era infundado.

Mesmo assim, eu ouso discordar dele porque, no meu entender, o poder certamente corrompe, mas só corrompe uma pessoa potencialmente corruptível. Ela pode nem ter a reputação de ser corrupta, porque ainda não teve oportunidade, nunca teve poder. Mas o poder em si não pode corromper uma pessoa que não tenha potencial para a corrupção. Portanto não é o poder que corrompe a pessoa; na verdade, o poder simplesmente revela quem essa pessoa é. O poder concretiza o que antes era apenas um potencial.

Se você olha no espelho e vê um rosto feio, pode dizer que o espelho corrompe? O pobre espelho simplesmente reflete. Se você tem um rosto feio, o que o espelho pode fazer?

Ouvi certa vez sobre uma mulher louca que, sempre que passava por um espelho, imediatamente o destruía. Ela era feia, mas achava que os espelhos eram a causa da sua feiúra. Se não houvesse espelhos, ela não seria feia. Lógica perfeita! Num certo sentido ela não estava sendo absolutamente ilógica. Se estivesse sozinha neste planeta — sem espelhos, sem olhos, porque os olhos são como espelhos —, você acha que ela seria feia? Sozinha na terra, sem nenhum espelho, sem olhos para refleti-la, ela seria apenas ela mesma, nem bela nem feia. Mas seria exatamente do jeito que é. A única diferença é que ela não poderia ver o seu reflexo. Nada mudaria, só não haveria reflexos.

O mesmo vale para a famosa frase de lorde Acton, "O poder corrompe" — parece que sim.

Eu diria que o poder reflete. Se você está potencialmente pronto para ser corrompido, o poder dá a você essa chance. E, se você tem um potencial absoluto — como um Adolf Hitler, um Joseph Stalin, um Mussolini —, então o que o poder pode fazer? Ele está simplesmente ao seu alcance. Você pode fazer muita coisa com ele. Se você é uma pessoa corruptível, fará o que sempre quis fazer, mas não tinha poder para tanto. Mas, se você não é potencialmente corruptível, então é impossível que o poder corrompa você. Você usará o poder, mas isso não será corrupção, será criação. Esse poder não será destrutivo, será uma bênção para as pessoas. E, se você tem o potencial de ser uma bênção para as pessoas, então o poder absoluto será uma bênção absoluta neste mundo.

A vida humana, contudo, tem muitos aspectos estranhos. Só a pessoa potencialmente corruptível busca o poder. A pessoa potencialmente boa não anseia por ele. A sede de poder é uma necessidade do ser corrompido, pois ele sabe que, sem o poder, não conseguirá fazer o que quer.

Adolf Hitler primeiro quis ser arquiteto, mas todas as escolas de arquitetura o recusaram porque ele não tinha potencial para isso. Ele mal conseguia traçar uma linha reta. Ele queria ser um artista — se não fosse arquiteto, pelo menos artista —, mas nenhuma escola o aceitou. Se a escola de arquitetura não o aceitou, então era evidente que a arte, particularmente a pintura, exigia um talento ainda maior, e ele não tinha nenhum. Desapontado por todos, rejeitado por todas as escolas, ele começou a se interessar pelo poder.

A sede de poder de Adolf Hitler era realmente grande. Um homem que não tivera capacidade de se tornar arquiteto ou pintor tornou-se tão poderoso que teve nas mãos todo o destino da humanidade. E uma das primeiras coisas que ele fez depois de se tornar poderoso, absolutamente poderoso, foi começar a projetar edifícios — arquitetura. Ele fez projetos de muitas estruturas horríveis e o governo teve de construí-los, porque, embora nenhum arquiteto estivesse disposto a aceitar que esses projetos merecessem um segundo olhar, eles eram da autoria de Adolf Hitler e não poderiam ser rejeitados. Sua rejeição significaria morte ou prisão, pois essa era a única linguagem que Hitler conhecia: "Ou você fica comigo ou não fica mais". Mas seus projetos são prova suficiente de que esse homem não tinha simplesmente nenhum talento para conceber edifícios.

Depois de se tornar poderoso, Adolf Hitler pintava nas horas vagas; é claro que todo mundo tinha de elogiar as suas pinturas. Nenhuma delas merecia ser chamada de pintura; eram só um desperdício de tinta e de tela, sem nenhum significado. E isso não era tudo: eram feias — se você pendurasse um desses quadros no seu quarto, à noite teria pesadelos.

O poder traz para a realidade o que você esconde dentro do seu ser.

Mas o mais estranho é que as pessoas do bem não têm necessidade de poder, pois o bem pode se manifestar sem poder. O bem não precisa ter nenhum poder. O bem tem o seu próprio poder intrínseco. O mal precisa de um poder externo para lhe dar apoio.

Kahlil Gibran escreveu uma linda história. Esse homem escreveu histórias tão lindas que não parece haver, em toda a história, alguém que se compare com ele. Esta é uma história muito curta, e é justamente aí que está a beleza de Kahlil Gibran. Ele não escreve histórias longas que possam ser transformadas em filme; suas histórias se compõem apenas de algumas linhas, mas tocam as profundezas do ser humano.

A história é a seguinte: Deus criou o mundo e todo o resto que era necessário. Ele olhou em volta e sentiu que duas coisas estavam faltando: a beleza e a feiúra. Então essas foram as últimas duas coisas que ele criou. Naturalmente, ele revestiu a beleza com uma bela roupagem e a feiúra, com andrajos. Depois mandou ambas do céu para a terra.

Foi uma longa jornada e quando chegaram à terra as duas estavam exaustas e empoeiradas, por isso a primeira coisa que decidiram fazer foi tomar um banho. Era de manhã bem cedo, o sol ainda estava nascendo e elas foram até um lago, despiram as roupas e mergulharam juntas. Foi realmente refrescante e elas adoraram.

A beleza nadou até bem longe da margem e, quando olhou para trás, ficou surpresa; a feiúra não estava mais lá. Então ela voltou e descobriu que as suas roupas também não estavam mais no lugar onde as deixara. Foi então que a beleza entendeu o que estava acontecendo: a feiúra havia roubado as suas roupas e fugido. A história acaba dizendo que, desde então, a feiúra está disfarçada com as roupas da beleza e esta é obrigada a andar por aí com as roupas da feiúra. A beleza está no encalço da feiúra, à sua procura, mas ainda não conseguiu encontrá-la.

É uma bela história. A feiúra precisa de algo atrás do qual possa se esconder, para ajudá-la a fingir — para ter uma falsa máscara. A beleza nunca nem pensou nisso; nunca tinha lhe ocorrido a possibilidade de que a feiúra roubasse as suas roupas e fugisse com elas.

Quando você tem um coração cheio de bondade, cheio de bênçãos, você não precisa ser presidente ou primeiro-ministro. Você não tem tempo a perder com esse horrível jogo de poder da política. Você está repleto de energia — essa energia vem com a bondade. Você criará música, fará poesia, esculpirá a beleza em mármore; você fará coisas para as quais o poder não é necessário. Tudo o que é necessário já lhe foi providenciado. Essa é a beleza do bem, que é intrinsecamente poderoso.

Vamos entender muito bem: de uma coisa você pode ter certeza, qualquer coisa que precise de poder externo não é bom. É algo intrinsecamente impotente, que viverá uma vida emprestada.

Por isso, na vida, acontece essa estranha situação: pessoas ruins conquistam cargos importantes, são respeitadas ou reverenciadas, não só na época em que vivem, mas ao longo da história. Elas são muitas vezes citadas nos livros.

Na história, Gautama Buda, Mahavira, Lao-Tsé, Chuang Tzu, Lieh Tzu — pessoas como essas você não encontrará nem nas notas de rodapé. E Alexandre o Grande, Gêngis Khan, Tamerlão, Nadirshah, Napoleão Bonaparte, Adolf Hitler — eles compõem a maior parte da história. Na verdade, temos de reescrever toda a história porque todas essas pessoas têm de ser completamente banidas. Nem a lembrança delas deve permanecer, porque até mesmo isso pode causar efeitos negativos nas pessoas. Uma humanidade melhor não deixará que pessoas como essas sejam citadas nem nas notas de rodapé; não há necessidade. Elas foram verdadeiros pesadelos; é melhor que sejam completamente esquecidas para que não persigam você como sombras.

Temos de redescobrir pessoas que tenham vivido neste planeta e o deixado bonito em todos os sentidos; compartilhado a sua alegria, a sua dança, a sua música, compartilhado os seus êxtases —, mas vivido anonimamente. As pessoas esqueceram-se completamente até do nome delas. Não fazem nem idéia de que tantos místicos viveram no planeta e não são conhecidos. O que leva você a conhecer o nome de alguns deles não é simplesmente o fato de serem místicos — existem outras razões. Basta pensar: se Jesus não tivesse sido crucificado, você já teria ouvido falar no nome dele? Portanto, não é Jesus — nem as suas qualidades ou a sua bondade —, mas a sua crucificação que o tornou uma figura histórica. Você conhece Gautama Buda não porque ele tenha sido um homem iluminado, mas porque era filho de um grande rei. Quando o filho de um grande rei renuncia ao seu reino, é claro que o país inteiro, de ponta a ponta, fala a respeito. E não porque ele fosse um homem religioso, mas porque renunciou a um grande reino — o mesmo reino que você almeja ou com que sonha talvez há muitas vidas. "Esse é um homem de fibra — ele abriu mão de um reino inteiro sem nem olhar para trás!" É por isso que a história registrou a existência de Gautama Buda. Em algum lugar, eles tinham de mencionar o nome dele, porque foi um rei que renunciou ao seu reino. Se tivesse sido filho de um homem pobre, então ninguém teria ouvido falar sobre ele. Deve haver muitos cujos nomes são completamente desconhecidos. Mesmo enquanto estavam vivos só algumas poucas pessoas vieram a perceber que eles tinham um tipo de presença diferente.

A bondade tem o seu próprio poder intrínseco, e tem a sua própria vantagem, a sua própria bênção.

Você pode falar um pouco mais sobre o que significa poder no sentido espiritual? Não como parte da política, mas como energia de bondade e da própria vida?

No sentido espiritual, o poder e a força nunca se tornam uma coisa só. O poder é algo que irradia de você; a fonte é interior. A força é violenta. Força é interferência, uma transgressão da liberdade dos outros. Normalmente, as pessoas não fazem distinção entre essas duas palavras. Elas as usam quase como sinônimos.

Amor é poder, mas não força. Um presidente tem força, mas não poder. O poder nunca fere ninguém; ele é sempre uma energia de cura. Ele se derrama sobre você como uma chuva de flores. É uma fragrância que chega até você muito silenciosamente, sem fazer nenhum barulho. Você é quem decide se quer recebê-lo ou não. Ele não o obriga a recebê-lo.

O poder mantém a sua dignidade intacta — na verdade, ele a enaltece. Torna você mais individual, confere-lhe mais liberdade. Ele não lhe impõe condições. A força é exatamente o oposto do poder. A força é violência contra o outro. Mas essas palavras tornaram-se sinônimas, e isso deve ter um motivo. É que, na vida, nós experimentamos o poder se transmutando em força.

Por exemplo, você ama alguém; isso é poder. Mas aí vocês se casam, você é o marido e ela é a esposa; é um contrato social, um negócio. Agora o poder sai de cena e entra a força. Vocês ainda usam as mesmas palavras, mas elas não significam a mesma coisa. Vocês dirão, "Eu te amo", mas sabem que são apenas palavras vazias. É verdade, um dia elas tiveram um significado, um dia elas tiveram um imenso conteúdo. Um dia elas foram doces — agora tudo ficou amargo. Você tem de dizer "Eu te amo". Não está vindo do coração, está vindo da cabeça. O espaço mudou. Você ainda beijará a sua mulher, mas esse beijo será apenas um exercício com os lábios; por trás deles não há ninguém. Você pode estar a quilômetros dali, pensando na sua secretária. A sua mulher também pode estar longe, pensando no patrão. Agora o poder, que era uma radiância, um campo de energia, já não existe mais. No lugar dele, há força. O amor acabou; a lei passou a reger a vida.

Por causa dessas mudanças, do poder para a força, as palavras se tornam sinônimas — até para os lingüistas, que deveriam demonstrar mais conhecimento.

A diferença é muito sutil. A força é sempre aquela da espada, e a espada pode crescer até se transformar em armas nucleares. Poder é sempre amor. Se crescer, ele só poderá se tornar mistérios mais profundos, espaços mais desconhecidos. No final, pode abrir as portas, para ambos os amantes, de algo transcendental. Pode ajudá-los a se fundir com o universo. Nos momentos de amor, quando seus poderes se encontram, eles são dois corpos, mas não duas almas. Nesses momentos, eles começam a sentir uma profunda sincronicidade com a própria existência — com a grama, com as árvores, com os pássaros, com as nuvens, com as estrelas —, algo de que só o coração é capaz. Não é uma questão de racionalizar, mas de vivenciar.

Portanto, nesse sentido, o poder é espiritual. A força é animal.

O amor é o maior milagre da existência. Naturalmente, não existe poder maior que o amor. Mas o amor não é uma força. A própria palavra "força" — o próprio som da palavra — indica que você está interferindo no ser de outra pessoa. Você está destruindo alguém, reduzindo alguém a um objeto.

Portanto, lembre-se, o poder nunca se torna força. Ele fica cada vez maior; pode se tornar universal, mas continua sendo poder. Ele é uma bênção, uma dádiva. A força é vil. A força é desumana. Não se deixe enganar pelo fato de que, nos dicionários, eles significam a mesma coisa. Os dicionários não são elaborados por pessoas iluminadas; do contrário, as palavras teriam significados diferentes, conotações diferentes, e a língua teria uma pureza. Mas pessoas inconscientes continuam fazendo dicionários e livros sobre lingüística. Elas nunca conheceram nada como o poder; só conheceram a força. Naturalmente, para elas essas palavras são sinônimas. Mas para mim elas são contrárias.

Deixe-as separadas; nunca se deixe atrair pela força. Seja cheio de poder — que é seu. E expanda-o, deixe que os outros compartilhem dele.

PERDIDO E ENCONTRADO:
EM BUSCA DA CONDIÇÃO DE PESSOA COMUM

Todo mundo quer ser extraordinário. Essa é a busca do ego: ser alguém que é especial, ser alguém que é único, incomparável. E este é o paradoxo: quanto mais você tenta ser excepcional, mais comum você parece, porque todo mundo está em busca do fora do comum. Esse é o desejo de qualquer pessoa. Se você se tornar comum, a própria busca pelo comum é extraordinária, porque raramente alguém quer ser só um joão-ninguém, raramente alguém quer ser apenas um espaço vazio, oco. Isso é realmente extraordinário num certo sentido, porque ninguém quer isso. E, quando se torna comum, você se torna extraordinário e, evidentemente, acaba descobrindo que, sem querer, você se tornou único.

Na verdade, todo mundo é único. Se você conseguir parar, ao menos por um instante, de perseguir objetivos, perceberá que você é único. A sua unicidade não é para ser inventada, ela já existe. Já acontece — existir é ser único. Não existe outra maneira de ser. Todas as folhas das árvores são únicas, todos os seixos das praias são únicos, não há outro modo de ser. Você não conseguirá encontrar dois seixos idênticos em lugar nenhum, em todo o planeta.

Não existem duas coisas idênticas, por isso não há necessidade de ser "alguém". Seja simplesmente você mesmo e de repente você se torna único, incomparável. É por isso que eu digo que isso é um paradoxo: aqueles que buscam fracassam e aqueles que não se incomodam com isso, de uma hora para outra conseguem.

Mas não se confunda com as palavras. Deixe-me repetir: o desejo de ser extraordinário é muito comum, porque todo mundo tem. E ter o entendimento de que se é comum é muito extraordinário, porque raramente acontece — alguém como Buda, Lao-Tsé, Jesus têm.

Tentar ser único é algo que está na mente de todo mundo; e todas essas pessoas fracassam e fracassam completamente. Como você pode ser mais único do que você já é? A unicidade já existe, você só tem de descobri-la. Não tem de inventá-la, ela está escondida dentro de você; você tem de expô-la à vida, só isso. Essa unicidade não deve ser cultivada. Ela é o seu tesouro, você a carregará para sempre. Ela é o seu próprio ser, o próprio âmago do seu ser. Você só tem de fechar os olhos e olhar para si mesmo; só tem de parar por um momento, descansar e olhar.

Mas você está correndo tanto, está com tanta pressa de conquistá-la, que não a percebe dentro de você.

Um dos maiores discípulos de Lao-Tsé, Lieh Tzu, contava que, uma vez, um idiota procurava fogo com uma vela na mão. Conta Lieh Tzu: "Se ele soubesse o que era fogo, teria cozinhado o arroz mais cedo". Ele continuou com fome durante toda a noite porque estava procurando fogo, mas não conseguia encontrá-lo — e ele tinha uma vela na mão, pois como poderia enxergar no escuro sem uma vela?

Você está em busca da sua unicidade e ela está na sua mão; se entender isso, pode cozinhar o arroz mais cedo. Eu já cozinhei o meu arroz e sei. Você está passando fome à toa — o arroz está aí, a vela está aí, a vela é o fogo. Não há necessidade de pegar uma vela e procurar. Se você pegar a vela na mão e sair pelo mundo à procura do fogo, não encontrará, porque você não sabe o que é fogo. Do contrário teria visto que o está carregando na sua mão.

Isso acontece às vezes com as pessoas que usam óculos. Elas põem os óculos e ficam procurando por eles. Podem estar com pressa e, quando estão com pressa, procuram em todo lugar — esquecem completamente que já estão com os óculos. A pessoa pode entrar em pânico. Você pode ter passado por experiências como essa na sua vida; por causa da própria busca você entra em tal estado de pânico e tão preocupado e tão agitado que não consegue enxergar mais nada direito e não vê nem o que está bem na sua frente.

É isso o que acontece. Você não precisa sair em busca da sua unicidade, você já é único. Não há como tornar uma coisa mais única do que ela já é. As palavras "mais única" são absurdas. Único é suficiente. Não existe nada que seja "mais único". É como a palavra "círculo". Os círculos existem, mas não existe nada que seja "mais circular". Isso é absurdo. Um círculo é sempre perfeito, não é necessário ser "mais".

Não existem graus de circularidade — um círculo é um círculo; ele não precisa nem ser mais nem ser menos circular. Unicidade é Unicidade, as palavras menos e mais não se aplicam. Você já é único. A pessoa só percebe isso quando está pronta para ser comum, eis o paradoxo. Mas, se você entender, não há problema nenhum; o paradoxo existe, belo, mas não há nenhum problema. O paradoxo não é um problema. Ele parece um problema se você não entender; se entender, ele é belo, um mistério.

Torne-se comum e você será extraordinário; tente se tornar extraordinário e você continuará sendo comum.

? **Por favor, fale sobre a diferença entre comum e medíocre.**

A mediocridade é o estado geral da humanidade como ela está. É um retardamento da inteligência. Ninguém quer que você seja inteligente, porque quanto mais inteligente você for, mais difícil será explorar você. Todos os que têm interesses particulares querem que você seja medíocre. Uma pessoa medíocre é como uma árvore que tem as raízes continuamente cortadas para não poder crescer. A pessoa medíocre nunca sabe o que é frutificar, florir, espalhar perfume. Mas esse é o estado comum. E para manter a mediocridade de uma pessoa medíocre, uma coisa muito estranha tem de ser colocada na cabeça dela: que ela é extraordinária.

George Gurdjieff costumava contar a seguinte história:

Havia um pastor que era mágico e tinha muitas ovelhas. Quando tomava conta delas, para que não se perdessem na floresta nem fossem devoradas pelos animais selvagens, ele usava uma estratégia. Hipnotizava todas as ovelhas e dizia a elas: "Vocês não são ovelhas, vocês são leões". Depois de hipnotizadas, as ovelhas começavam a se comportar como leões. A pessoa medíocre se rebelará contra a mediocridade porque ela é feia. Mas a sociedade dá às pessoas, de muitas maneiras, a sensação de que elas são "extraordinárias". Por isso é muito difícil não encontrar uma pessoa que, lá no fundo, não acredite que é especial, o filho único de Deus. Ela pode não dizer isso, porque sabe o que acontece quando alguém diz que é o filho único de Deus. A crucificação é certa, e a ressurreição — ninguém sabe se aconteceu realmente ou não. Portanto, ela guarda esse sentimento para si. Isso a ajuda a continuar medíocre. Se ela compreendesse que é medíocre, essa própria compreensão acabaria com a sua mediocridade. Compreender que ela é medíocre é um grande passo rumo à inteligência.

A pessoa comum é a pessoa natural. A natureza não produz pessoas especiais. Ela produz pessoas únicas, mas não especiais. Todo mundo é único à sua própria maneira.

O grande pinheiro e a pequenina roseira — qual deles é mais alto? Nenhum pinheiro jamais se gabou de ser mais alto e nenhuma roseira jamais disse, "Você pode ser mais alto, mas quem é que dá rosas aqui? A verdadeira elevação está nas rosas e no perfume, nas flores. Ser alto não é suficiente para ser elevado". Não, a roseira e o pinheiro continuam convivendo sem nenhuma disputa, sem nenhum tipo de competição, pela simples razão de que ambos fazem parte da mesma natureza.

Quando falo sobre ser comum, estou descartando a idéia de ser extraordinário, que é o que mantém você medíocre. Ser comum é a coisa mais extraordinária deste mundo. Basta olhar para você. Dói muito, é doloroso aceitar que você não é extraordinário. Então observe o que acontece quando você aceita a idéia de que é comum. Um grande peso sai dos seus ombros. De repente, você está num espaço aberto, natural, simplesmente do jeito que você é.

A pessoa comum tem uma singularidade, simplicidade, humildade. Por causa dessa simplicidade, dessa humildade, dessa singularidade, ela se torna realmente extraordinária, embora nem faça idéia disso.

As pessoas que são humildes e simplesmente aceitam que são tão comuns quanto todo mundo — você vê um brilho nos olhos delas. Elas têm graça nos movimentos. Você não as verá competindo, não as verá trapaceando. Não as verá traindo ninguém. Elas não são contraditórias. Não são hipócritas.

Se você é uma pessoa comum, qual a necessidade de ser hipócrita? Você pode abrir o seu coração para qualquer pessoa, porque não está fingindo nada. Você só se torna dissimulado quando começa a fingir. Começa a se sentir superior. Você pode não dizer, mas, por meio da sua hipocrisia, por meio das suas máscaras, começa a ficar cada vez mais pretensioso. É uma doença.

E quem é a pessoa que se acredita extraordinária? Aquela que sofre de um enorme complexo de inferioridade. Para encobri-lo, ela projeta simplesmente a idéia oposta. Mas só está enganando a si mesma; ela não engana mais ninguém.

A pessoa comum não tem necessidade de ser hipócrita, não tem necessidade de fingir. Ela é simplesmente aberta; não precisa ser dissimulada. E há uma beleza nessa abertura, nessa simplicidade.

Todo mundo tem de olhar para dentro de si mesmo. Mas as pessoas são tão enganadoras que, de tanto enganar os outros, começam a enganar a si mesmas. Ficam muito articuladas ao enganar. É perigoso ser hipócrita, porque mais cedo ou mais tarde você começa a achar que essa é a sua face verdadeira.

Em minhas décadas de trabalho com pessoas, tenho conhecido milhares delas, intimamente, e fico pasmo ao ver como elas enganam a si mesmas. Enganar os outros é algo que dá para entender, mas elas enganam a si mesmas. E você não consegue tirá-las desse engano, porque ele é o único tesouro que elas têm. Elas sabem que, por trás delas, só há escuridão, vazio, um complexo de inferioridade. Por isso se agarram à ilusão.

Esse é o problema de todas as pessoas medíocres. Elas não toleram que ninguém seja melhor do que elas, pois isso destrói sua ilusão de que são extraordinárias. Mas ninguém pode tirar de você a sua condição de pessoa comum. Isso é algo que não é uma projeção, mas uma realidade.

A roseira é comum, o pinheiro é comum, o cervo é comum. Por que qualquer ser humano deveria tentar ser extraordinário? Só os seres humanos parecem ter essa doença. Toda a existência vive no mais absoluto ordinarismo e é tão feliz, tão abençoada! Mas o ser humano é doente. A sua doença é não conseguir se aceitar como é. Ele quer ser algo grandioso: "Alexandre o Grande". Menos do que isso não basta.

Mas ele se esquece do que Alexandre ganhou com isso. Ele só viveu 33 anos e passou a vida inteira lutando, invadindo, matando. Não teve chance de viver, não teve tempo de viver.

Alexandre um dia se encontrou com um grande sábio, um homem de sabedoria, Diógenes, quando ia invadir a Índia. Perguntou, então, a Diógenes se ele tinha alguma mensagem para lhe dar. Diógenes disse, "Só uma: em vez de perder tempo, viva! Você mesmo não está vivendo e não está deixando os outros viverem. Está cometendo imensos crimes contra a vida — para quê? Só para ser chamado de Alexandre o Grande? Todo mundo acha que é por causa disso. Lá no fundo, você pode se chamar de Alexandre o Grande; ninguém vai impedi-lo disso. Se quiser, você pode até colocar uma tabuleta no peito, dizendo: "Alexandre o Grande" — mas viva! Você vai parecer um bobo da corte, mas é melhor *ser* um bobo; pelo menos terá tempo para viver, amar, cantar, dançar".

Alexandre entendeu a mensagem. Ele disse, "Eu entendo o que quer dizer. Quando voltar, tentarei seguir o seu conselho".

Diógenes disse, "Lembre-se, ninguém volta de uma viagem do ego, porque ela nunca se acaba, ela se prolonga cada vez mais. Você verá o seu fim antes de ver o fim da viagem do ego". E foi o que aconteceu: Alexandre nunca voltou para casa. No caminho de volta, ele morreu. Quando estava nas últimas, lembrou-se de que Diógenes lhe dissera que ninguém jamais volta:

"O ego impulsiona você, e ele nunca tem fim. Ele cria novas metas, novos objetivos, objetivos mais audaciosos". Com um profundo respeito por Diógenes, Alexandre disse às pessoas que carregariam o seu corpo para o túmulo, "Deixe as minhas mãos penduradas para fora do caixão".

O chefe da guarda disse, "Mas essa não é a tradição. As mãos têm de ficar dentro do caixão. Se a deixarmos penduradas para fora do caixão, vai ficar muito estranho".

Mas Alexandre disse, "Quero que fiquem penduradas, porque quero que as pessoas saibam que cheguei a este mundo de mãos vazias, vivi neste mundo de mãos vazias e partirei deste mundo de mãos vazias".

As mãos vazias de Alexandre o Grande representam as mãos de quase todo mundo.

Se quer viver de modo autêntico e sincero, então seja simplesmente comum. Então ninguém pode competir com você. Você fica de fora da corrida da competição, que é destrutiva.

De repente você é livre para viver. Tem tempo para viver. Tem tempo para fazer o que quer. Pode rir, pode cantar, pode dançar. Você é uma pessoa comum. Mesmo se o mundo inteiro rir disso, que importância tem? Elas são pessoas extraordinárias, têm o direito de rir. Você tem o direito de dançar. A risada delas é falsa; a sua dança é verdadeira.

Mas a mente medíocre não tem capacidade para entender. Ela parou por volta dos 13 anos em sua idade mental, ou até antes disso. A pessoa pode ter 40, 50, 70 anos — não interessa, essa é a idade física. Ela está envelhecendo, mas não está crescendo. Você precisa notar a distinção. Envelhecer, todo animal envelhece. Crescer é algo que só os seres humanos podem fazer. E o primeiro passo é apenas aceitar a sua simplicidade, a sua humildade.

Como você pode ser egoísta num universo tão belo, imenso, vasto, infinito? Que ego você pode ter? O seu ego pode ser apenas uma bolha de sabão. Talvez dure alguns segundos, elevando-se bem alto no ar. Talvez por alguns segundos ele possa refletir um arco-íris, mas é só por uns poucos segundos. Nessa existência infinita e eterna, o seu ego vai estourar a qualquer momento.

É melhor não ter nenhum apego às bolhas de sabão. Você pode brincar com elas enquanto está na banheira. Você pode estourá-las, dizendo a si mesmo, “Este é o meu ego que eu mesmo estou destruindo”. Então, quando sair da banheira, você será uma pessoa comum, renovada, humilde, livre.

O desejo de comandar os outros, a sede de poder, é um dos maiores crimes que o ser humano cometeu. Você tem de ter consciência disso. Por isso a minha insistência em ser apenas comum. E isso é lindo, estou dizendo isso por experiência própria.

Nenhum egoísta, em toda a história da humanidade, jamais disse que o ego é belo, que ele lhe proporcionou grandes êxtases. Todos os egoístas morreram frustrados, desesperados, porque o ego não conhece limites. Por isso você está sempre frustrado.

Posso lhe dizer com base na minha própria experiência como um ser humano comum que esse é o êxtase supremo. Ele funde você com a existência. Não existe mais nenhuma barreira. Ele funde você com as estrelas, e com o céu, com a terra. Você não está mais separado. O ego separa você. E o sentimento de unidade com esta existência primorosa é o que, para mim, significa religiosidade.

Se todo mundo aceitasse essa condição de pessoa comum, isso resolveria boa parte dos problemas de desigualdade no mundo?

No passado, só havia duas alternativas: ou todo mundo era igual — a igualdade de todos os seres humanos — ou as pessoas eram desiguais. A alternativa é entender que as pessoas são únicas, incomparáveis. Elas não podem ser comparadas, então como você pode dizer quem é inferior e quem é superior? A margarida é inferior à rosa? Como você vai decidir? Elas são únicas em sua individualidade. Toda a existência só produz pessoas únicas; ela não acredita em cópias. Por isso a questão da igualdade e da desigualdade não vem ao caso. Esse entendimento corta o problema pela raiz.

Existe uma história grega: um rei louco tinha um lindo palacete para os hóspedes e uma linda cama de ouro. Quando um hóspede entrava no palacete, ele mal podia acreditar — seus hóspedes também eram reis — que seria recebido com tamanha generosidade, com tanto respeito e deferência: "E as pessoas acham que esse homem é louco! Ele não é!" Mas logo o hóspede descobria que ele era mesmo louco. A sua loucura era achar que o hóspede tinha de se ajustar ao comprimento da cama. Se era mais alto, então ele tinha de ficar mais baixo — uma parte das pernas dele tinha de ser amputada. Se ele era mais baixo — acho que foi esse rei louco que inventou a tração —, o rei tinha grandes lutadores que puxavam as extremidades da pessoa até que ela ficasse do tamanho da cama. Se ela morria ou sobrevivia não importava; o tamanho da cama é que era importante! Na maioria das vezes, os hóspedes morriam.

A idéia de fazer todo mundo igual, cortando as pessoas para que elas fiquem iguais — do ponto de vista econômico, educacional e em outros sentidos — é absurda, pois a desigualdade se mostrará em outras dimensões. As pessoas não são igualmente belas — então será preciso submetê-las a uma cirurgia plástica para que fiquem igualmente belas. A cor das pessoas também não é a mesma — então algum dia elas terão de receber uma injeção de pigmentos para que fiquem da mesma cor.

Tudo é único; não existem duas pessoas iguais; e o comunismo, por exemplo, cultiva a idéia de que toda a humanidade tem de ser igual. Intelectualmente você não pode torná-las iguais. A genialidade de um músico e a genialidade de um matemático são mundos totalmente diferentes. Se você quer que elas sejam iguais, terá de destruir as alturas, os picos de genialidade e reduzi-los ao menor denominador comum. Então o comunismo será o maior massacre que já aconteceu à humanidade em toda a história.

Eu defendo a unicidade do ser humano. Sim, toda pessoa deve ter a mesma oportunidade de ser ela mesma. Em outras palavras, toda pessoa deve ter a mesma oportunidade de ser desigual, de ser única. As oportunidades podem ser oferecidas, mas o matemático tem de se tornar matemático e o músico tem de se tornar músico.

Mas nenhuma sociedade até hoje concedeu ao ser humano a sua liberdade. Você acha que é livre. Você está simplesmente vivendo uma ilusão. A humanidade só será livre no dia em que nenhum complexo de inferioridade for incutido nas crianças; de outro modo, a liberdade é só hipocrisia. Os outros estão tentando fazer de você um fantoche.

As intenções dos pais não são ruins, as intenções dos professores também não. Eu nunca suspeito das intenções deles, mas suspeito da sua inteligência. Suspeito da compreensão que eles têm da natureza humana, do seu crescimento, das suas possibilidades.

Se você está limpo por dentro, não tem feridas de inferioridade, então o que importa o que as pessoas esperam de você? Você nunca tem de atender às expectativas de ninguém. Tem simplesmente de viver a sua vida de acordo com a sua inspiração, a sua intuição, a sua inteligência. E é assim que deve ser. O ser humano saudável não tem complexo de inferioridade.

E o outro lado da história é: se você não tem um complexo de inferioridade nunca tentará ser superior. Não há necessidade de ser superior a alguém, dominar alguém, prevalecer sobre alguém, ter controle sobre alguém; você nunca será um político. Só as pessoas que sofrem basicamente de um complexo de inferioridade são atraídas pela política. A própria atração pela política é uma prova do problema que elas têm. Qualquer pessoa que se sinta traída pela política deve receber imediatamente um tratamento psicológico. Todos os políticos são doentes, sem nenhuma exceção. Se não fossem doentes não seriam políticos.

A pessoa que não deseja ter poder sobre os outros para provar a si mesma — porque não há essa necessidade! — está viva, está respirando, está fazendo as suas coisas; isso é prova suficiente. Ela deixou a sua marca, e certamente essa é a sua assinatura, não a de outra pessoa. E, lembre-se, se até a sua impressão digital é única em todo mundo, o que dizer do seu ser? Se a natureza não criou duas impressões digitais iguais, veja quanto cuidado ela teve! Nem por engano ela fez duas impressões digitais com as mesmas linhas — e existem bilhões de pessoas neste mundo.

O ser é tão importante que é insubstituível. Você é só você mesmo. Faça algo que venha de você — não para se afirmar, mas para se expressar! Cante a sua canção, dance a sua dança, regozije-se em ser qualquer coisa que a natureza quis que você fosse.

Se conseguirmos acabar com o complexo de inferioridade, isso é muito simples: os professores e os pais só precisam ficar atentos para não se impor sobre crianças indefesas. Em apenas duas décadas, a nova geração estará livre do complexo de inferioridade. E com ele também acabarão todos os políticos, todos os presidentes e todos os primeiros-ministros. E isso será um grande alívio!

As pessoas expressarão a sua criatividade. Haverá músicos, haverá dançarinos, haverá pintores, carpinteiros. Haverá todo tipo de criatividade ao redor do mundo. Mas ninguém compete com ninguém; cada um faz simplesmente o seu melhor. Essa é a alegria das pessoas. A alegria não é competir, a alegria não é chegar em primeiro lugar; a alegria está em fazer. Ela não será exterior ao ato, será intrínseca a ele. Essa é a minha imagem da nova humanidade. Nós trabalharemos, mas o nosso trabalho será a nossa vida, a nossa própria alma. O que faremos, isso não importa.

Eu me lembro de Abraham Lincoln. Quando foi eleito presidente dos Estados Unidos, o pai dele era sapateiro. E, naturalmente, as pessoas egoístas ficaram muito ofendidas ao ver que o filho de um sapateiro tinha sido eleito presidente. Elas eram aristocratas e achavam que tinham o direito nato de ocupar o posto mais alto do governo. O filho de um sapateiro? No primeiro dia do seu mandato, quando Lincoln entrou para fazer o seu discurso inaugural, bem no meio do discurso, um homem se levantou. Ele era um aristocrata muito rico. Ele disse, "Sr. Lincoln, o senhor não deve se esquecer de que o seu pai costumava confeccionar sapatos para a minha família". E todo o Senado caiu na gargalhada, achando que tinham feito Abraham Lincoln fazer papel de bobo.

Mas Lincoln — e esse tipo de pessoa tem um feitio completamente diferente —, Lincoln olhou para o homem e disse, "Senhor, eu sei que o meu pai costumava fazer sapatos na sua casa, para a sua família, e deve haver muitos outros aqui... porque ninguém nunca fez sapatos como ele. Ele era um criador. Seus sapatos não eram apenas sapatos, ele colocava toda a sua alma neles. Quero lhe perguntar, o senhor tem alguma reclamação a fazer? Porque eu mesmo sei confeccionar sapatos; se o senhor tiver alguma queixa, posso lhe fazer outro par. Mas, até onde sei, ninguém jamais ficou insatisfeito com os sapatos do meu pai. Ele era um gênio, um grande criador, e eu tenho muito orgulho dele!"

Todo Senado emudeceu. Eles não conseguiam compreender que tipo de homem era Abraham Lincoln. Ele fizera da confecção de sapatos uma arte, uma atividade criativa. E tinha orgulho porque seu pai fazia um trabalho tão bom que jamais ouvira uma única queixa. E, muito embora fosse presidente dos Estados Unidos, estava disposto a fazer outro par de sapatos se houvesse alguma queixa. O homem ficou com cara de idiota. Lincoln insistiu, "Fale alguma coisa! Por que ficou mudo? O senhor queria que eu fizesse papel de bobo e agora, olhe só: quem está fazendo papel de bobo é o senhor!"

Não importa o que você faça. Importa é como você faz — com espontaneidade, com a sua própria visão, com todo o seu amor. Desse modo, tudo o que você tocar se transformará em ouro.

Consciência *versus* voz da consciência

Compreendendo a liberdade da responsabilidade

Não é preciso desenvolver uma "voz da consciência" (*conscience*). É preciso ter consciência (*consciousness*), não uma voz da consciência. A voz da consciência é uma pseudoconsciência. Ela é criada em você pela sociedade e trata-se de um método sutil de escravidão. A sociedade lhe ensina o que é certo e o que é errado. E começa a ensinar a criança antes que ela se dê conta, antes que possa decidir por si própria o que é certo ou errado, antes que tenha consciência do que está acontecendo com ela. Nós a condicionamos de acordo com as nossas idéias — e todas essas idéias dos pais, dos sacerdotes, dos professores, dos políticos, dos santos —, todas elas se misturam dentro da criança e se tornam a "voz da sua consciência".

Por causa dessa voz da consciência, a criança nunca mais consegue desenvolver uma consciência de verdade. A primeira é uma substituta falsa da segunda, e se você estiver satisfeito com a falsa nunca mais vai ter a verdadeira.

É enganador; o modo como temos criado as crianças é extremamente enganador e feio, é um tipo de violência contra a humanidade. É por isso que milhões de pessoas vivem sem nenhuma consciência. Antes que pudessem desenvolver uma consciência, demos a elas brinquedinhos falsos com que brincar. Elas passam a vida toda achando que isso é o necessário para viver uma vida boa. Vivem a vida toda acreditando que serão recompensadas se seguirem a voz da consciência e castigadas se não a seguirem. Serão castigadas e recompensadas externamente e internamente também. Sempre que você faz algo contrário ao que diz a voz da consciência, você se sente culpado. Você sofre, sente uma dor moral; fica com medo, trêmulo, preocupado. Sente que pode perder a oportunidade de ir para o céu, que pode ir para o inferno, e com quanta inventividade os seus santos têm descrito as delícias do céu e os tormentos do inferno!

Essa é a voz da consciência. Ela é artificial, arbitrária. Em vez de tornar você inteligente, ela lhe dá regras fixas de comportamento: "Faça isto e não faça aquilo".

O dia que a humanidade descartar todo o despautério da voz da consciência e começar a ajudar as crianças a desenvolver uma consciência será o verdadeiro nascimento da humanidade, de um novo ser humano, e de um novo mundo. Aí então ajudaremos as crianças a se tornarem mais inteligentes, para que, seja qual for o problema que surgir, elas tenham inteligência suficiente para contorná-lo, enfrentá-lo, responder a ele.

E lembre-se, inteligência não é uma questão de pensar. Na verdade, você pensa muito. É uma questão de como parar de pensar e olhar diretamente para toda situação que você enfrenta. Se não houver pensamento, não há barreira, não há areia em seus olhos, você consegue enxergar claramente.

Se há essa clareza, você não fica diante das alternativas "certo" e "errado". Com essa clareza existe uma consciência sem escolhas. Você simplesmente faz o que é bom, sem precisar fazer nenhum esforço para tanto. Isso vem naturalmente para a pessoa que tem percepção, consciência, espírito alerta. Ela simplesmente não consegue imaginar o ruim, o mal. Toda a sua percepção simplesmente aponta para o bem.

A visão do bem não faz parte da mente. Mas, se você só conhece a mente, não tem clareza. Tem milhões de pensamentos circulando continuamente na sua cabeça; ela vive na hora do *rush* 24 horas por dia; é uma multidão de pensamentos que passam, nuvens passando tão rápido que você fica completamente escondido atrás das nuvens. Os seus olhos são quase cegos. A sua sensibilidade interior é completamente encoberta pelos seus pensamentos.

Por intermédio da mente você não pode saber o que é bom e o que é ruim. Você tem de depender dos outros. Essa dependência é absolutamente natural, porque a mente é um fenômeno dependente; ela depende dos outros; seu conhecimento é emprestado. A mente vive de um conhecimento emprestado. Em qualquer situação, ela quer alguém que a oriente.

Toda a sua vida está sendo norteada por outras pessoas. Desde o princípio os seus pais lhe dizem o que é certo e o que é errado. Depois os seus professores, os sacerdotes e então os vizinhos — não que eles saibam, eles também pegaram o conhecimento emprestado de outras pessoas. Esse empréstimo continua de século em século, passa de geração em geração. Toda doença continua sendo transmitida para a nova geração. Cada nova geração é só uma réplica da antiga — um reflexo, uma sombra, não tem a sua própria originalidade.

É por causa disso que você precisa de Deus, de um guia supremo. Você não pode depender dos seus pais, porque à medida que vai ficando mais velho você começa a ver as falsidades deles, as suas mentiras. Você começa a ver que os seus conselhos não são perfeitos; eles são seres humanos falíveis. Mas a criança pequena acredita nos pais como se eles fossem infalíveis. Não é culpa deles, é a inocência da criancinha; ela confia no pai, na mãe, que amam os filhos. Mas, por fim, a criança descobre, à medida que ela vai amadurecendo, que o que essas pessoas dizem nem sempre é verdade. Lá no fundo você não concorda com o que dizem. Lá no fundo permanece uma dúvida.

E lá no fundo você percebe que algo pode ser bom numa situação e pode ser ruim em outra. Às vezes, até um veneno pode servir como remédio e, outras vezes, um remédio pode ser um veneno — você precisa entender o fluxo mutante da vida.

Por isso você não pode decidir o que fazer com base no raciocínio. Não é uma questão de decidir depois de chegar a uma conclusão lógica, é uma questão de ter uma percepção que não escolhe. Você precisa de uma mente sem pensamentos. Em outras palavras, você precisa de uma não-mente, apenas de um puro silêncio, para que possa ver as coisas diretamente. E dessa clareza, a escolha surgirá naturalmente; não é você escolhendo. Você agirá simplesmente como um buda age. A sua ação terá beleza, a sua ação terá verdade, a sua ação terá a fragrância do divino. Não haverá necessidade de você escolher.

Você precisa buscar orientação porque não sabe que o seu guia interior está escondido dentro de você. Você precisa descobrir esse guia interior e é isso que eu chamo de sua testemunha. É isso que eu chamo de seu buda intrínseco. Você tem de despertar esse buda interior, e a sua vida derramará bênçãos, graças. A sua vida ficará radiante com o bem, com a divindade, muito mais do que você pode conceber.

É quase como luz. A sala está escura, basta trazer a luz. Até uma pequena vela servirá para que toda a escuridão se dissipe. E, depois que tem uma vela, você sabe onde está a porta. Não tem de pensar: "Onde está a porta?" Só os cegos pensam sobre onde estará a porta. As pessoas que têm olhos e que enxergam a luz não pensam. Você um dia já pensou: "Onde está a porta?" Você simplesmente vai até ela e sai. Você nunca nem sequer pensa sobre onde ela está. Não vai tateando às cegas até a porta nem bate a cabeça contra a parede. Você simplesmente vê e não tem nem o mais leve pensamento. Você simplesmente sai.

É exatamente a mesma situação quando você está além da mente. Quando não há nuvens e o sol brilha no céu, você não tem de pensar, "Onde está o sol?" Quando há nuvens encobrindo o sol, você tem de pensar nele.

O seu próprio ser está coberto de pensamentos, emoções, sentimentos e todos eles são produtos da mente. Experimente colocá-los de lado e, então, qualquer coisa que fizer será boa — não que você siga certas escrituras, certos mandamentos, certos líderes espirituais. Você está exercendo o seu direito de guiar a sua própria vida. E é aí que está a dignidade do ser humano: ser o guia da sua própria vida. Isso transforma você num leão, faz com que você deixe de ser uma ovelha sempre em busca de alguém para defendê-lo.

Mas esse é o problema de quase toda a humanidade. Você foi programado pelas outras pessoas quanto ao que é certo e o que é errado.

A verdade só pode brotar dentro de você. Ninguém mais pode oferecê-la a você. E com a verdade vem a beleza, seguida pelo bem. Essa é a autêntica trindade de uma pessoa verdadeiramente religiosa: verdade, beleza, bem. Essas três experiências acontecem quando você entra na sua própria subjetividade, quando você explora a interioridade do seu ser.

Você tem vivido no portão, do lado de fora do seu ser; você nunca entrou. Depois que entrar, você descobrirá o seu buda, a sua percepção, a sua consciência sem escolhas. Depois disso você não precisa mais decidir o que é certo e o que é errado. Essa consciência sem escolhas leva você em direção ao bem sem nenhum esforço. Ela não faz esforço.

Você não precisa de ninguém para lhe dizer o que é bom e o que é errado. Tudo de que você precisa é um despertar interior de uma consciência que lhe permite ver as coisas como elas são. Depois disso não é mais uma questão de escolha.

Ninguém escolhe o mal conscientemente. É o inconsciente, a escuridão dentro de você que escolhe o mal. A consciência ilumina todo o seu ser; você fica cheio de luminosidade. Você não consegue fazer nada que seja prejudicial a alguém. Não consegue fazer nada que seja prejudicial ao seu próprio corpo. Você de repente se torna consciente de que você é um com todo o universo. Por isso as suas ações se tornam boas, belas, graciosas; as suas palavras começam a ter uma certa poesia, o seu silêncio torna-se tão profundo, tão bem-aventurado, que a sua bem-aventurança começa a transbordar para os outros.

Esse transbordamento de bem-aventurança é o único sinal significativo de alguém que está desperto. Só estar com essa pessoa, só estar na presença dela é suficiente para lhe dar uma amostra do transcendente.

Mas essa bem-aventurança não está em conformidade com outra pessoa, só está em conformidade com a sua própria percepção. Depois que você se der conta do que existe no seu interior, você perceberá que, em todo lugar, a mesma consciência está pulsando, dançando. Nas árvores, nos rios, nas montanhas, nos oceanos, nos olhos das pessoas, no coração delas, é a mesma canção. É a mesma dança, e você participa dela. A sua participação é boa. A sua não-participação é ruim.

Bem e mal: aprendendo a viver de acordo com os seus próprios mandamentos

Todas as religiões criaram os seus próprios mandamentos — estranhos, antinaturais —, com base no medo ou na ganância, mas elas moldaram esta humanidade pobre que você vê ao redor do mundo.

Até a pessoa mais rica do mundo é pobre, porque não tem liberdade para agir de acordo com a sua própria consciência. Ela tem de agir de acordo com princípios apresentados por outra pessoa, e não se sabe se essa pessoa era um vigarista, um trapaceiro ou simplesmente um poeta, um sonhador. Não há provas, porque muitas pessoas afirmam que são encarnações de Deus, que são mensageiros de Deus, que são profetas de Deus, e todos eles trazem mensagens diferentes. Ou Deus é louco ou essas pessoas estão simplesmente mentindo. A maioria provavelmente está mentindo.

Se você é um profeta, um messias — alguém especial, não apenas um ser humano comum —, isso lhe dá um grande sentimento egotista. Então, você pode dominar. Esse é um tipo diferente de política. Onde quer que haja dominação, há política.

O político está dominando por meio da força física, por meio dos exércitos, por meio de armamentos, por meio de armas nucleares. Os profetas, messias, salvadores religiosos estão dominando você espiritualmente. Sua dominação é mais perigosa, eles são muito mais políticos do que os próprios políticos. Eles estão dominando a sua vida não só a partir de fora, mas a partir de dentro também. Eles tomaram posse do seu mundo interior, tornaram-se a sua moralidade, tornaram-se a voz da sua consciência, tomaram conta do seu ser espiritual. De dentro de você eles continuam a sua dominação, dizendo o que é certo e o que é errado. Você tem de segui-los, do contrário começa a se sentir culpado, e a culpa é uma das maiores doenças espirituais. Se segui-los, você começa a se sentir pouco natural, neurótico, pervertido, porque não está seguindo a sua natureza. Se você segue a sua natureza, você não está seguindo os seus profetas e os seus salvadores. Você está contrariando a voz da consciência que eles implantaram em você.

Todas essas religiões criaram uma situação em que não podemos viver à vontade, em que não podemos aproveitar a vida, não podemos vivê-la em sua totalidade. Por isso a minha sugestão é: é melhor deixar a humanidade livre de todas essas antigas superstições que dominaram de modo tão vil e distorceram tanto a natureza humana. Veja a humanidade que resultou disso. Dizem que se conhece a árvore pelos frutos. Se isso é mesmo verdade — e é — então todo o seu passado de profetas, de salvadores, de Deus, do diabo deveria ser julgado com base na humanidade que você encontra hoje.

Essa humanidade insana — miserável, sofredora, cheia de raiva, ira, ódio. Se esse é o resultado de todas as suas religiões, de todos os seus líderes — sejam políticos ou religiosos —, então é melhor deixar que Deus e o diabo morram. Depois que Deus e o diabo deixarem de existir, os líderes políticos e os líderes religiosos não encontrarão nenhum apoio; eles serão os próximos a sair de cena.

Eu quero que as pessoas sejam politicamente livres, religiosamente livres, cada indivíduo livre em todas as dimensões para viver de acordo com a sua própria voz interior, com a sua própria consciência. E esse será um mundo belíssimo, uma verdadeira revolução.

? Você diz que a voz da consciência não é necessária. Então como a pessoa desenvolve uma orientação interior que possa ajudá-la a tomar as decisões certas na vida?

A voz da consciência (*conscience*) é uma chapa fotográfica e a consciência (*consciousness*) é um espelho. Ambas refletem a realidade, mas o espelho nunca se apega a nenhum reflexo. Ele continua vazio e por isso é capaz de refletir situações novas. Se é de manhã, ele reflete a manhã. Se é de tarde, ele reflete a tarde. A chapa fotográfica é um reflexo fixo de uma realidade que não existe mais; se você a expõe pela manhã, então na foto continuará sendo manhã, nunca será noite.

Não é preciso desenvolver uma voz da consciência. É preciso descartá-la e desenvolver a consciência. Descarte tudo o que você aprendeu com os outros e comece a viver por conta própria, explorando, buscando. Sim, no começo será difícil, porque você não terá um mapa. O mapa quem tem é a voz da consciência. Você terá de andar sem um mapa, terá de explorar um território não-cartografado, sem nenhuma diretriz. Os covardes não conseguem viver sem diretrizes; os covardes não conseguem andar sem mapas. E, quando anda com mapas e diretrizes, você não explora de fato um novo território, novos domínios — você anda em círculos. Você continua circulando pelo conhecido; nunca dá um salto rumo ao desconhecido. Só a coragem consegue descartar a voz da consciência.

Voz da consciência significa todo o conhecimento que você acumulou, e consciência significa estar vazio, estar absolutamente vazio, vivendo a vida com esse vazio, vendo através desse vazio e agindo a partir desse vazio — então as suas ações têm uma extrema elegância e qualquer coisa que você faça está certo. Não é uma questão de saber o que é certo ou errado, porque algo que está certo hoje pode estar errado amanhã. E o conhecimento emprestado nunca ajuda em nada.

Honer e Billy Bob estavam cavando um fosso sob o sol abrasador do Mississippi. Ao ver o chefe sentado à sombra, lá na superfície, Homer abaixou a pá e disse, "Por que, afinal, ele fica lá em cima e nós dois aqui embaixo?"

"Sei lá", respondeu Billy Bob.

Homer pulou de dentro do fosso e foi até o chefe, "Por que, afinal, você fica aqui em cima enquanto nós dois trabalhamos lá embaixo?"

O chefe respondeu, "Porque sou esperto".

"Como assim, esperto?", perguntou Homer.

"Vem cá", disse o chefe encostando a palma da mão numa árvore, "Vou lhe mostrar. Tente bater na minha mão."

Homer fechou o punho e se preparou para desferir um poderoso golpe. Assim que moveu o braço, o chefe tirou a mão e ele golpeou violentamente a árvore.

"Aaaai!!!"

O chefe disse calmamente, "Agora você também é esperto".

Homer voltou para dentro do fosso. Billy Bob perguntou o que tinha acontecido e Homer explicou, "Agora eu sou esperto".

"O que quer dizer com isso?"

Homer disse, "Vou mostrar".

Olhou em volta para ver se achava uma árvore e, não achando, encostou a palma da mão no próprio rosto. "Aqui, tente bater na minha mão..."

Isso é o que vai acontecer com o seu suposto conhecimento, com a voz da sua consciência — as situações mudam, você não encontra mais nenhuma árvore, mas tem uma rotina fixa e não consegue fazer nada além disso. Você continua repetindo a sua rotina e a vida não tem obrigação nenhuma de se ajustar a ela. Você tem de se ajustar à vida.

Os místicos sempre souberam que a vida não segue nenhuma lógica, que a vida é basicamente supralógica, que a vida não segue a razão, que ela é fundamentalmente irracional. A voz da consciência é muito arbitrária, artificial. Ela dá a você um padrão fixo, uma *gestalt* fixa, e a vida continua mudando. A vida é muito incerta, ela segue em ziguezague. A menos que você esteja consciente não será capaz de viver a vida verdadeiramente; ela será apenas uma pretensão, um fenômeno falso. Você estará sempre perdendo o trem.

E o fato de estar sempre perdendo o trem é o que causa angústia no ser humano. Pense em você sempre perdendo o trem: você corre até a estação e, sempre que chega lá, o trem está deixando a plataforma. Isso é o que acontece com a pessoa que vive de acordo com a voz da consciência: ela nunca pega o trem. Não consegue! Ela tem uma *gestalt* fixa, e a vida é um fenômeno fluido. Ela tem algo dentro dela que é como pedra, e a vida é mais como água.

Fique consciente. Não pergunte como desenvolver a voz da consciência. Aqui estamos tentando fazer justamente o oposto: estamos destruindo a voz da consciência — a voz da consciência cristã, da consciência hindu, da consciência muçulmana, da consciência jainista —, estamos destruindo todos os tipos de voz da consciência. E essa voz vem em todos os formatos e tamanhos.

A consciência não é nem cristã nem hindu nem muçulmana, ela é simplesmente consciência. A voz da consciência divide as pessoas, a consciência une.

Para que carregar um guia com você? A consciência basta! Sempre que surgir uma certa necessidade, a sua consciência responderá. Você tem um espelho, você refletirá o que está acontecendo, e a resposta será espontânea.

Quando eu era um estudante universitário, meus professores ficavam muito preocupados comigo. Eles me amavam, e se preocupavam porque eu nunca me preparava para os exames. Eles ficavam até preocupados com a possibilidade de eu responder de um jeito que o examinador não fosse capaz de entender. Meu antigo professor, o dr. S. K. Saxena, costumava vir me acordar bem cedo pela manhã, para que eu tivesse tempo de estudar. Ele se sentava no meu quarto e dizia, "Procure se preparar um pouco". Então me acompanhava até a sala de exames, porque tinha receio de que eu não fosse nem fazer o exame.

No dia do meu último exame oral, ele ficou muito preocupado, achando que eu poderia falar alguma coisa que ofendesse o examinador. Ele estaria presente durante o exame porque era o chefe do departamento. E me avisou várias vezes, "Atenha-se simplesmente à pergunta! Qualquer coisa que o examinador perguntar, você simplesmente responde. Não vá se aprofundar muito — dê uma resposta simples, a resposta que está nos livros já basta. Eu estarei lá e, se vir que você está se desviando, eu cutuco você com o pé, por baixo da mesa. Então volte e se atenha à pergunta".

A primeira pergunta foi feita e surgiu o problema. O professor que me examinava perguntou, "Qual a diferença entre a filosofia indiana e a filosofia ocidental?" O dr. Saxena ficou apreensivo, porque ele sabia que as palavras "indiana" e "ocidental" não bastavam para mim... e era verdade. Eu disse, "O que o senhor quer dizer com indiana? A filosofia pode ser indiana e ocidental também? Se a ciência não é indiana nem ocidental, por que a filosofia deveria ser?"

O professor Saxena começou a me cutucar com o pé e eu disse a ele, "Não faça isso! Não interfira. Isso é entre mim e ele; o senhor não deve me dar nenhum sinal".

O velho examinador ficou perdido: o que fazer? A tudo que ele perguntava, eu respondia com outra pergunta. Ele ficou completamente perdido porque ele só tinha respostas prontas. Eu lhe disse, "Parece que o senhor não sabe o que responder. Ora, é uma proposição tão simples dizer que filosofia é filosofia e perguntar o que ela tem a ver com o Oriente e o Ocidente! Diga alguma coisa!" Mas ele estava seguindo uma *gestalt* fixa: uma coisa tem de ser indiana, outra coisa tem de ser ocidental, tudo tem de ser isto ou aquilo — existem adjetivos e mais adjetivos. Não podemos pensar neste planeta como sendo um só. Não podemos pensar na humanidade como sendo uma só. Ora, o que há de indiano em Buda e o que há de judeu em Jesus? Absolutamente nada. Eu já provei tanto Jesus quanto Buda e o gosto é o mesmo. Mas o conhecimento emprestado em você nunca deixa de ser fixo e qualquer resposta que você dê com as suas idéias fixas será uma resposta falsa. Não é uma resposta verdadeira, condizente com a realidade.

Por isso não há necessidade de desenvolver uma voz da consciência que guie você, não há necessidade de ter nenhum tipo de guia! Tudo o que é necessário é inteligência, percepção, consciência, para que você possa responder em qualquer situação. A vida traz desafios e você leva a consciência a esses desafios.

A meditação é uma maneira de descartar a voz da consciência e mergulhar na consciência. E o milagre é que, se você conseguir descartar a voz da consciência, a consciência brotará por si só, pois a consciência é um fenômeno natural. Você nasceu com ela, só que a voz da consciência se tornou uma crosta rígida em torno dela e está impedindo seu fluxo. A voz da consciência se tornou uma rocha e a pequenina nascente da consciência está bloqueada por essa rocha. Remova a rocha e a nascente começa a fluir. E com essa nascente fluindo, a sua vida começa a tomar um rumo completamente diferente, um rumo que você nunca imaginou, com que nunca nem sequer sonhou. Tudo começa a ficar em harmonia com a existência. E estar em harmonia com a existência é estar certo — não estar em harmonia com a existência é estar errado.

Portanto, a voz da consciência, como tal, é a causa básica de tudo o que está errado, pois ela não deixa que você entre em harmonia com a existência. E a consciência está sempre certa, assim como a voz da consciência está sempre errada.

E quanto aos criminosos? Muitos deles parecem não ter nem voz da consciência nem consciência. Às vezes não existe a necessidade de haver um sistema criminal capaz de impedir que as pessoas façam mal às outras?

Nenhum ser humano nasceu criminoso; toda criança nasce como um sábio, inocente. É um certo tipo de criação, um certo tipo de sociedade, um certo tipo de educação que leva as pessoas à criminalidade.

Depois que a pobreza for eliminada, 50% do crime será eliminado e com ele 50% dos juízes, 50% dos julgamentos, 50% dos juristas e 50% das leis — só eliminando a pobreza.

Segundo, agora a ciência já tem certeza de que há tendências para o crime que são hereditárias. Você está punindo desnecessariamente uma pessoa que precisa de compreensão, não de punição.

Em algumas sociedades aborígines, por exemplo, não existe estupro porque as crianças, no momento em que descobrem a sua energia sexual e o desabrochar da sensualidade, não precisam mais morar na casa dos pais. Elas têm uma tenda comunitária na aldeia; todos os jovens podem morar nessa tenda. Eles entram em contato com todos os tipos de menina e todos os tipos de menino; têm total liberdade sexual, com uma única condição — que parece muito importante: cada menina ou menino só pode namorar alguém por alguns dias; depois tem de mudar de parceiro.

Isso dá a chance de que todo mundo conheça todo mundo e também é uma ótima oportunidade para acabar com o ciúme. É impossível ter ciúme, porque a sua namorada agora está com outra pessoa. Não existem relacionamentos fixos; eles ficam com alguém por alguns dias e depois passam a ficar com outro, eles trocam. Quando estão na idade de casar, conhecem tão bem cada garota ou rapaz da tribo que já têm condições de escolher o parceiro certo; aquele com quem o relacionamento foi mais harmonioso. Por mais estranho que pareça, numa sociedade tão liberal como essa, não existe estupro nem divórcio. Eles encontram a pessoa certa, porque lhes dão essa chance. O amor fica mais profundo e a harmonia se enriquece a cada dia.

Com a invenção da pílula, homens e mulheres podem experimentar até encontrar uma pessoa com quem realmente gostarão de ficar para sempre. Não precisam ter pressa para subir ao altar, podem esperar. Durante um ou dois anos eles podem observar como vai a intimidade; se ela se aprofunda e se torna mais enriquecedora ou se, com o passar do tempo, diminui. Antes de se decidirem por um parceiro, isso parece simplesmente lógico — experimentar, experimentar tantas pessoas quanto possível. O adultério deixará de existir, o estupro deixará de existir.

A ciência vai descobrir, como nós já estamos descobrindo, que existem crimes que a pessoa comete em decorrência de leis biológicas; ela tem uma tendência hereditária para cometê-los. Portanto, precisa de hospitalização, de cuidados médicos; ou, se existe algo errado com a sua mente, ela precisa de um hospital psiquiátrico. Mas não é uma questão de chamá-la de criminosa nem de puni-la.

Toda punição já é, por si só, um crime. Punir simplesmente porque não estamos conseguindo descobrir as causas, ou talvez não estejamos dispostos a encontrar a causa, porque isso significaria desafiar toda a estrutura da sociedade, e nós não estamos prontos para essa grande revolução.

A pessoa rebelde está pronta para uma revolução em todas as áreas da vida. Se não houver mais injustiças não há por que existir um tribunal de justiça.

É muito difícil conceber uma humanidade que viva sem ciúme, sem raiva, sem competitividade, sem sede de poder, mas é absolutamente possível. Nós simplesmente nunca pensamos numa maneira de eliminar as causas.

Por que as pessoas querem poder? Porque, seja o que for que façam, isso não é respeitado. Um sapateiro não é respeitado como o presidente de um país. Na realidade, ele pode ser tão competente em sua profissão quanto o presidente é na dele. A qualidade do seu trabalho deveria ser exaltada; se um sapateiro é muito bom no que faz, então ele não deveria se interessar em ser presidente. A sua própria arte, o seu próprio ofício, deveria lhe granjear dignidade e o respeito das pessoas.

Quando todo mundo é respeitado pelo que é, quando toda profissão é respeitada, seja ela qual for, as próprias raízes do crime, da injustiça, são cortadas.

Se não existir dinheiro como um agente de troca, ninguém pode ser mais rico nem mais pobre do que ninguém.

O rebelde olhará todos os problemas da vida a partir de suas próprias raízes. Ele não reprimirá os sintomas, ele destruirá as causas. Se todas as causas da injustiça forem destruídas, pela primeira vez a justiça poderá ser restabelecida.

Atualmente, estamos todos vivendo em circunstâncias injustas, existe uma injustiça multidimensional. E para manter essa injustiça temos de ter exércitos, polícia, temos guardas, temos tribunais e juízes. Essas profissões são absolutamente inúteis! Todas essas pessoas deveriam aprender algum ofício — confeccionar sapatos, costurar roupas, carpintaria. Se elas não conseguirem fazer nada que exija muita especialização, que façam um trabalho que não exija nenhuma — elas podem pelo menos carregar tijolos, ajudar na construção de casas ou estradas. Na pior das hipóteses, todos os juízes e todos os grandes especialistas em leis podem se tornar jardineiros.

Mas toda a justiça oficial existe para proteger as muitas injustiças que existem na vida, e as pessoas que estão no poder querem perpetuar essas injustiças.

O mundo que idealizo, o mundo da nova humanidade, eliminará todas as causas. Muitos crimes — assassinatos, estupros, até roubos — podem ser hereditários. Talvez a pessoa precise que a sua química seja alterada, que os seus hormônios sejam equilibrados. Alguns crimes são cometidos porque ela tem um desvio psicológico; ela precisa de uma boa lavagem cerebral e mais clareza de visão. E nada disso deveria ser considerado um castigo. Se alguém está sofrendo de tuberculose, você manda essa pessoa para o hospital, não para a cadeia — e alguém que está hospitalizado não é considerado um criminoso. Depois que ela se cura e volta para a sociedade, ainda tem a sua dignidade.

Existem muitos problemas que não foram nem sequer abordados pela antiga humanidade. Ela os tem evitado ou adiado a sua solução. Seu maior medo era trazer a público que os poderosos contribuíam para as causas de todos os crimes, que os ricos eram a causa dos crimes, que os sacerdotes eram a causa dos crimes sexuais, das perversões sexuais. As pessoas nunca trouxeram essas causas à tona.

A futura humanidade destruirá todas as causas da injustiça. E, se algo for hereditário, isso será, muito simplesmente, uma questão de alterar os hormônios da pessoa, de mudar a sua química, a sua psicologia. Se algo está na sua mente, isso também pode ser consertado.

Com a colaboração da ciência, da psicologia, da psicanálise e da psiquiatria, o espírito rebelde será capaz de extirpar toda injustiça, e a própria questão será irrelevante.

? **Parece um pouco irreal esperar que tudo isso aconteça num futuro próximo. Nesse meio tempo, que outras informações úteis poderemos levar à justiça?**

Eu gostaria de deixar uma coisa bem clara: uma pessoa pode agir de maneira errada, mas isso não significa que ela seja errada. A ação é algo insignificante. A pessoa é uma tremenda realidade. E a ação já é passado: a pessoa tem um futuro cristalino à sua frente. Se esconde a ação, ela destrói o seu próprio futuro, pois essa ação se perpetuará na mente dela como culpa. Se ela confessar o que fez e se dispuser a receber qualquer punição necessária, sairá totalmente purificada. Seu futuro se tornará puro.

A pessoa que confessa o crime deveria receber uma punição mais branda. E eu pediria aos tribunais para compreender que nenhum criminoso precisa de punição; todos os criminosos precisam de tratamento.

Há séculos os criminosos são punidos e isso não foi capaz de mudar coisa alguma. O número de criminosos aumenta a cada dia; e com eles o número de julgamentos e o número de advogados. É um fardo desnecessário. E os criminosos — mesmo que sejam presos, esse é um gesto absolutamente irracional, porque viver cinco anos ou dez anos na prisão significa viver numa universidade de criminologia, onde todos os mestres verdadeiros do crime estão. A pessoa aprenderá mais e aprenderá uma coisa com todos os grandes criminosos: que cometer um crime não é ilegal; ilegal é ser preso. Por isso, tudo o que a pessoa tem de fazer é não ser presa; ela tem de ser mais esperta, mais astuta. O crime não é o problema. O problema é ser pego.

Portanto, qualquer um que vá para a prisão torna-se um criminoso maior ainda ao sair dali. Quando ele vai para a prisão, talvez seja um simples amador — por isso foi pego tão facilmente. Quando ele sai da prisão, já se tornou um profissional, um especialista. Agora será difícil apanhá-lo.

Por isso a minha sugestão para os tribunais do mundo todo é que, até hoje, o que tem sido feito com os criminosos não é certo. O criminoso tem algo errado na sua psicologia. Ele precisa de tratamento psiquiátrico. Em vez de construir prisões, façam lugares onde ele possa receber tratamento psiquiátrico, onde ele possa meditar, estudar, ficar mais inteligente. E dê a ele todo o respeito que merece como ser humano. Os atos que praticou não contam; o que conta é o seu ser.

? **Você pode dizer algo mais sobre como podemos estimular o desenvolvimento da nossa própria consciência, de modo que pelo menos não haja mais essa questão de prejudicar a nós mesmos e aos outros com as nossas atitudes?**

Tudo tem energia — o medo, a raiva, o ciúme, o ódio. Você não tem consciência de que todas essas coisas estão desperdiçando a sua vida. A sua energia está vazando através de muitos buracos. Desse modo, mais cedo ou mais tarde, você vai acabar ficando esgotado. A bem da verdade, a maioria das pessoas já está esgotada quando chega aos 30 anos de idade. Depois disso não há mais nada; trata-se de uma vida póstuma, em que a pessoa só consegue dar um jeito de se arrastar até a sepultura.

Você tem de enfrentar o seu medo. E fazer o mesmo com a sua raiva, fazer o mesmo com o seu ciúme, fazer o mesmo com a sua ira. E um ponto muito importante a lembrar: se você testemunha algo — o medo, a raiva, o ódio —, se você simplesmente observa-os quando surgem, sem nenhum julgamento ou condenação, eles desaparecem, deixando uma grande dose de energia que você pode usar criativamente. Você *terá* de usá-la; o vazamento terá acabado e você estará transbordando de energia. Mas, se você testemunha o amor, a compaixão, a bondade, a humildade, eles não vão desaparecer. Eles também têm uma dose imensa de energia, mas quanto mais você os testemunha mais fortes eles ficam em você; eles tomam conta de você.

Por isso esse é o critério para decidir o que é certo e o que é errado. Se, com o testemunho, algo desaparece, deixando toda a sua energia para você, é sinal de que estava errado.

Eu não lhe dou coisas prontas, rotuladas: "Isto é errado e isto é certo, isto você tem de fazer e isto você não tem de fazer". E não lhe dou dez mandamentos. Dou-lhe todo o segredo da vida espiritual: testemunhe, observe, fique consciente. Se a coisa desaparece e deixa para trás uma grande dose de energia, estava errada. Se, por meio do testemunho, o fenômeno fica ainda maior, se o amor fica maior do que o Himalaia, isso significa que esse é o bem que você tanto procurava. Se você ficar mais sensível à beleza, à poesia, isso significa que o seu amor floresceu. E toda a energia que era usada no medo, na raiva e no ódio será usada pelo seu amor, pela sua sensibilidade, pela sua compaixão, pela sua criatividade. Essa é toda a alquimia que transforma metais básicos em ouro.

Era isso o que os alquimistas realmente faziam, mas por causa do Cristianismo eles não podiam dizer abertamente. Essa é uma das coisas mais tristes acerca das religiões: em vez de ajudar as pessoas religiosas, cria-lhes obstáculos. Por isso os alquimistas na Europa criaram um expediente para enganar os papas e seus agentes. Fizeram pequenos laboratórios em que havia muitos tubos e frascos, líquidos multicoloridos e fornos. Isso dava a aparência de que eles estavam fazendo algo material, de que eram cientistas, não eram místicos — porque os místicos eram perigosos para o papa, eram perigosos para a religião organizada. Essas pessoas estavam apenas tentando transformar metais básicos em ouro; isso era perfeitamente aceitável. Na verdade, se tivessem sucesso elas estariam a serviço da Igreja. Por isso elas podiam trabalhar com as bênçãos do papa. Mas essa era apenas uma fachada. A realidade era outra, que ficava nos bastidores. Ser cientista era só a máscara superficial. Eles não estavam fazendo nada; em centenas de anos, nem um único grama de metal básico foi transformado em ouro. Percebe? Todos esses frascos e tubos e água de muitas cores passando de um frasco para outro — isso só estava lá para esconder o que havia por trás. E quem não estava interessado em transformar metais básicos em ouro? Todo mundo estava.

Os alquimistas eram respeitados pela sua fachada. O que eles realmente faziam tinha uma dimensão diferente. Eles estavam tentando transformar o medo, a raiva, o ódio em amor, compaixão, criatividade, sensibilidade. Estavam tentando causar uma transformação na alma humana.

Portanto, esta é a base da alquimia: você observa, testemunha sem julgar. Não há necessidade de julgar. Aquilo que é errado deixará de existir, deixando uma grande energia para trás. E aquilo que é bom ficará maior e começará a absorver as energias que foram deixadas; só uma grande fragrância de amor, luz e riso permanecerá.

REGRAS E RESPONSABILIDADES: ANDANDO NA CORDA BAMBA DA LIBERDADE

Eu não sou contra as regras, mas as regras deveriam ser fruto do entendimento. Elas não deveriam ser impostas. Eu não sou contra a disciplina! Mas a disciplina não deveria ser escravidão. Toda verdadeira disciplina é autodisciplina. E a autodisciplina nunca vai contra a liberdade — na verdade, ela é a escada para a liberdade. Só as pessoas disciplinadas se tornam livres, mas a disciplina delas não é obediência aos outros; é obediência à própria voz interior. E elas estão prontas para arriscar qualquer coisa pela liberdade.

Deixe a sua própria percepção determinar o seu estilo de vida, o seu padrão de vida. Não deixe que ninguém determine isso por você. *Isso* sim é um pecado, deixar que outra pessoa decida por você. Por que é pecado? Porque você nunca estará na sua vida. Ela ficará superficial, será hipócrita.

Uma pessoa de percepção não é controlada nem pelo passado nem pelo futuro. Você não tem ninguém forçando-o a se comportar de uma determinada maneira. Os Vedas não estão mais na sua cabeça, Mahavira e Maomé e Cristo não estão mais obrigando você a seguir em nenhuma direção. Você está livre. É por isso que na Índia chamamos uma pessoa assim de *mukta*. *Mukta* significa uma pessoa totalmente livre. Ela *é* liberdade.

Neste momento, seja qual for a situação, a pessoa responde com plena atenção. Essa é a sua responsabilidade. Ser capaz de responder. A sua responsabilidade não é uma obrigação, é uma sensibilidade ao momento presente. O significado da responsabilidade muda. Não é responsabilidade com sentido de obrigação, de dever, de um fardo, de algo que tem de ser feito. Não, responsabilidade é só uma sensibilidade, um fenômeno semelhante a um espelho. Você fica diante do espelho e o espelho reflete, responde. Seja o que for que aconteça, a pessoa de percepção responde com todo o seu ser. Ela não se prende ao passado; é por isso que nunca se arrepende, é por isso que nunca sente culpa; tudo o que podia ser feito, ela fez, concluiu. Ela vive cada momento total e completamente.

Na sua ignorância, tudo fica incompleto. Você não concluiu nada. Milhões de experiências estão dentro de você, esperando por uma conclusão. Você queria rir, mas a sociedade não permitia. Você reprimiu o riso. Essa risada aguarda ali como uma ferida. Que estado deplorável! Até a risada vira uma ferida! Quando não o deixam rir, a risada se torna uma ferida, uma coisa incompleta dentro de você, esperando algum dia ser concluída.

Você amou alguém, mas não conseguiu amar totalmente, o seu caráter proibia esse amor, a voz da sua consciência não o permitia. Até mesmo quando você está com o seu amor numa noite escura, sozinhos no seu quarto, a sociedade está presente. Vocês são constantemente vigiados. Não estão sozinhos. Você tem uma voz da consciência, a pessoa amada tem uma voz da consciência: como podem ficar sozinhos? Toda a sociedade está ali, toda a praça do mercado está ali, ao redor de vocês. E Deus, olhando lá de cima, observando vocês, olhando o que estão fazendo, ele parece um abelhudo universal, um *voyeur* — fica observando as pessoas. A sociedade usa os olhos de Deus para controlar você, para torná-lo um escravo. Você não pode nem amar totalmente, não pode odiar totalmente, não pode se zangar totalmente. Você não pode ser total em nada.

Você come sem entusiasmo, caminha sem entusiasmo, ri sem entusiasmo. Não pode chorar — você está segurando milhões de lágrimas nos olhos. Tudo é um fardo, uma carga pesada; todo o seu passado, você está carregando desnecessariamente. E esse é o seu caráter.

Um buda não tem caráter, porque ele é fluido, porque é flexível. Caráter significa inflexibilidade. É como uma armadura. Ela protege você de certas coisas, mas depois o mata, também.

Mas não precisamos de algum tipo de controle interior? Tenho receio de que a minha vida acabe virando um caos se eu não fizer algum esforço para me disciplinar.

Depois que fica muito controlado, você não deixa mais que a vida aconteça a você. Você impõe condições demais, e a vida não pode preencher essas condições.

A vida só acontece a você quando você a aceita incondicionalmente; quando está pronto para lhe dar as boas-vindas independentemente do formato que ela assuma, da forma que ela assuma. Mas a pessoa controlada demais está sempre pedindo que a vida assuma uma determinada forma, preencha certas condições, e a vida não dá a mínima; ela só passa por essas pessoas. E elas continuam quase mortas, vegetando.

Quanto antes você acabar com os confinamentos do controle, melhor, pois todo controle vem da mente. E você é maior do que a mente — por isso uma partezinha de você está tentando dominá-lo, tentando determinar o que lhe acontece. A vida continua seguindo em frente e você vai ficando para trás, e acaba frustrado.

A lógica da mente é a seguinte, "Olhe, você não está controlando as coisas muito bem, é por isso que está se dando mal; então controle mais". A verdade é justamente o oposto: as pessoas se dão mal porque controlam demais.

Seja como um rio bravo, e muito do que você nem sequer imagina, que não pode nem sequer imaginar, que nem espera que aconteça, acaba surgindo na primeira esquina, bem ao alcance da sua mão. Mas você tem de abrir a mão; não continue vivendo com os punhos cerrados, pois essa é a vida de quem só controla.

Viva a vida de mãos abertas. O céu inteiro está ao seu alcance, não se contente com menos. Nunca se contente com menos. O céu inteiro é nosso por direito nato — para voarmos para os recantos mais longínquos da existência e aproveitarmos, nos deliciarmos e celebrarmos tudo o que a vida oferece.

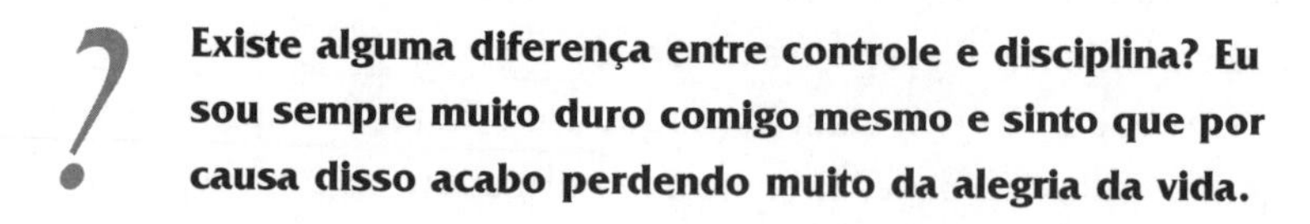

Existe alguma diferença entre controle e disciplina? Eu sou sempre muito duro comigo mesmo e sinto que por causa disso acabo perdendo muito da alegria da vida.

Não existe só uma diferença, existe uma enorme diferença: disciplina e controle são opostos polares. O controle vem do ego, a disciplina vem do não-ego; controlar é manipular a si mesmo, disciplinar é compreender-se. A disciplina é um fenômeno natural, o controle não é natural; a disciplina é espontânea, o controle é um tipo de repressão. A disciplina só requer entendimento — você entende e age de acordo com o seu entendimento. A disciplina não tem um ideal a seguir, a disciplina não tem dogmas a seguir, a disciplina não é perfeccionista, ela leva você aos poucos rumo à inteireza.

O controle é perfeccionista, ele tem um ideal a atingir; você tem uma idéia na cabeça sobre como você deveria ser. O controle tem muitas ordens e proibições, a disciplina não tem nenhuma. A disciplina é uma compreensão natural, um florescimento.

A própria palavra "disciplina" tem uma raiz que significa "aprender"; ela tem a mesma raiz da palavra "discípulo". Discípulo é alguém que está pronto para aprender, e disciplina é essa capacidade de abertura que ajuda você a aprender.

Disciplina não tem nada a ver com controle. A bem dizer, a mente disciplinada nunca é uma mente que pensa em termos de controle, pois não há necessidade. A mente disciplinada não precisa de controle, ela é absolutamente livre.

A mente indisciplinada precisa de controle porque ela sente que, sem controle, existe perigo. A mente indisciplinada não confia nela mesma, por isso o controle. Por exemplo, se você não se controla, pode matar alguém; no momento de raiva, de ira, você pode se tornar um assassino. Você precisa de controle, porque tem medo de si mesmo.

A pessoa de entendimento, a pessoa que compreende a si mesma e aos outros, sempre sente compaixão. Mesmo que alguém seja seu inimigo, ela tem compaixão porque uma pessoa de entendimento também consegue compreender o ponto de vista do outro. Ela sabe por que ele se sente do modo como se sente, sabe por que ele está com raiva, porque ela conhece o seu próprio eu e, por conhecê-lo, ela também conhece o de todas as outras pessoas. Ela tem compaixão, ela entende, e segue esse entendimento. Quando digo isso, não me entenda mal — o entendimento na verdade não precisa ser seguido. A própria palavra "seguir" dá a idéia de que é preciso fazer algo: você entende, então tem de fazer alguma coisa, tem de seguir o entendimento. Não, entenda e todo o resto se ajeita por si. Você não precisa fazer nada, a coisa simplesmente começa a acontecer.

Por isso é importante entender a diferença entre controle e disciplina. O controle é uma moeda falsa, inventada pela sociedade como substituto para a disciplina. Ela é igualzinha à disciplina: toda moeda falsa parece verdadeira, do contrário não poderia circular por aí. Existem muitas moedas falsas sobre a vida interior. O controle é uma moeda falsa que imita a moeda verdadeira da disciplina.

Nunca tente se controlar. Quem vai controlar, na verdade? Se você entende, não há necessidade de controle; se não entende, então quem vai controlar? Esse é o x de todo o problema.

Se você entende, qual é a necessidade de controlar? Você entende, portanto faz o que é certo. Não que você tenha de fazer o certo, você simplesmente faz porque como poderia fazer algo errado? Se está com fome, você não vai começar a comer pedras — você entende que as pedras não são para comer, ponto final! Não há necessidade de nenhum mandamento, "Nunca coma pedras quando está com fome". Seria uma besteira dizer uma coisa dessas. Quando está com sede você bebe água. Para que fazer uma lista do que você "deveria" ou "não deveria" fazer numa situação dessas?

A vida é simples quando você tem entendimento. Não existem regulamentos nem regras em torno dela; não há necessidade, porque o seu próprio entendimento é a regra de todas as regras. Existe uma única regra de ouro e essa regra é o entendimento; todas as outras regras são desnecessárias, elas podem ser descartadas. Se você tem entendimento, pode descartar todos os controles, pode ser livre, porque, faça o que fizer, você fará por meio do entendimento.

Se você me perguntar a definição do que é certo, eu direi que é aquilo que é feito por meio do entendimento. Certo e errado não têm valores objetivos; não existe nada como uma ação correta e uma ação incorreta, só existem ações praticadas por meio do entendimento e ações praticadas por meio do não-entendimento. Por isso às vezes é possível que uma ação seja errada num momento e certa em outro, pois a situação mudou e agora o entendimento diz outra coisa. Entendimento é viver cada momento, com uma resposta sensível à vida.

Você não tem um dogma permanente sobre como agir; você olha em torno, sente, vê, e então age com base nesse sentimento, no que está vendo, no que percebe — a ação surge disso.

A pessoa de controle não tem visão da vida, não tem sensibilidade com relação à vida. Quando a estrada está bem diante dela, aberta, ela consulta um mapa; quando a porta está aberta diante dela, ela pede informações a outras pessoas: "Onde está a porta?" Ela é cega. Então precisa se controlar, pois o lugar da porta muda o tempo todo. A vida não é uma coisa morta, estática — não. Ela é dinâmica.

Portanto, a mesma regra que era correta no passado não é apropriada hoje e talvez não seja apropriada amanhã. Mas a pessoa que vive por meio do controle tem uma ideologia fixa e segue o mapa. As estradas sofrem mudanças todos os dias, a vida nunca pára de avançar rumo a novas dimensões, mas a pessoa de controle continua carregando a sua velha ideologia imprestável. Ela olha a sua idéia, então a segue, e está sempre na situação errada.

É por isso que você sente que perdeu muitas alegrias da vida. Você perdeu porque a única alegria que a vida pode dar é uma resposta de entendimento. Depois disso você sente muitas alegrias, mas daí em diante você não tem mais regras, idéias, ideais, não está mais aqui para seguir certos códigos; está aqui para viver e descobrir o seu próprio código de vida.

Quando tomar consciência do seu próprio código de vida, você verá que ele não é uma coisa fixa. É tão dinâmico quanto a própria vida.

Se você tenta controlar, é o ego; é o ego manipulando você de várias maneiras. Por meio dele, a sociedade manipula você e, por meio da sociedade, os mortos, todos aqueles que já estão mortos, manipulam você. Qualquer ser vivo, se seguir uma ideologia morta, está seguindo os mortos.

Zaratustra é maravilhoso, Buda é maravilhoso, Lao-Tsé é maravilhoso, Jesus é maravilhoso — mas não são mais aplicáveis. Eles viveram a vida deles, floresceram lindamente. Aprenda com eles, mas não seja um seguidor idiota. Seja um discípulo, mas não seja um aluno.

O aluno aprende a palavra, a palavra morta; o discípulo só aprende os segredos do entendimento e, quando tem o seu próprio entendimento, ele segue o seu próprio caminho. Ele faz uma visita de cortesia a Lao-Tsé e diz, "Agora estou preparado, muito obrigado, vou seguir meu próprio caminho". Sempre será grato a Lao-Tsé, e este é o paradoxo: as pessoas que dedicaram a vida a seguir Jesus, Buda ou Maomé não conseguem perdoá-los. Se você não aproveita as alegrias da vida por causa dessas pessoas como pode perdoá-las? Como pode ser realmente grato? Na verdade, você tem uma raiva profunda. Se cruzar com eles, é capaz de matá-los, de assassiná-los, porque são essas as pessoas que obrigaram você a ter uma vida controlada; essas são as pessoas que não deixaram que você vivesse a vida que queria; essas são as pessoas, Moisés e Maomé, que lhe deram mandamentos sobre como viver. Você não pode perdoá-las. A sua gratidão é falsa. Você é tão infeliz, como pode ser grato? Grato pelo quê? Ser grato pela sua infelicidade? Não, você só pode ser grato quando é feliz.

A gratidão o segue como uma sombra quando você se sente abençoado interiormente, quando sente uma constante bem-aventurança.

Seja uma pessoa disciplinada, mas nunca seja uma pessoa controlada. Jogue fora todas as regras e regulamentos e viva a vida sempre profundamente alerta, isso basta. O entendimento, a compreensão, deve ser a sua única regra. Se compreender, você amará, se amar você não cometerá nenhum mal a ninguém. Se compreender, você será feliz. Se for feliz, você compartilhará. Se compreender, você se sentirá tão bem-aventurado que, de todo o seu ser, como um contínuo, como um rio, fluirá gratidão pela existência.

Tente compreender a vida, não force, e viva sempre livre do passado; porque, se o passado estiver presente e você for controlador, não conseguirá compreender a vida. E a vida é muito fugaz, ela não espera.

Então por que as pessoas tentam fazer regras? Por que, afinal, elas caem nessa armadilha? Elas caem nessa armadilha porque uma vida cheia de entendimento é uma vida cheia de perigos. Você precisa confiar em si mesmo. A vida de controle é uma vida confortável e segura, e você não precisa confiar em si: Moisés fará por você, a Bíblia fará por você, o Alcorão fará por você, o Gita fará por você — você não precisa se incomodar com nenhum problema, pode fugir deles. Você se abriga à sombra de palavras, disciplinas, pensamentos antigos; agarra-se a eles. É assim que você pode viver uma vida confortável, uma vida de conveniência — mas uma vida de conveniência não é uma vida de bem-aventurança. Você acaba perdendo a alegria, porque ela só é possível quando você vive perigosamente. Não existe outro jeito de viver.

Viva perigosamente, e quando eu digo "Viva perigosamente" quero dizer: viva de acordo com o seu próprio eu, custe o que custar. Independentemente do que estiver em jogo, viva de acordo com a sua própria consciência, de acordo com o seu coração e percepção. Se perder toda a segurança, todo conforto e toda conveniência, você também será feliz. Poderá ser um mendigo, poderá não ser um rei, poderá viver nas ruas vestindo trapos, mas nenhum imperador poderá competir com você. Até os imperadores sentirão inveja de você, porque você terá uma riqueza, não de coisas materiais, mas uma riqueza de consciência. Você terá uma luminosidade sutil à sua volta e um sentimento de bem-aventurança. Até as outras pessoas poderão tocar esse sentimento. Ele é tão visível, tão substancial, que os outros serão afetados por ele, ele se tornará um ímã. Exteriormente, você poderá ser um mendigo, mas interiormente se tornará um rei.

Mas se você viver uma vida de conveniência, segurança e conforto, evitará o perigo, evitará muitas dificuldades e sofrimentos; mas evitando essas dificuldades e sofrimentos você evitará toda bem-aventurança que é possível na vida. Quando evita o sofrimento, você evita a bem-aventurança, lembre-se disso. Quando tenta fugir de um problema, você também foge da solução. Quando não quer enfrentar uma situação, você estraga a sua própria vida. Nunca viva uma vida controlada — essa é a vida de um escapista —, mas seja disciplinado. Disciplinado não de acordo comigo, não de acordo com alguém, mas de acordo com a sua própria luz. "Seja uma luz para si mesmo." Foram essas as últimas palavras de Buda antes de morrer; a última coisa que ele disse. Isso é disciplina.

Reação e resposta: habilidade para vencer obstáculos

A palavra "responsabilidade" tem sido usada de maneira errada. Ela passa uma sensação de peso. Você tem de fazer, é um dever; se não fizer, você se sentirá culpado. Eu quero lembrá-lo de que a palavra "responsabilidade" (*responsability*) não tem nenhuma dessas conotações. Desmembre a palavra em duas — *response-ability,* capacidade para responder — e você conhecerá um significado completamente diferente, que segue em outra direção. A responsabilidade, nesse sentido, não é um fardo. Não é um dever; não é algo que você tenha de fazer contra a vontade.

Ela significa simplesmente resposta espontânea. Independentemente da situação, você responde a ela com prazer, com a sua totalidade, com a sua intensidade. E essa resposta não mudará apenas a situação, mudará você também.

Há duas palavras a serem lembradas: uma é "reação" e a outra é "capacidade para responder". A maioria das pessoas reage, elas não respondem. A reação vem da sua memória, das suas experiências passadas, do seu conhecimento; ela é sempre inadequada numa situação nova, original. E a existência é continuamente original. Por isso, se você age de acordo com o seu passado, isso é reação. Mas essa reação não vai mudar a situação, não vai mudar você, e o seu fracasso será retumbante.

A resposta é nova a cada momento. Ela não tem nada a ver com a memória, ela tem a ver com percepção. Você vê a situação com clareza; você está cristalino, silencioso, sereno. A partir dessa serenidade, espontaneamente você age. Não é reação, é ação. Você nunca fez isso antes, mas a beleza disso é que esse ato estará de acordo com a situação, e será uma grande alegria para você saber que é capaz de ser espontâneo.

Existem poucas alegrias na vida maiores do que a espontaneidade. Espontaneidade significa estar presente no momento; significa agir de acordo com a percepção, não de acordo com antigos condicionamentos. Esse tempo já passou — essas condições, essas concepções são absolutamente inúteis.

Você não precisa aprender a responder; ninguém tem de ensinar isso a você; a resposta vem do seu silêncio, da sua serenidade, naturalmente. Muitos dos seus atos não são ações, porque eles estão vindo da memória — eles são re-ações. O ato autêntico vem da sua consciência.

Eu sou capaz de responder (*response-able*), não responsável (*responsable*). Eu agirei com base no meu amor, não por senso de dever ou por obrigação. E agirei de acordo com o momento, sem me reportar ao meu sistema de memória, porque a memória sempre pertence ao passado e a existência é sempre nova — elas nunca se encontram.

Portanto, a primeira coisa que eu quero que você entenda é: não considere a palavra inteira, "responsabilidade"; divida-a em duas: resposta-hífen-capacidade. Isso muda tudo de figura.

O rebelde está renunciando ao passado. Ele não vai repetir o passado; ele está trazendo algo novo ao mundo. Aqueles que renunciaram ao mundo e à sociedade são escapistas. Eles na verdade renunciaram às suas responsabilidades, mas sem entender que, no momento em que renuncia às responsabilidades, você também renuncia à liberdade. Essas são as complexidades da vida: ou a liberdade e a responsabilidade se mantêm juntas ou se vão juntas.

Quanto mais você amar a liberdade, mas disposto estará a aceitar responsabilidades. Mas, fora deste mundo, fora da sociedade, não existe possibilidade de haver responsabilidade. E é preciso lembrar que tudo que aprendemos, aprendemos sendo responsáveis.

Você pode agir de duas maneiras: reagindo ou respondendo. A reação vem dos seus condicionamentos passados; é mecânica. A resposta vem da sua presença, da sua percepção, da sua consciência: ela não é mecânica. E a capacidade de responder é um dos maiores princípios do crescimento. Você não está seguindo nenhuma ordem, nenhum mandamento; está simplesmente seguindo a sua percepção. Você está funcionando como um espelho, refletindo a situação e respondendo a ela — não com base na memória, em experiências passadas de situações semelhantes; não repetindo as suas ações passadas; mas agindo de maneira nova, original, neste exato momento. Nem a situação é velha nem a sua resposta é — ambas são novas. Essa capacidade é uma das qualidades do rebelde.

Renunciando ao mundo, fugindo para a floresta e para as montanhas, você está simplesmente fugindo de uma situação de aprendizado. Numa caverna no Himalaia, você não terá nenhuma responsabilidade, mas, lembre-se, sem responsabilidade você não pode crescer; a sua consciência ficará estagnada. Para crescer é preciso enfrentar, confrontar, aceitar os desafios das responsabilidades.

Os escapistas são covardes; eles não são rebeldes, embora tenha se pensado assim até hoje — que eles são espíritos rebeldes. Eles não são, são simplesmente covardes. Não conseguiram encarar a vida. Conheciam as suas fraquezas, as suas fragilidades, e acharam melhor fugir, porque assim não teriam de enfrentar essa fraqueza, essa fragilidade, nunca teriam de enfrentar nenhum desafio. Mas sem os desafios como irão crescer?

? Isso que você chama de "capacidade de responder" é semelhante ao ensinamento de Jesus sobre oferecer a outra face?

Eu não vou dizer a você que a "capacidade de responder" signifique oferecer a outra face se alguém bater em você — nada disso. Eu só posso lhe dizer uma coisa: deixe para decidir na hora. Há ocasiões em que você tem de oferecer a outra face. Há outras em que tem de bater mais forte ainda na pessoa que bateu em você. Há outras ainda em que você tem de bater nas *duas* faces da pessoa, mas não existe uma fórmula pronta que alguém possa lhe dar. Tudo dependerá de você, da pessoa e da situação.

Mas aja com percepção e qualquer coisa que fizer estará certa. Eu não rotulo os atos de certo ou errado. Para mim, a qualidade da sua percepção é decisiva. Se você puder responder com percepção, então, qualquer resposta que dê, eu declaro como certa. Se você perder essa percepção e reagir, então qualquer coisa que faça — mesmo que esteja oferecendo a outra face — estará errada. Você percebeu que eu tive de usar duas palavras? Com percepção, eu uso a palavra "resposta"; sem percepção, eu uso a palavra "reação".

A resposta vem de você. A reação é gerada pela outra pessoa. Ela bateu em você. Ela é a senhora da situação, e você é um simples fantoche. Você está reagindo. A ação dela é decisiva, e como ela fez algo, agora você está fazendo alguma coisa em reação. Esse é um comportamento inconsciente. É por isso que o comportamento da pessoa inconsciente pode ser manipulado muito facilmente. Você sorri, ela também sorri. Você está com raiva, ela também ficará com raiva.

É por causa disso que as pessoas como Dale Carnegie podem escrever livros como *How to Win Friends and Influence People* [Como Fazer Amigos e Influenciar Pessoas]. Tudo de que você precisa saber são simples reações.

O próprio Carnegie descreve uma situação. Ele estava trabalhando como corretor de seguros e havia uma senhora muito rica, a mais rica da cidade, uma viúva, que era totalmente contra seguros e corretores de seguros; a aversão dela era tão grande que ninguém nunca tinha nem sequer conseguido ter uma entrevista com ela — os corretores já eram dispensados no portão. Os porteiros tinham ordem para "afugentá-los" dali. Não havia chance de ela recebê-los.

E, quando Dale Carnegie começou a trabalhar numa corretora de seguros, todos os outros corretores lhe disseram, "Você está escrevendo esse livro sobre fazer amigos e influenciar pessoas. Então, se conseguir vender um seguro para essa senhora, você nos convencerá de que realmente tem algo a dizer; do contrário, estará provado que esse livro não passa de embromação". E ele de fato conseguiu vender um seguro para a tal senhora. Como ele fez isso? Usando um método simples.

Bem cedo pela manhã, ele perambulou pelas redondezas da casa da mulher. Ela estava no jardim. Parado do lado de fora da cerca, ele disse, "Nunca vi flores tão belas!"

A senhora perguntou, "Você se interessa por rosas?"

Ele disse, "Como sabe? Eu sou louco por rosas; a única flor que realmente me atrai é a rosa".

A mulher disse, "Então, por que está parado aí fora? Entre e eu lhe mostrarei as minhas rosas. Eu também sou louca por rosas e você com certeza nunca viu rosas maiores do que estas que eu cultivo em meu jardim". E ele foi convidado a entrar. Eles deram uma volta pelo enorme jardim, cheio de rosas belíssimas, e ele era todo elogio e poesia. A mulher ficou tão impressionada que disse, "Você me parece um homem muito inteligente. Quero lhe perguntar uma coisa. O que você acha dos seguros?" — porque os corretores de seguros não a deixavam em paz, estavam sempre tentando visitá-la e sendo expulsos.

Ele disse, "Para responder a essa pergunta tenho de voltar depois, pois preciso pensar e pesquisar um pouco sobre o assunto. Eu nunca aconselho ninguém antes de ter certeza".

A mulher disse, "Tem razão. Você é o único homem que não tem pressa em me aconselhar. Esse é um sinal claro de que a pessoa é tola: pressa demais em aconselhar os outros".

Ele disse, "Não, primeiro eu terei de analisar a questão toda. Talvez leve alguns dias". E, ao longo desses dias, ele se habituou a passar pela casa da senhora toda manhã e parar do lado de fora da cerca.

A mulher dizia, "Não precisa ficar parado aí fora. Eu já avisei todos os criados de que, para você, as minhas portas estão abertas a qualquer hora do dia. Sempre que quiser entrar no jardim, tem a minha permissão. Se quiser entrar em casa, também pode. A casa é sua, não se constranja". Depois de alguns dias ele chegou com todos os formulários, panfletos e tudo mais. E disse, "Eu já pesquisei a coisa toda. Na verdade, tornei-me um corretor de seguros para descobrir absolutamente todos os detalhes, a história toda, porque, de fora, você não consegue muitas informações. Agora estou absolutamente certo de que essa é a melhor opção para a senhora".

Ora, é desse jeito que toda a humanidade funciona, por meio da reação. Você simplesmente faz algo sabendo como o outro ser inconsciente vai reagir. E é muito raro que um corretor de seguros convença uma pessoa desperta, essa é uma rara possibilidade. Em primeiro lugar, a pessoa desperta não terá nada para pôr no seguro. Só com esse tipo de pessoa Dale Carnegie não conseguirá nada, porque ela responderá em vez de reagir. E uma resposta você não pode prever.

A pessoa de percepção é imprevisível, pois ela nunca reage. Você não pode dizer de antemão o que ela fará. E a cada momento ela se renova. Ela pode ter agido de uma determinada maneira num dado momento. No momento seguinte ela pode não agir do mesmo modo, porque no momento seguinte tudo já terá mudado. A vida muda continuamente a todo instante; ela é um rio em movimento; nada é estático a não ser a sua inconsciência e as suas reações.

As pessoas inconscientes são previsíveis. É fácil manipulá-las. Você consegue levá-las a fazer coisas, a dizer coisas, até mesmo coisas que elas nunca quiseram fazer ou nunca quiseram dizer, porque elas reagem.

Mas a pessoa de percepção, aquela que é autenticamente religiosa, só responde. Ela não está em suas mãos, você não pode subjugá-la, não pode obrigá-la a fazer nada. Você não consegue extrair dela nem sequer uma frase. Ela só fará o que, no momento, achar — com base na percepção — mais apropriado.

Se eu entendi, a pessoa inconsciente reage, enquanto a sábia é capaz de simplesmente observar as suas emoções à medida que elas afloram, em vez de agir mecanicamente levada por essas emoções. Mas e o que dizer da espontaneidade? A espontaneidade é realmente compatível com a observação?

Quando você tiver aprendido a observar, quando tiver aprendido como ficar absolutamente em silêncio, imóvel, impassível, quando você souber como simplesmente se sentar, se sentar em silêncio, sem fazer nada, então é verdade, como afirma o ditado zen, a primavera vem e a grama cresce por si. Mas a grama cresce, lembre-se!

A ação não desaparece, a grama cresce por si. Só porque observa, isso não significa que você se torna inativo; a ação acontece por meio de você, embora não exista mais um agente. O agente desaparece, mas a ação continua. E, quando não existe mais o agente, a ação é espontânea; não poderia ser de outro modo. É o agente que não permite a espontaneidade.

O agente significa o ego, o ego significa o passado. Quando você age, está sempre agindo com base no passado, está sempre agindo com base na experiência que você acumulou, está sempre agindo com base nas conclusões a que chegou no passado. Como você pode ser espontâneo? O passado domina, e por causa do passado você não consegue nem ver o presente. Os seus olhos estão tão cheios de passado, a névoa do passado é tão espessa que é impossível enxergar. Você não consegue enxergar nada! Está quase completamente cego — cego por causa da névoa, por causa das conclusões passadas, por causa do seu conhecimento. A pessoa instruída é a mais cega deste mundo. Por que ela vive com base no conhecimento que tem, ela não vê a situação que se apresenta. Ela simplesmente funciona mecanicamente. Ela aprendeu algo e aquilo se tornou um mecanismo pronto para ela; a partir disso ela age.

Mas a vida não tem obrigação de se ajustar às suas conclusões. É por isso que ela é tão confusa para a pessoa instruída. Ela tem todas as respostas prontas, tem tudo preparado na cabeça. Mas a vida nunca traz à tona a mesma questão; por isso a pessoa instruída sempre se dá mal.

Não há dúvida de que a pessoa tem de aprender a se sentar em silêncio. Isso não significa que ela tenha de se sentar em silêncio para sempre. Não que você tenha de se tornar inativa; pelo contrário, é só por meio do silêncio que aflora uma resposta verdadeira, uma ação verdadeira. Se você não está em silêncio, se não sabe se sentar silenciosamente em meditação profunda, qualquer coisa que fizer será uma reação, não uma ação. Você reage.

Alguém insulta você, pisa no seu calo, e você reage. Você fica com raiva, voa para cima da outra pessoa — e chama isso de ação? Não é ação, é reação. A outra pessoa é o manipulador e você, o manipulado. A outra pessoa tocou o seu ponto fraco e você reagiu como uma máquina. Assim como acontece quando você liga o interruptor e uma luz se acende e depois você desliga e a luz se apaga — é isso o que as pessoas estão fazendo com você: elas ligam e desligam você. Alguém vem e lhe faz um elogio, massageia o seu ego, e você se sente maravilhoso; e depois vem outra pessoa e fere o seu ego, e você fica simplesmente com a cara no chão. Você não é o seu próprio mestre. Qualquer um pode insultar você e deixá-lo triste, zangado, irritado, aborrecido, violento, enlouquecido. E qualquer um pode elogiá-lo e levar você às alturas, fazê-lo se sentir o máximo; Alexandre o Grande não era ninguém comparado a você.

Você age de acordo com as manipulações dos outros. Isso não é ação de verdade.

Buda estava passando por uma aldeia e as pessoas se aproximaram e começaram a insultá-lo. Elas gritavam todos os palavrões que sabiam. Buda ficou ali, ouvindo em silêncio, muito atento, e depois disse, "Obrigado por virem me receber, mas eu estou com pressa. Tenho de chegar à próxima aldeia, pois há pessoas esperando por mim lá. Não posso dedicar mais tempo a vocês hoje, mas amanhã estarei de volta e terei mais tempo. Vocês podem se reunir de novo e, se tiverem algo que ainda não tenham dito, terão oportunidade de dizer. Mas hoje, por favor, queiram me desculpar".

Aquelas pessoas mal conseguiam acreditar no que ouviram: o homem tinha permanecido absolutamente impassível, imperturbável. Uma delas perguntou, "Você não ouviu o que dissemos? Nós o tratamos como um cão e você nem mesmo respondeu!"

Buda respondeu, "Se queriam uma resposta, então chegaram tarde demais. Deveriam ter vindo dez anos antes, pois então eu responderia a vocês. Mas nesses dez anos eu deixei de ser manipulado pelos outros. Não sou mais um escravo, sou meu próprio mestre. Ajo de acordo comigo mesmo, não de acordo com outra pessoa. Ajo de acordo com a minha necessidade interior. Vocês não podem me forçar a fazer nada. Tudo bem, vocês quiseram me tratar mal e me trataram! Sintam-se satisfeitos. Fizeram um ótimo trabalho. Mas, no que diz respeito a mim, não aceitei esses insultos e, a menos que eu os aceite, eles não fazem nenhum sentido".

Quando alguém o insulta, você tem de se tornar um receptor, tem de aceitar o que a pessoa diz; só assim você pode reagir. Mas, se não aceitar, se simplesmente permanecer impassível, distanciado, calmo, o que a pessoa pode fazer?

Buda disse, "Alguém pode jogar uma tocha acesa num rio. Ela só continua acesa até o momento em que toca o rio. Assim que cai na água, o fogo se extingue; o rio o apaga. Eu me tornei um rio. Vocês gritaram impropérios contra mim. Eles são fogo quando vocês os proferem, mas no momento em que me atingem, na minha calma, o fogo se extingue. Eles não podem mais me ferir. Vocês atiram farpas, que ao cair no meu silêncio se tornam flores. Eu ajo de acordo com a minha própria natureza intrínseca".

Isso é espontaneidade. A pessoa de percepção, de entendimento, age. A pessoa despercebida — inconsciente, mecânica, robotizada — reage.

Você diz, "A pessoa inconsciente reage enquanto a sábia observa". Não é que ela simplesmente observe; observar é um aspecto do seu ser. A sábia não age sem observar, mas não entenda mal. A sua inteligência só fica mais aguçada quando você age. E, quando age de acordo com o momento, a partir da sua própria percepção e atenção plena, uma grande inteligência emerge. Você começa a brilhar, a resplandecer, torna-se luminoso. Mas isso só acontece por meio de duas coisas: pela observação e pela ação que brota da observação. Se a sua observação se tornar inação, você está cometendo suicídio. A observação deve levar à ação, a um novo tipo de ação. Uma nova qualidade é colocada em ação.

Você observa, fica absolutamente quieto e silencioso; você vê qual é a situação e, a partir dessa visão, você responde. O homem de percepção responde, ele é "responsável" — literalmente! Ele é responsivo, não reage. A sua ação nasce da percepção, não da manipulação; essa é a diferença.

Portanto, não existe essa questão de incompatibilidade entre observação e espontaneidade. A observação é o início da espontaneidade; a espontaneidade é a consumação da observação.

O homem de entendimento age, age extraordinariamente, age completamente, mas age de acordo com o momento, a partir da sua consciência. A mente atenta, a mente meditativa, funciona como um espelho. Ela não retém nenhuma impressão; ela permanece totalmente vazia, sempre vazia. Por isso, seja o que for que esteja diante do espelho, ele reflete. Se você ficar diante do espelho, ele reflete você. Se você for embora, não diga que o espelho o traiu. Ele é só um espelho. Quando você vai embora, ele pára de refletir você; não tem mais obrigação de refleti-lo. Agora outra pessoa está diante dele, então ele reflete essa pessoa. Se não há ninguém diante dele, ele não reflete nada. Ele é sempre verdadeiro com a vida.

Aprenda a se sentar em silêncio — torne-se um espelho. O silêncio faz da sua consciência um espelho e dali em diante você passa a viver um momento por vez. Você reflete a vida. Não carrega um álbum cheio de velhas fotografias dentro da cabeça. Os seus olhos ficam límpidos e inocentes, você tem clareza, tem visão, e nunca deixa de ser verdadeiro com a vida.

Isso é viver com autenticidade.

Significado e significância

Do conhecido ao desconhecido e daí para o incognoscível

As pessoas se perguntam por que parece que a vida não tem significado. O significado não existe *a priori*. A vida não tem significado, a pessoa tem de criá-lo. Só se criá-lo você o descobrirá. Ele primeiro tem de ser inventado. Não está ali feito uma rocha, ele tem de ser criado como uma canção. Ele não é uma coisa, é uma significância que você traz por meio da consciência.

A verdade não pode ser dada a você, mas você pode sentir o perfume dela. E então pode começar a buscá-la no seu centro mais profundo, no seu próprio ser. Ela tem de evoluir. Ela é um crescimento. Significado é crescimento. Você tem de devotar a sua vida inteira e ele.

E a mente moderna nunca sentiu tanto a falta de significado, por causa dos séculos passados vividos numa espécie de estupor, de sono. A ortodoxia prevalecia, a convenção era forte e opressora. A cidadela da religião era muito poderosa, ditatorial. As pessoas viviam fazia séculos na crença. Agora, durante este século, cada vez mais pessoas ousam deixar de lado as crenças. Essas crenças serviram para dar às pessoas a impressão de que a vida tinha significado; agora elas deixaram de existir. Isso é bom — é bom que as crenças tenham desaparecido. Essa é a primeira era do agnosticismo. Pela primeira vez, um número cada vez maior de pessoas está amadurecendo, amadurecendo no sentido de não confiar mais nas crenças, nas superstições. Elas descartaram todas essas crenças supersticiosas.

Uma espécie de vácuo, contudo, passou a existir. As crenças desapareceram e, com elas, a falsa impressão de significado que proporcionavam. Surgiu um vazio. A parte negativa foi feita, demolimos os velhos edifícios; agora falta a parte positiva. Temos de erigir novos edifícios. O velho templo não existe mais, mas onde está o novo? A crença foi destruída, mas onde está a confiança? A crença se foi — isso é bom, mas não é suficiente. É necessário, mas não suficiente. Na era em que estamos, a crença desapareceu, mas nada apareceu no lugar dela. Agora teremos de desenvolver a nossa confiança.

Você já deve ter ouvido alguma coisa sobre um pensador alemão chamado Ludwig Feuerbach. Ele parece ser o arauto da mente contemporânea. Feuerbach nega a existência de Deus explicando-o em termos do infinito desejo do coração humano. Ele diz que não existe Deus nenhum; Deus não existe como uma realidade objetiva. Ele é só a satisfação de um desejo. O homem quer se tornar onipotente, onipresente, onisciente. O homem quer se tornar Deus — esse é o desejo, tornar-se infinito. É um desejo de se tornar imortal, um desejo de se tornar absolutamente poderoso.

Essa afirmação de Feuerbach foi um dos primeiros golpes na crença em Deus. Ele disse que Deus não é objetivo; não existe nenhum Deus. Deus é só uma projeção na mente humana; Deus não tem ontologia, ele é um sonho psicológico. Pensamos em termos de Deus porque nos sentimos impotentes. Precisamos de algo que nos torne completos. Precisamos de uma idéia que nos dê a sensação de que não somos estranhos aqui, que neste mundo existe algo que olha por nós. Deus não passa de um pai projetado. Nós queremos nos apoiar em alguma coisa. Ele é apenas puro desejo, não tem realidade.

Depois veio Karl Marx. Marx via Deus como uma tentativa ideológica de nos elevarmos acima da realidade dada. Marx dizia que, pelo fato de serem pobres, miseráveis, as pessoas precisavam de um sonho, um sonho que lhes desse esperança. As pessoas estão vivendo numa tal desesperança, numa miséria tão absoluta, que, se não sonharem que em algum momento, no futuro, tudo será perfeito, não conseguirão tolerar esta realidade intolerável. Deus, portanto, é um ópio, a religião é o ópio para as massas. É uma droga. Ajuda as pessoas, lhes serve de consolo. É um tipo de tranqüilizante. A sua dor é tamanha que você precisa de um analgésico; hoje, é verdade, você é infeliz, mas amanhã tudo vai ficar bem.

Marx diz que é por isso que as Bem-aventuranças de Jesus se tornaram tão importantes: "Abençoados os pobres". Por quê? Por que os pobres são "abençoados"? Porque "deles é o reino dos céus". Agora os pobres podem ter esperança. Aqui a pessoa é pobre, mas lá ela herdará o reino dos céus. Não apenas isso, disse Jesus, "os últimos aqui serão os primeiros lá". Agora o pobre se sente realmente feliz. Ele esquece a pobreza. Vai ser o primeiro no reino de Deus. Marx acha que essas afirmações não passam de drogas.

O ponto de vista dele também é muito lógico. Quando as pessoas são miseráveis, só existe uma maneira de tolerarem isso: para passar o tempo, elas imaginam um futuro melhor. Você está internado num hospital; a única coisa que pode fazer é imaginar que amanhã poderá deixar o hospital, ir para casa e tudo ficará bem. É uma questão de poucas horas. Você consegue tolerar a situação.

Este mundo é só uma questão de poucos anos, você não precisa se preocupar. Logo um paraíso está à sua espera. Quanto mais pobre você for, mais alto chegará no paraíso. E tudo o que você não tem aqui, terá em abundância lá. Você não tem uma mulher bonita? Não se preocupe. No paraíso, todo mundo tem quantas quiser, e as mulheres mais bonitas que você pode conceber. Aqui você não pode tomar bebidas alcoólicas? No paraíso, há rios de vinho, álcool de todos os tipos. Você pode beber quanto quiser, pode se afogar no álcool.

Esses sonhos são apenas um consolo para aqueles que são oprimidos, tiranizados. Por isso Marx diz que a religião é só um truque para explorar o povo, um truque para mantê-lo sob o seu jugo, uma artimanha para que você não possa ser um rebelde. Ele criticou severamente as velhas crenças.

E o terceiro golpe veio com Friedrich Nietzsche, que disse, "Deus nada mais é do que o enfraquecimento da vontade de viver". Quando uma pessoa envelhece ou uma sociedade fica obsoleta, corroída, entorpecida e decadente, ela começa a pensar em Deus. Por quê? Porque a morte está se aproximando e a pessoa tem, de algum modo, de aceitá-la. A vida está escorrendo entre os seus dedos, ela não pode fazer nada a respeito — a não ser aceitá-la. Deus é um truque para aceitar a morte. E Nietzsche diz que a morte só é aceita por aqueles que ficaram fracos.

Ele costumava dizer que toda idéia de Deus é produto da mente feminina; costumava dizer que Buda e Cristo eram, ambos, afeminados, não eram de fato masculinos. Eram mansos demais. Eram pessoas que aceitavam a derrota e não lutavam mais pela sobrevivência. Quando uma pessoa pára de lutar pela sobrevivência, ela se torna religiosa. Quando não existe mais a vontade de poder, a pessoa começa a definhar, a morrer, e começa a pensar em Deus. Deus é contra a vida, a vida é vontade de poder. A vida é uma luta constante; vida é conflito e a pessoa tem de vencer. Quando as pessoas ficam fracas demais e não conseguem sair vitoriosas, essas mentes derrotadas começam a ficar religiosas. Religião é derrotismo.

Feuerbach, Marx, Nietzsche — esses três juntos criaram a atmosfera na qual se podia declarar que Deus estava morto e o homem, livre.

Foi nessa situação que você nasceu. Se você é contemporâneo, a situação é essa. Você está mais sintonizado com Feuerbach, Marx e Nietzsche do que com os fundadores e profetas das religiões. Eles estão muito distantes; não pertencemos a eles, eles não pertencem a nós. A distância é grande demais. Os nossos verdadeiros profetas são Feuerbach, Marx, Nietzsche, Freud, Darwin — e essas pessoas destruíram toda a trama, toda a estrutura, todo o padrão de crença.

Eu gostaria de lhe dizer que eles prestaram um grande serviço à humanidade. Mas não me entenda mal. Eles esvaziaram a consciência humana completamente da crença, mas essa é só metade da história. Ainda falta outra coisa. É como se você estivesse preparando um jardim; você prepara o solo, arranca as ervas daninhas e tira todas as pedras. Agora o solo está pronto, mas, se você apenas esperar e não plantar as roseiras, não verá brotar nenhuma semente.

Essas pessoas prestaram um grande serviço à humanidade. Elas arrancaram todas as ervas daninhas. Mas não basta arrancar as ervas daninhas para se ter um jardim. Para fazer um jardim, você precisa arrancá-las, mas não é nisso que se resume um jardim. Agora você tem de trazer as rosas. Faltam as rosas, portanto, falta o significado.

As pessoas estão estagnadas. Elas acham que esse pedaço de terra preparado onde nada cresce, onde não brota nenhum desejo sobre o desconhecido e o além, é o jardim. E, quando começam a olhar em torno, vêem que não há nada. Só vêem um deserto. Essas pessoas limparam o terreno, mas agora só existe um deserto. Por isso o ser humano ficou muito ansioso. A ansiedade tem sido reprimida há séculos, de modo que as pessoas conseguissem se ajustar ao partido, à religião, à seita, à sociedade. Durante milhares de anos, a ansiedade permaneceu trancafiada e o ser humano viveu como um escravo. Agora o cadeado foi quebrado, o ser humano não é mais um escravo e toda a repressão de milhares de anos acabou. O ser humano está enlouquecendo.

O que esses homens fizeram pode se tornar uma grande libertação ou pode significar simplesmente uma perda. Depende. Se você usar essa situação da maneira correta e começar a cultivar rosas no coração, logo sentirá uma imensa gratidão por Feuerbach, Marx, Nietzsche, Freud e todas as outras pessoas que destruíram a crença, que destruíram a velha religião. Elas prepararam o caminho para um novo tipo de religiosidade — mais amadurecida, mais adulta, mas evoluída.

Eu sou a favor de todas essas pessoas, mas não me detive nelas. Se você se detiver, a falta de sentido será o seu destino. Sim, é bom que não exista nenhum Deus, mas agora comece a descobrir o que existe no seu ser interior.

Essas pessoas criaram uma situação em que você pode dizer, "Não sei" — é disso que se trata o agnosticismo. Agora use isso como um trampolim para o desconhecido. Você já está pronto para explorá-lo. O conhecimento não está mais cegando você, ninguém mais está acorrentando os seus pés. Pela primeira vez você é livre. Mas o que você está fazendo parado aí? Você estava parado antes porque estava acorrentado e agora continua no mesmo lugar, embora as correntes já tenham sido arrancadas. Siga em frente. Agora, explore! Toda a existência é sua. Explore-a sem nenhum conceito, sem nenhum preconceito, sem nenhuma filosofia *a priori*.

O conhecimento tem sido destruído e isso é bom. Essas pessoas — Feuerbach, Marx, Nietzsche e outros — fizeram um bom trabalho ao acabar com todo o absurdo de séculos, mas, lembre-se, nem mesmo eles se beneficiaram disso. Nietzsche morreu num asilo de loucos, e se você continuar preso a Nietzsche, estará fadado à loucura e nada mais. Ele prestou um grande serviço, foi um mártir, mas ficou estagnado na sua própria negatividade. Ele destruiu a crença, mas nunca chegou a explorar nada. Se não há crença, o que existe então? Com nenhuma crença, o que existe? *Existe* alguma coisa. Você não pode dizer que não existe nada, algo existe. O que é? Ele nunca mergulhou na meditação. O raciocínio, o raciocínio lógico, só é capaz de uma coisa: destruir a crença. Mas ele não pode levar você à verdade.

Temos de criar significado agora. Ele já não é mais fornecido pela sociedade, não é mais fornecido por ninguém. Martin Heidegger diz que, depois que a pessoa toma consciência de que a vida e a existência não têm significado, surge uma grande ansiedade, aflição, angústia. Ele diz, "Isso acontece quando se destrava aquilo que a sujeição à conformidade e ao condicionamento de séculos vinha travando. Depois que essa libertação acontecer, podemos agir, mas não mais de acordo com as normas dadas por alguém ou por alguma coisa. Só podemos contar com nós mesmos".

Heidegger está certo. Você só pode contar consigo mesmo. Agora você não pode mais se apoiar em ninguém. Nenhuma escritura ajudará, os profetas se foram, os mensageiros não estão mais aí. Você terá de se apoiar em si mesmo. Terá de se firmar nas próprias pernas. Terá de se tornar independente. Heidegger chama isso de "resolução". Você terá de chegar a uma resolução, a uma decisão. Você está sozinho e não conseguirá nenhuma ajuda. O que você irá fazer? E você não sabe nada. Não existe nenhuma crença para lhe dar um mapa. Não existem mapas e tudo em volta não foi ainda cartografado. Toda a existência voltou a ser um mistério.

É uma grande alegria para aqueles que têm coragem, pois agora a exploração é possível.

Isso é o que Martin Heidegger chama de resolução, porque por meio disso o indivíduo torna-se resoluto, o indivíduo torna-se individual. Sem Deus, sem convenções, sem leis, sem mandamentos, sem normas, sem princípios — a pessoa tem de ser ela mesma e tem de decidir aonde vai, o que vai fazer e quem vai ser. Esse é o significado da famosa máxima existencialista segundo a qual a existência precede a essência; isto é, não existe natureza humana essencial. O homem cria o que ele é, o homem cria a si mesmo. O significado tem de ser criado. Você tem de cantar o seu significado, você tem de dançar o seu significado, você tem de pintar o seu significado, você tem de vivê-lo. Vivendo-o, ele aparece; por meio da dança, ele começará a penetrar o seu ser. Por meio do canto, ele virá até você. Ele não é como uma rocha, esperando para ser encontrado; ele tem de florescer no interior do seu ser.

Energia e entendimento: a viagem da luxúria ao amor

Energia é entendimento, não se trata de duas coisas diferentes. Que tipo de energia é o entendimento? Quando a energia está desocupada, ela se torna entendimento. Quando a energia está ocupada, ele continua sendo ignorância, continua sendo inconsciência.

Por exemplo, a sua energia sexual está ocupada com uma mulher ou com um homem. Ela continua sendo ignorância, pois a energia está focada num objeto; ela irradia para fora, é extrovertida. Se a energia se liberta do objeto, para onde ela vai? Ela começa a se voltar para o sujeito, para a fonte interior. E a energia que se volta para a fonte se torna entendimento, se torna percepção.

E eu não estou dizendo para ser contra o sexo, não. Mas deixe que o sexo seja um fenômeno mais subjetivo do que objetivo. E essa é a diferença entre o sexo e o amor. O amor é subjetivo, o sexo é objetivo.

Você passa a se interessar por uma mulher ou por um homem como um objeto e cedo ou tarde o interesse acaba porque, depois que você explorou o objeto, nada mais resta. Você já está pronto para conhecer outra pessoa. Sim, a mulher tem uma bela aparência, mas por quanto tempo ela será bonita? Um objeto é um objeto. Ela ainda não é uma pessoa para você, ela é só um objeto bonito. Isso é insultuoso. Você está reduzindo uma alma a um objeto, uma subjetividade a um objeto. Você está tentando explorá-la. Está transformando-a num meio. A sua energia continuará ignorante. E você passará de mulher em mulher, e a sua energia continuará andando em círculos. Ela nunca voltará para casa.

Amor significa que você não está interessado na mulher ou no homem como um objeto. Na verdade, você não está ali para explorar o outro, não está ali para tirar algo dele. Pelo contrário, você está tão cheio de energia que você gostaria de oferecer um pouco de energia a outra pessoa. O amor dá. O sexo só quer tirar.

E, quando o amor dá, ele continua subjetivo, continua enraizado na pessoa que ama. As pessoas que se amam ajudam uma à outra a serem mais elas mesmas. O amor ajuda o outro a se tornar, autenticamente, um indivíduo. A pessoa que ama ajuda a outra a ficar centrada. Amor é respeito, reverência, adoração. Não é exploração. Amor é entendimento. Como a energia não está ocupada com o objeto, ela continua livre, desatrelada de tudo. E é isso que traz a transformação. Ela se acumula dentro de você.

E lembre-se: assim como acontece no mundo da física, acontece também no mundo da metafísica. Quando existe uma certa quantidade de energia, uma mudança qualitativa acontece. A mudança qualitativa nada mais é do que o resultado da mudança quantitativa.

Por exemplo, se você aquece a água até o ponto de fervura, ela evapora. Enquanto não chega a esse ponto, ela não evapora; continua sendo água — quente, mas continua sendo água. Mas, quando atinge a temperatura em que ela ferve, a água evapora — deixa de ser água. Mudou de forma. A transformação aconteceu.

Do mesmo modo, quando a sua energia se acumula, não continue desperdiçando-a com objetos — e as pessoas *estão* desperdiçando-a com objetos.

Uma pessoa se interessa por dinheiro; coloca toda a sua energia nele. Evidentemente, ela acumula muito dinheiro, mas, ao acumulá-lo, ela morre, dissipa-se, torna-se vazia, um mendigo. O dinheiro continua sendo acumulado e ela vai se tornando cada vez mais como um mendigo. Outra pessoa coloca a sua energia na política, no poder. Torna-se primeiro-ministro, mas lá no fundo ela é um mendigo. Pode ser o mais importante mendigo do país, mas continua sendo um mendigo.

Se você coloca a sua energia em objetos, viverá uma vida de não-entendimento, de inconsciência. Não coloque a sua energia em objetos. Deixe que a energia se volte para o seu ser. Deixe que ela se acumule. Deixe que a vida se torne um grande reservatório. Deixe que a sua energia fique ali sem nenhuma ocupação. E, num certo ponto — o salto, o salto quântico, a transformação. A energia fica luminosa, volta-se para a percepção, torna-se entendimento.

É a energia que se torna entendimento. Por isso, quando você está sem energia, começa a perder o entendimento. Quando está cansado, a sua inteligência fica menor. Você já notou isso. Pela manhã, a sua inteligência está mais revigorada do que à noite. Pela manhã, você tem mais entendimento, tem mais compaixão, é mais amoroso do que à noite.

Você já notou? Os mendigos pedem esmola pela manhã. Eles conhecem a psicologia. À noite, quem vai lhes dar esmola? As pessoas estão cheias de raiva nesse horário, frustradas com a vida. Pela manhã, elas descansaram a noite toda, tiveram um sono profundo, a energia delas está revigorada, elas acumularam oito horas de energia. Têm muito mais compreensão, mais compaixão, mais amor, mais empatia. É possível convencê-las a lhe dar alguma coisa. Elas têm algo, então podem dar. À noite, elas não têm nada; perderam tudo que tinham pela manhã, estão mortas de cansaço.

As crianças são mais compreensivas — já observou? — são mais compreensivas do que os velhos. Os velhos se tornam duros, cruéis, ladinos. Passaram a vida toda ocupados com objetos. A maioria dos velhos se torna maquiavélica. As criancinhas são inocentes, crédulas, mais parecidas com budas. Por quê? A energia delas é transbordante.

As crianças pequenas aprendem coisas com muita rapidez. Por quê? Elas têm energia, por isso a inteligência. Quanto mais velho você fica, mais dificuldade tem para aprender uma coisa. Dizem que é muito difícil ensinar novos truques a um cachorro velho. Por quê? Não deveria ser, porque o cachorro já sabe muitos truques e poderia aprender mais alguns. Deveria ser mais fácil, porque ele já aprendeu tanto que já pegou prática e poderia aprender com mais facilidade. Mas não é isso o que acontece.

As crianças aprendem rápido. Se uma criança nasce numa cidade onde se falam cinco línguas, ela começa a aprender todas as cinco; passa a dominar todas as cinco. Todas elas se tornam a sua língua pátria. A criança tem uma capacidade infinita de aprender, e a razão disso é uma só: a energia dela ainda é superabundante. Logo essa energia começará a se dissipar na vida.

A pessoa de meditação torna-se uma pessoa de entendimento porque sua energia se acumula. Ela não a desperdiça. Não está interessada no trivial; não coloca absolutamente nenhuma energia em coisas sem importância. Por isso, sempre que chega o momento de dar, ela tem para dar.

Energia é compreensão, entendimento. Tenha consciência dela e use a sua energia de modo muito consciente, use a sua energia sem passar a vida toda desperdiçando-a.

? **Você poderia falar sobre como usar a energia sexual para o crescimento, visto que ela parece ser uma das nossas principais preocupações no Ocidente?**

Sexo é *a* energia. Por isso eu não diria energia sexual, porque não existe outra energia. O sexo é a única energia que você tem. A energia pode ser transformada, pode se tornar uma energia mais elevada. Quanto mais elevada ela for, menos sexualidade existe nela. E há um ápice final em que ela se torna simplesmente amor e compaixão. O florescimento final nós podemos chamar de energia divina, mas a base, a sede, continua sendo o sexo. Por isso o sexo é a primeira e mais baixa camada de energia, e a divindade é a mais elevada. Mas é a mesma energia que se move.

A primeira coisa a ser entendida é não dividir as suas energias. Depois que você divide, surge um dualismo. Depois que você divide, surge o conflito e a dificuldade. Depois que divide as suas energias, você fica dividido — fica a favor ou contra o sexo.

Eu não sou nem a favor nem contra, porque eu não divido. Eu digo que sexo é energia, o nome da energia; eu a chamo de energia x. Sexo é o nome dessa energia x, da energia desconhecida, quando você a usa apenas como uma força de reprodução biológica. Ela passa a ser divina depois que você se liberta do cativeiro biológico, depois que ela se torna não-física; então ela passa a ser o amor de que Jesus falava ou a compaixão de Buda.

As pessoas estão obcecadas hoje por causa do Cristianismo. Dois mil anos de repressão cristã fizeram com que a mente ocidental passasse a ter obsessão pela energia sexual.

Primeiro, durante dois mil anos a obsessão foi descobrir como exterminá-la. Você não pode exterminar a sua energia sexual. Nenhuma energia pode ser exterminada, ela só pode ser transformada. Não há como destruir energia. Nada pode ser destruído neste mundo, só pode ser transformado, alterado, transferido para um novo domínio ou dimensão. A destruição é impossível.

Você não pode criar uma nova energia sexual nem pode destruir uma que já exista. Criação e destruição estão, ambas, além de você. Elas não podem ser executadas. Agora, os cientistas concordam, nem um único átomo pode ser destruído.

Durante dois mil anos, o Cristianismo tentou destruir a energia sexual. A idéia deles era a de que a religião consiste em se tornar completamente assexuado. Isso criou uma loucura. Quanto mais você luta, quanto mais reprime, mais sexual você fica. E o sexo então mergulha mais fundo na inconsciência. Envenena todo o seu ser.

Por isso, se você ler sobre a vida dos santos cristãos, verá que eles têm obsessão pelo sexo. Não conseguem rezar, não conseguem meditar. O sexo está presente em qualquer coisa que fazem. E eles acham que o diabo está pregando peças. Ninguém está pregando peças. Se você reprime, *você* é o diabo.

Depois de dois mil anos de contínua repressão sexual, o Ocidente se fartou disso. A paciência esgotou e toda a roda girou. Então, em vez de repressão, a indulgência tornou-se a nova obsessão. A mente passou de um pólo para o outro. A doença continuou sendo a mesma. Antes havia repressão, agora existe cada vez mais indulgência com relação ao sexo. Ambas são atitudes doentias.

O sexo tem de ser transformado, nem reprimido nem encarado com indulgência. E o único caminho possível para a transformação é ser sexual com uma percepção profundamente meditativa.

Aprofunde-se no sexo, mas com um ser alerta, consciente, atento. Não deixe que ele se torne uma força inconsciente. Não deixe que ele controle você. Faça sexo de modo consciente, sábio, amoroso. Mas faça da experiência sexual uma experiência meditativa. Medite enquanto o faz. Foi isso que o Oriente fez por meio do Tantra.

E depois que você se torna meditativo na experiência sexual, a sua qualidade começa a mudar. A mesma energia que estava sendo canalizada para a experiência sexual começa a se voltar para a consciência.

Você pode ficar mais alerta durante o orgasmo sexual do que jamais poderia ficar, porque nenhuma outra experiência é tão profunda, nenhuma outra experiência é tão absorvente, nenhuma outra experiência é tão total. No orgasmo sexual, você está totalmente absorvido, dos pés à cabeça — todo o seu ser vibrando, todo o seu ser concentrado. Corpo, mente — ambos estão concentrados na experiência. E o raciocínio pára completamente. Nem que seja por um segundo, quando o orgasmo atinge o seu ápice, o raciocínio pára completamente, porque você está tão entregue que não consegue pensar.

No orgasmo sexual você *é*. O ser está ali sem nenhum raciocínio. Nesse momento, se você ficar alerta, consciente, o sexo pode se tornar a porta para o divino. E se nesse momento você conseguir ficar alerta, esse estado pode ser transferido para outros momentos também, para outras experiências. Ele pode se tornar parte de você. Enquanto come, caminha, faz algum trabalho, você pode manter esse estado de alerta. Por meio do sexo, esse estado toca o âmago mais profundo do seu ser. Ele penetrou em você. Agora você pode mantê-lo.

E, se você se tornar meditativo, passará a perceber um outro fato. O fato de que não é o sexo que lhe traz satisfação, não é o sexo que lhe dá o êxtase. Antes, é o estado sem pensamentos da mente e o total envolvimento no ato que lhe dão um sentimento prazeroso.

Depois que você entende isso, o sexo passa a ser cada vez menos necessário, porque esse estado mental sem pensamentos pode ser criado sem a ajuda dele; é isso que significa meditação. E essa totalidade do ser pode ser criada sem sexo. Depois que você compreende que o mesmo fenômeno pode ser provocado sem sexo, o sexo passa a ser cada vez menos necessário. Chegará um momento em que ele passará a ser completamente desnecessário.

Lembre-se, o sexo sempre depende de outra pessoa. Por isso no sexo existe um certo cativeiro. Depois que você consegue criar esse fenômeno orgásmico total sem depender de ninguém, quando ele passa a ser uma fonte interior, você fica independente, livre.

É a isso que os místicos se referem quando dizem que só uma pessoa verdadeiramente celibatária pode ser livre, porque ela não depende de ninguém, seu êxtase pertence exclusivamente a ela.

O sexo desaparece por meio da meditação, mas isso não significa que se destrua a energia. A energia nunca é destruída; só a forma da energia muda. Agora ela deixa de ser sexual, e quando a forma não é mais sexual, você passa a ser amoroso.

Na verdade, a pessoa que é sexual não pode amar. Seu amor só pode ser um *show*, seu amor é só um meio de chegar ao sexo. A pessoa sexual usa o amor como uma técnica para o sexo. Ele é um meio. A pessoa sexual não pode amar de verdade, ela só pode explorar o outro; e o amor torna-se apenas uma maneira de se aproximar do outro.

A pessoa que se tornou não-sexual, com a energia que flui dentro dela, passa a ser auto-extática. O seu êxtase é só dela. Essa pessoa será amorosa pela primeira vez. Seu amor será um constante derramar, um constante compartilhar, um constante se doar. Mas para chegar a isso, você não deve ser anti-sexo. Para chegar a isso, você tem de aceitar que o sexo faz parte da vida, da vida natural. Siga com ele, basta que siga com mais consciência.

?

Toda essa conversa sobre transformar o sexo é excelente, mas quando eu olho fundo dentro de mim mesmo percebo que estou, no fundo, cansado da minha mulher e com medo das mulheres, e provavelmente preciso lidar com isso antes. Qual é a raiz desse medo?

Todos os homens têm medo das mulheres e todas as mulheres têm medo dos homens. Eles têm boas razões para não confiarem uns nos outros, porque durante os últimos anos foram treinados para serem inimigos. Eles não nasceram para ser inimigos, mas criaram uma inimizade. Depois de vinte anos, aproximadamente, sendo treinados para temer um ao outro, espera-se que se casem um dia e confiem plenamente no parceiro. Tantos anos sendo treinados para temerem um ao outro ao longo de uma vida de dezessete, dezoito anos — a parte mais delicada e sensível da sua vida!

Os psicólogos dizem que 50% do aprendizado de toda a nossa vida é feito até os 7 anos. A partir daí aprendemos apenas os outros 50%. Cinqüenta por cento é aprendido até os 7 anos. Quando você chega aos 20, quase 80% já foi aprendido. Você se tornou rígido, fixo. A desconfiança lhe foi ensinada. Dizem aos meninos, "Fique longe das meninas, elas são perigosas". E dizem às meninas, "Fiquem longe dos meninos, eles são detestáveis, farão algo de ruim a você". E depois desse condicionamento completo de vinte anos — pense bem, vinte anos aprendendo constantemente, em casa, na escola, na faculdade, na universidade, na igreja, com o sacerdote —, como você vai simplesmente descartar esse condicionamento?

A questão vive vindo à tona: quantos homens já me disseram que têm medo das mulheres! Quantas mulheres já me disseram que têm medo dos homens! Você não nasceu com esse medo; no início, você não tinha esse medo. A criança nasce sem medo nenhum. Depois nós a ensinamos a ter medo e condicionamos a sua mente.

Isso tem de ser descartado, pois tem deixado as pessoas quase neuróticas. Depois as pessoas brigam — marido e mulher vivem brigando e se perguntando por que brigam tanto e por que o relacionamento fica tão amargo. Por que isso acontece? Você foi envenenado e precisa se livrar conscientemente desse condicionamento. Do contrário continuará com medo.

Não há o que temer num homem ou numa mulher. Eles são como você, precisam tanto de amor quanto você, anseiam dar as mãos tanto quanto você anseia. Eles querem participar da sua vida e querem que os outros participem da vida deles, porque quanto mais gente participar da nossa vida mais alegria pode jorrar. As pessoas parecem muito tristes. Elas ficaram muito solitárias. Até em meio à multidão as pessoas são solitárias porque todo mundo tem medo de todo mundo. Mesmo quando as pessoas estão sentadas ao seu lado, elas se encolhem, a tal ponto que todo o seu ser fica rígido. Uma carapaça as envolve, uma armadura surge em torno do seu ser, por isso mesmo, quando se encontram, não se trata de um encontro verdadeiro. As pessoas dão as mãos, mas essas mãos estão frias, o amor não está fluindo. Elas se abraçam, é verdade, os esqueletos se encontram, mas o coração continua distante.

As pessoas precisam amar — o amor é uma grande necessidade, assim como a comida. A comida é uma necessidade inferior, o amor é uma necessidade mais elevada, um valor de ordem muito mais elevada.

Os psicólogos têm feito pesquisas com crianças que cresceram em orfanatos, sem receber amor. Muitas delas podem morrer se forem criadas sem amor; em dois anos elas morrem. Recebem uma boa alimentação, nutrição, todo cuidado científico, mas só de maneira mecânica. A pajem vem, dá banho nelas, alimenta-as; todo cuidado é tomado, mas não recebem nenhum amor humano. A enfermeira não as estreita nos braços, junto ao coração; não lhe dá colo. Elas não recebem calor humano. Dentro de dois meses muitas dessas crianças morrem, e sem que haja uma razão visível para isso. Elas estão perfeitamente bem fisicamente, o corpo está em perfeito estado; não estão doentes nem nada, mas de repente, sem nenhuma razão aparente, começam a definhar. E as crianças que não morrem ficam em pior estado ainda. As que morrem estão num estado mais inteligente. As que sobrevivem ficam neuróticas, esquizofrênicas, psicóticas, porque não receberam nenhum amor. O amor faz de você uma peça única. Ele é como uma cola — cola os seus fragmentos. Essas crianças começam a se fragmentar. Não há nada para mantê-las coesas, nenhuma visão da vida, nenhuma experiência de amor — nada para integrá-las. A vida delas parece sem sentido, muitas delas ficam neuróticas, muitas delas se entregam ao crime.

O amor torna a pessoa criativa; se falta amor, a pessoa fica destrutiva. Se a mãe de Adolf Hitler tivesse amado mais o filho, o mundo seria totalmente diferente.

Se não houver amor, a pessoa esquece a linguagem da criatividade, torna-se destrutiva; assim nascem os criminosos, os políticos. Eles são o mesmo tipo de pessoa — não há diferença entre eles, nenhuma diferença qualitativa. Os rostos são diferentes, as máscaras são diferentes, mas no fundo são todos criminosos. Na verdade, nós só conhecemos a história dos crimes humanos e nada mais. Ainda não conhecemos a verdadeira história da humanidade, porque a história real é composta de pessoas como Buda, Cristo, Lao-Tsé. Existe uma história totalmente diferente, que foi mantida longe das escolas. A história só dá destaque aos crimes, só dá destaque à destruição. Se você mata alguém na rua, sairá nos jornais, mas, se dá uma flor a alguém, nunca se ouvirá nada a respeito. Ninguém ficará sabendo.

Se falta amor na infância, ou a pessoa se torna um político ou se torna um criminoso, ou fica louca ou descobre algum caminho destrutivo, porque ela não vai saber criar. A vida dela não terá sentido, ela não perceberá nenhum significado. Ela se sentirá condenada, porque só quando é amado você sente o seu valor. No momento em que alguém o ama, você passa a ter valor. Começa a se sentir necessário, a existência seria um pouco menos sem você. Se uma mulher o ama, você sabe que, se for embora, alguém ficará triste. Se um homem a ama, você sabe que está dando felicidade a alguém e o fato de dar felicidade a alguém lhe dá uma grande alegria.

A alegria só é possível quando se dá alegria aos outros; não existe outro caminho. Quanto mais pessoas você fizer feliz, mais feliz você se sentirá. Esse é o verdadeiro significado do serviço. Esse é o verdadeiro significado de ser religioso: ajudar as pessoas a serem felizes, ajudar as pessoas a serem mais calorosas, ajudar as pessoas a serem mais amorosas. Crie um pouquinho mais de beleza neste mundo, crie um pouquinho mais de alegria, crie um cantinho onde as pessoas possam celebrar e cantar e dançar e ser, e você será mais feliz. As suas recompensas serão imensas. Mas a pessoa que nunca amou não conhece isso.

Por isso as crianças que sobrevivem sem amor acabam se revelando pessoas perigosas. O amor é uma necessidade básica; ele é exatamente o alimento da alma. O corpo precisa de alimento, assim como a alma também precisa. O corpo vive de alimento material e a alma vive de alimento espiritual. O amor é um alimento espiritual, um tônico espiritual.

Na visão que eu tenho de um mundo melhor, as crianças serão ensinadas a amar umas às outras. Meninos e meninas não viverão separados. Nenhuma divisão, nenhuma aversão deverá ser criada. Mas por que essa aversão foi criada? Porque existe um medo enorme do sexo. O sexo não é aceito, esse é o problema, porque o sexo não é aceito as crianças vivem separadas. A humanidade vai continuar a sofrer se não aceitar o sexo como um fenômeno natural. Todo esse problema entre o homem e a mulher existe porque o sexo é condenado.

Essa condenação tem de acabar, e agora ela pode acabar. No passado, eu entendo que havia razões para que ela existisse. Por exemplo, se a menina ficasse grávida, haveria problemas. Os pais tinham muito medo, a sociedade tinha muito medo, as pessoas viviam com medo. Meninos e meninas tinham de viver separados; muros altos eram erigidos entre eles. E, então, um dia, depois de vinte anos, você subitamente abre a porta e diz, "Ela não é sua inimiga, é sua mulher. Ame-a! Ele não é seu inimigo, é seu marido. Ame-o!" E o que fazer com aqueles vinte anos em que você o considerou um inimigo a ser temido? Será que consegue deixar esses anos de lado facilmente? Não, não consegue. Eles oprimirão você, acompanharão você durante toda a sua vida.

Mas agora não é mais necessário. No meu entender, a maior revolução deste mundo foi a deflagrada pela pílula. Lênin e Mao Tsé-tung não são nada comparados com a pílula; ela é a maior de todos os revolucionários. Ela pode criar um mundo totalmente diferente, porque o medo pode acabar; agora não há mais por que ter medo. O medo da gravidez era a razão por trás da condenação do sexo. Agora não há mais nenhuma razão para condená-lo; ele pode ser aceito.

No passado, eu compreendo; existia o medo. Eu posso desculpar as pessoas no passado, porque elas não tinham outra saída. Mas agora não existe perdão se você ensinar os seus filhos a viverem separados e criar um antagonismo com relação ao sexo oposto. Não há mais necessidade. Agora meninos e meninas podem se misturar e viver juntos, e todo o medo do sexo pode ser deixado de lado.

E a beleza é que, por causa do medo e da condenação, por causa da negação, esse sexo ficou muito importante; do contrário ele não teria a mesma importância. Procure entender uma lei psicológica simples: se você nega demais uma coisa, ela fica muito importante. A própria negação faz com que ela fique importante. Você passa a ter obsessão por ela. Ora, se os meninos e as meninas são proibidos de viver juntos durante dezoito anos, vinte anos, eles passam a ter obsessão uns pelos outros. Só pensam no sexo oposto, não conseguem pensar em outra coisa. A mente fica ocupada. Todos os anos de ensinamentos anti-sexuais tornaram a mente ocupada, e daí resulta todo tipo de perversão. As pessoas começam a viver fantasiando, surge a pornografia, e essa coisa toda continua por causa da bobagem que você criou condenando o sexo.

Agora você quer que a pornografia acabe? Ela não pode acabar. Você criou uma situação para que ela existisse. Se meninos e meninas pudessem viver juntos, quem iria se dar o trabalho de ver a foto de um nu?

Vá visitar alguma tribo de aborígines que vivem nus e mostre a eles uma revista *Playboy*. Eles vão rir! Eu vivi com pessoas como essas, conversei com elas, e todas elas riem. Mal podem acreditar: “Que bobagem é essa?” Elas vivem nuas, portanto sabem como é uma mulher e como é um homem.

A pornografia é criada pelos seus sacerdotes; eles é que são os fundadores, e todo tipo de perversão surgiu porque, quando não consegue atingir de fato o outro pólo, pelo qual a atração é natural, você começa a fantasiar. Aí surge um problema maior ainda: anos de sonhos e fantasias e daí você encontra uma mulher de verdade e ela não consegue satisfazer as suas expectativas — por causa de todas aquelas fantasias! Você só tinha liberdade para fantasiar; agora, nenhuma mulher de verdade vai satisfazer você. Por causa de todos os seus sonhos e fantasias, você criou certas idéias sobre as mulheres com as quais nenhuma mulher consegue se equiparar. Você cultivou certas idéias sobre os homens com as quais nenhum homem consegue se equiparar. Por isso a frustração. Por isso a amargura que surge entre os casais. O homem se sente ludibriado: “Essa não é a mulher que eu esperava ter”. Ele estava pensando, sonhando e era livre para criar qualquer coisa que quisesse em seu sonho, e essa mulher parece muito aquém da sua fantasia.

Na sua fantasia, as mulheres não transpiram — transpiram? — e não brigam nem ralham com você. Elas são sempre felizes, flores encantadoras, e nunca perdem a juventude. Nunca ficam velhas nem rabugentas. Porque elas são frutos da sua imaginação; se você quer que elas riam, elas riem. O corpo delas não é deste mundo.

Mas, quando você encontra uma mulher de verdade, ela transpira, tem mau hálito, e às vezes é natural que fique rabugenta. E ela ralha e briga com você, ela atira travesseiros e quebra coisas, e não deixa que você faça um monte de coisas. Ela começa a tolher a sua liberdade. As mulheres das suas fantasias nunca tolhem a sua liberdade. Agora essa mulher está parecendo mais uma arapuca. E ela não é tão bonita quanto você tinha pensado; não é nenhuma Cleópatra. Ela é uma mulher comum, tão comum quanto você. Nem você preenche os desejos dela nem ela preenche os seus. Ninguém tem obrigação de preencher as suas fantasias! As pessoas são pessoas reais. E como esses anos de cativeiro criaram uma fantasia, ela cria dificuldades para a sua vida futura.

Você terá de abrir mão das suas fantasias. Terá de aprender a viver com a realidade. Terá de aprender a ver o extraordinário no ordinário, no comum, e essa é uma grande arte. A mulher não é apenas a sua pele, o seu rosto, a proporção do seu corpo. A mulher é uma alma! Você tem de ser íntimo dela, tem de se envolver na vida dela, na vida interior dela. Você tem de se fundir e entrar em comunhão com as energias dela. As pessoas não sabem como entrar em comunhão ou se fundir; nunca foram ensinadas a fazer isso. A arte do amor não lhe foi ensinada e todo mundo acha que sabe o que é amor. Você não sabe. Você só chegou aqui com o potencial para amar, mas sem conhecer a arte do amor.

Você nasceu com a capacidade de aprender línguas, mas alguém teve de lhe ensinar uma língua. Exatamente do mesmo modo, você nasceu com capacidade para amar, mas não nasceu com a arte do amor. Essa arte do amor tem de ser aprendida, tem de ser assimilada.

Mas o que está acontecendo é justamente o oposto: ensinaram a você a arte do medo, não a arte do amor. Ensinaram-lhe como odiar as pessoas. Os cristãos são ensinados a odiar os muçulmanos. Os muçulmanos são ensinados a odiar os judeus, os indianos são ensinados a odiar os paquistaneses. O ódio tem sido ensinado de muitas maneiras diferentes. O homem é ensinado a temer a mulher, a mulher é ensinada a temer o homem, e um dia, sem mais nem menos, vocês decidem se casar — e se casam com o inimigo! Aí começa todo o tumulto; a vida se torna simplesmente um pesadelo.

Se você está cansado da sua mulher, é porque não sabe penetrar na alma dela. Você pode saber penetrar no corpo dela, mas isso logo vai deixá-lo entediado porque será uma repetição. O corpo é uma coisa muito superficial. Você pode fazer amor com o corpo uma, duas, três vezes e se familiarizar perfeitamente com ele e com os seus contornos. Depois disso não há mais nada de novo. Então você começa a se interessar por outras mulheres; começa a achar que elas devem ter algo diferente do que a sua mulher tem, pelo menos por baixo das roupas você pode imaginar que elas tenham algo de diferente. Pode fantasiar com elas.

As roupas foram inventadas para dar suporte ao seu desejo sexual. Se uma mulher está nua não há muito com que fantasiar. É por isso que mulheres nuas não são tão atraentes; nem homens nus. Mas, quando um homem ou uma mulher estão escondidos por baixo das roupas, eles mexem com as suas fantasias. Você pode imaginar o que há por baixo das roupas, você pode voltar a usar a imaginação.

Agora você não pode mais fantasiar com a sua mulher; esse é o problema. Você pode fantasiar com a mulher do vizinho, ela parece atraente.

As pessoas se cansam da esposa ou do marido e isso acontece porque elas não são capazes de entrar em contato com a verdadeira alma do outro. Elas são capazes de entrar em contato com o corpo, mas fica faltando o contato com o coração, com o centro, com a alma. Depois que o casal aprende a entrar em contato com a alma do outro, quando eles se tornam de fato parceiros de alma, deixa de existir a monotonia, o tédio. Sempre existe algo de novo para descobrir no outro, porque todo ser humano é um infinito, e sua exploração nunca tem fim.

É por isso que eu digo que o Tantra deveria ser uma parte integrante da educação de todos os seres humanos. Toda escola, toda faculdade, toda universidade deveria ensinar o Tantra. Ele é a ciência sobre como entrar em contato com as almas, como chegar no âmago mais profundo da outra pessoa. Só num mundo que conhece a arte do Tantra essa monotonia, esse cansaço, vai deixar de existir; do contrário, ela vai continuar existindo. Você pode tolerar essa monotonia, pode sofrer com ela, pode se tornar um mártir por causa dela. Era assim que as pessoas viviam no passado — como mártires. Elas diziam, "O que fazer? É a minha sina. Talvez na próxima vida possamos escolher outra mulher ou outro homem, mas nesta vida perdemos a chance e nada pode ser feito a respeito. Há os filhos e milhares de outros problemas, o prestígio, a sociedade, a respeitabilidade..." Por isso elas sofriam e continuavam sendo mártires.

Agora as pessoas não estão mais dispostas a sofrer, por isso elas foram para o outro extremo. Agora elas são indulgentes com relação a todo tipo de sexo e mudam a toda hora de parceiro, embora isso também não lhes dê contentamento. Ninguém está contente, porque o x da questão é que, a menos que você se torne capaz de decodificar o mistério interior da sua mulher ou do seu homem, mais cedo ou mais tarde você se cansará, ficará entediado. Então, ou você se torna um mártir — suportando a situação, sofrendo, esperando que a morte o leve — ou começa a se satisfazer com outros parceiros. Mas seja o que for que tenha feito com essa mulher ou com esse homem, você voltará a fazer com o seguinte, e acabará se cansando do seguinte e de quem vier depois dele, e a sua vida toda será apenas uma troca de parceiros. Isso também não vai satisfazer você.

A não ser que você aprenda a arte do Tantra. O Tantra é um dos segredos mais importantes jamais descobertos. Mas ele é muito delicado, pois é a maior de todas as artes. Pintar é fácil, escrever poemas é fácil, mas entrar em comunhão com a energia do outro, uma comunhão dançante, é a maior arte que existe e a mais difícil de aprender.

O Tantra pode ensinar as pessoas a amar, a amar tão profundamente que o próprio amor se torna uma religião — a sua mulher um dia desaparece e no lugar você encontra Deus; o seu homem um dia desaparece e no lugar você encontra Deus; um dia, numa profunda comunhão, numa profunda experiência orgásmica, nesse êxtase por um instante ambos desaparecem e só resta Deus e nada mais.

Ao longo das eras você tem sido ensinado a ser contra o sexo e isso tornou você uma pessoa extremamente sexual. Agora esse paradoxo tem de ser compreendido. Se você quer entender, esse paradoxo tem de ser compreendido com muita profundidade e clareza: você se tornou sexual por causa de toda a condenação com relação ao sexo.

Eu ouvi falar de uma visita de J. P. Morgan à casa de Dwight Morrow. Esse grande banqueiro americano era conhecido, sobretudo, pelo enorme nariz de ponta avermelhada que o tornava incomparavelmente feio.

"Lembre-se, Anne", a sra Morrow disse à filha, "você não deve dizer uma palavra sobre o nariz do sr. Morgan. Não deve nem olhar muito para ele."

Anne prometeu, mas quando a visita chegou, a mãe, preocupada, ficou de sobreaviso. Anne era uma boa menina, mas a senhora Morrow não conseguia relaxar. Voltando-se para o banqueiro com um sorriso gracioso, Anne se preparou para servir o chá e disse, "Sr. Morgan, o senhor quer um ou dois torrões de açúcar no seu nariz?"

Isso é o que acontece com toda a humanidade: o sexo reprimido se tornou uma obsessão.

As pessoas acham que estou ensinando sexualidade — estou ensinando transcendência. O interesse pelo sexo é um interesse patológico criado pela repressão. Quando não houver mais repressão, esse interesse acabará. Então haverá um sentimento natural, que não é obsessivo, patológico. Tudo o que é natural é bom; esse interesse pelo sexo não é natural. E o problema é que esse interesse não-natural está sendo criado pelos sacerdotes, pelos políticos, pelos pretensos moralistas. Eles são os culpados. Fomentam esse interesse obsessivo e acham que estão ajudando a humanidade a transcender o interesse pelo sexo. Não estão! Estão deixando a humanidade num verdadeiro caos.

Se entender direito, você se surpreenderá com a experiência pela qual vai passar. Logo você perceberá que o sexo se tornou um fenômeno natural. E, por fim, quando as suas meditações se aprofundarem, quando você começar a tocar, cada vez mais, a alma do parceiro, o contato com o corpo começará a ficar cada vez menor. Chegará uma hora que não haverá mais sexualidade, ela terá tomado outra direção. A energia começará a fluir para cima. Trata-se da mesma energia; no degrau mais baixo ele é sexo, no mais alto é *samadhi*, é a supraconsciência.

Camelo, leão e criança: a jornada para se tornar humano

O ser humano não nasce perfeito. Ele nasce incompleto, nasce como um processo. Nasce na estrada, como um peregrino. Essa é a sua agonia e o seu êxtase também; agonia porque ele não pode descansar, tem de seguir adiante, tem sempre de seguir adiante. Tem de buscar e procurar e explorar. Tem de vir a ser, porque o seu ser só vem à tona por meio do devir. O devir é o seu ser. Ele só pode existir se estiver em movimento.

A evolução faz parte da natureza humana, a evolução é a própria alma do ser humano. E aqueles que tomam a si mesmos como um fato consumado, continuam insatisfeitos. Aqueles que acham que nasceram completos continuam involuídos. A semente continua sendo semente. Ela nunca se torna uma árvore e nunca conhece as alegrias da primavera, a luz do sol e a chuva e o êxtase da explosão em milhares de flores.

Essa explosão é a realização, essa explosão é do que se trata a existência — explodir em milhares de flores. Só quando o potencial se torna factual o ser humano se sente realizado. Ele nasce como um potencial; isso é exclusivo da humanidade. Todos os outros animais nascem completos, nascem como vão morrer. Não existe evolução entre o nascimento e a morte deles. Eles continuam no mesmo plano, nunca passam por nenhuma transformação. Nenhuma mudança radical acontece na vida deles. Eles seguem na horizontal, a vertical nunca os invade.

Se o ser humano também seguir na horizontal, ele perderá a sua humanidade e não se tornará uma alma. Quando o vertical penetra em você, você se torna uma alma. Ter uma alma significa que a vertical penetrou na horizontal. Ou, para ter um exemplo, você pode pensar na lagarta, no casulo e na borboleta.

O homem nasce na condição de larva. Infelizmente, muitos morrem nessa mesma condição, pouquíssimos se tornam lagartas. A larva é estática, ela não conhece o movimento, continua parada no mesmo ponto, num só lugar, num único estágio. Muito poucas pessoas crescem a ponto de se tornar lagartas. A lagarta começa a se mexer; entra em cena o dinamismo. A larva é extática, a lagarta se mexe. Com o movimento, a vida se agita. Outra vez, muitos continuam sendo lagartas; seguem na horizontal, no mesmo plano, na mesma dimensão. Raramente um ser humano dá o salto quântico final, como Buda — ou Rumi ou Jesus ou Kabir —, e vira borboleta. Então a vertical entra em cena.

A larva é extática; a lagarta se mexe, conhece o movimento; a borboleta voa, conhece as alturas, começa a subir. A borboleta cria asas; essas asas são o objetivo. A menos que você crie asas e torne-se um fenômeno alado, não terá alma.

A verdade é realizada em três estágios: assimilação, independência e criatividade. Lembre-se dessas três palavras, elas são extremamente seminais. Assimilação — essa é a função da larva. Ela simplesmente assimila comida, está se preparando para virar lagarta. Está se recompondo, ela é um reservatório. Quando a energia estiver pronta, ela se tornará uma lagarta. Antes de se movimentar, você precisará de uma grande dose de energia para se pôr em movimento. A lagarta é a assimilação, é completa; é o trabalho acabado.

Então começa o segundo estágio: a independência. A larva fica para trás. Agora não há mais por que ficar no mesmo lugar. Chegou a hora de explorar, chegou a hora da aventura. A vida de verdade começa com o movimento, começa com a independência. A larva continua dependente, uma prisioneira, acorrentada. A lagarta quebrou as correntes, começou a se mexer. O gelo derreteu, não está mais congelado. A larva está congelada. A lagarta é movimento, como um rio.

E, então, vem o terceiro estágio, o da criatividade. A independência em si não significa muito. Só porque você é independente, isso não significa que está realizado. É bom sair da prisão, mas para quê? Independência para quê? Liberdade para quê?

Lembre-se, a liberdade tem dois aspectos: primeiro, a "liberdade de" e, segundo, a "liberdade para". Muitas pessoas se atêm apenas ao primeiro tipo de liberdade: a "liberdade de" — livre dos pais, livre da Igreja, livre da empresa, livre disso ou daquilo, livre de todos os tipos de prisão. Mas para quê? Essa é uma liberdade negativa. Se você só conhece a "liberdade de", não conhece a liberdade verdadeira, você só conhece o aspecto negativo. O positivo ainda tem de ser conhecido — a liberdade para criar, a liberdade para ser, a liberdade para expressar, para cantar a sua canção, para dançar a sua dança. Esse é o terceiro estágio: a criatividade.

Então a lagarta passa a ser um fenômeno alado, um provador de mel; ela busca, descobre, explora, cria. Por isso a beleza da borboleta. Só as pessoas criativas são belas porque só as pessoas criativas conhecem o esplendor da vida: elas têm olhos para ver, ouvidos para ouvir e coração para sentir. Elas são cheias de vida, vivem no máximo. Estão sempre cheias de energia. Vivem intensamente, vivem plenamente.

Ou podemos usar a metáfora usada por Friedrich Nietzsche. Ele diz que a vida do homem pode ser dividida em três metamorfoses sucessivas do espírito. A primeira ele chama de "camelo"; a segunda, de "leão"; a terceira, de "criança". Metáforas extremamente profícuas, o camelo, o leão e a criança.

Cada ser humano tem de absorver e assimilar a herança cultural da sua sociedade — a sua cultura, a sua religião, a sua gente. Ele tem de assimilar tudo o que o passado disponibilizou. Tem de assimilar o passado; é isso o que Nietzsche chama de estágio do camelo. O camelo tem a capacidade de armazenar no seu corpo enormes quantidades de comida e água, para a sua extenuante jornada pelo deserto.

Essa é também a situação do ser humano — você tem de cruzar um deserto, tem de assimilar todo o passado. E, lembre-se, só memorizar não adianta nada; tem de assimilar. E lembre-se também: a pessoa que memoriza o passado só o memoriza porque *não consegue* assimilá-lo. Se assimila o passado, você fica livre dele. Você pode aproveitá-lo, mas ele não pode usar você. Você o possui, mas ele não possui você.

Depois que assimilou a comida, você não precisa se lembrar dela. Ela não tem uma existência separada de você: ela se tornou o seu sangue, os seus ossos, a sua medula; ela se tornou você. O passado tem de ser digerido. Não há nada de errado com o passado. Trata-se do seu passado. Você não precisa começar do bê-á-bá, porque, se cada pessoa tivesse de começar do bê-á-bá, não haveria muita evolução. É por isso que os animais não evoluem. O cachorro é igual ao que era milhões de anos atrás. Só o homem é um animal que evolui. De onde vem essa evolução? Ela acontece porque o ser humano é o único animal que pode assimilar o passado. Depois que o passado é assimilado, você fica livre dele. Você pode viver em liberdade e pode aproveitar o seu passado.

Você pode ficar sobre os ombros dos seus pais e dos seus avós e dos seus tataravós. Os homens continuam subindo nos ombros uns dos outros, por isso eles chegaram à altura que chegaram. Os cães não podem chegar a essa altura; os lobos não podem chegar; eles dependem de si mesmos. A altura que eles têm é a altura a que podem chegar. Na sua altura, Buda é assimilado, Cristo é assimilado, Patanjali é assimilado, Moisés, Lao-Tsé são assimilados. Quanto maior a assimilação, mais alto você sobe. Você pode olhar do alto de uma montanha; a sua visão é panorâmica.

Assimile mais. Você não precisa ficar confinado ao seu próprio povo. Assimile todo o passado de todos os povos da terra; seja um cidadão do planeta terra. Não há necessidade de ficar confinado aos cristãos, aos hindus e aos muçulmanos. Assimile tudo! O Alcorão é seu, a Bíblia é sua, assim como o Talmude, os Vedas e o Tao Te Ching — todos são seus. Assimile tudo e quanto mais assimilar mais alto será o cume de onde você poderá olhar ao longe; e terras distantes e paisagens distantes passarão a ser suas.

É isso o que Nietzsche chama de estágio do camelo. Mas não se detenha nele. É preciso seguir adiante. O camelo é a larva, o camelo é aquele que acumula provisões. Se você ficar parado nesse estágio e continuar a ser um camelo para sempre, não conhecerá as belezas e as bem-aventuranças da vida. Você nunca conhecerá o divino. Continuará preso ao passado.

O camelo pode assimilar o passado, mas não pode aproveitá-lo. Chega uma hora que o camelo tem de se tornar leão. Segundo Nietzsche, "O leão segue em frente para destruir o gigantesco monstro conhecido como *Tu não deves...*". O leão, no homem, ruge contra toda autoridade.

O leão é uma reação, uma rebelião contra o camelo. Você começa a descobrir a sua própria luz interior como a fonte suprema de todos os valores autênticos. Toma consciência da sua obrigação básica com relação à sua própria criatividade interior, com o seu potencial oculto interior.

Alguns poucos continuam presos ao estágio do leão: continuam rugindo e rugindo até ficar exaustos de tanto rugir. É bom se tornar um leão, mas a pessoa ainda tem de dar mais um salto — e esse salto é se tornar a criança.

Ora, todo mundo já foi criança. Mas aqueles que sabem, eles dizem que a primeira infância é uma falsa infância. É como a primeira dentição: eles parecem dentes de verdade, mas não são; têm de cair. Então os dentes verdadeiros nascem. A primeira infância é uma infância falsa, a segunda infância é que é verdadeira. Essa segunda infância é chamada de estágio da criança ou estágio do sábio — significa a mesma coisa. A menos que você se torne absolutamente inocente, livre do passado, a ponto de não ser nem mesmo contra ele... Lembre-se, a pessoa que ainda é contra o passado não é realmente livre. Ela ainda tem alguns ressentimentos, algumas queixas, algumas feridas. O camelo ainda a assombra, a sombra do camelo ainda a persegue. O leão está ali, mas ainda tem um certo medo do camelo; teme que ele possa voltar. Quando o medo do camelo passa por completo, o rugido do leão cessa. E nasce a canção da criança.

O estado do camelo é o estado da assimilação. O camelo não sabe dizer "Não". Obediência, crença — essas são as características do estado chamado camelo. Adão estava nesse estado antes de comer o fruto da Árvore do Conhecimento, e todo ser humano passa por esse estado.

Esse é um estado anterior à mente e anterior ao eu. Não existe mente ainda. A mente está se desenvolvendo, mas ainda não é um fenômeno completo; ela é muito vaga, ambígua, sombria, nebulosa. O eu está surgindo, mas ainda está se formando; ainda não tem definições bem claras. A criança ainda não se vê como algo separado. Adão, antes de comer o fruto, era uma parte do divino. Ele estava no útero, era obediente, só dizia "Sim", mas não era independente. A independência só entra pela porta do "Não"; pela porta do "Sim", só a dependência. Por isso, nesse estágio do camelo, existe dependência, impotência. O outro é mais importante do que o seu próprio ser; Deus é mais importante, o pai é mais importante, a mãe é mais importante, a sociedade é mais importante. O sacerdote é mais importante, o político é mais importante. Com exceção de você, todo mundo é importante; o *outro* é importante, você ainda não existe. Trata-se de um estado extremamente inconsciente. A maioria das pessoas está estagnada nele; continua sendo camelo. Quase 99% das pessoas continuam sendo camelos.

Essa situação é lamentável — 99% dos seres humanos continuam sendo camelos, larvas. É por isso que existe tanto sofrimento e nenhuma alegria. Você pode continuar buscando alegria e não vai encontrar, porque a alegria não é algo que você receba lá de fora. A menos que se torne uma criança — atinja o terceiro estágio —, a menos que se torne borboleta, você não saberá o que é alegria. A alegria não é algo que se consiga lá fora, ela é uma visão que surge dentro de você. Trata-se de algo que só é possível no terceiro estágio.

O primeiro estágio é o do sofrimento e o terceiro é o da bem-aventurança, e entre os dois está o estágio do leão, que às vezes é infeliz e às vezes é bem-aventurado, às vezes é doloroso e às vezes é agradável.

No estágio do camelo você é um papagaio. Você é só lembranças e nada mais. Toda a sua vida consiste em crenças transmitidas pelos outros. É onde você encontrará os cristãos, os muçulmanos, os hindus, os jainistas e os budistas. Vá às igrejas, aos templos e às mesquitas e você encontrará grandes concentrações de camelos. Você não encontrará um único ser humano. Tudo o que fazem é repetir, como papagaios. Ainda não saíram da inconsciência, estão mergulhados no sono.

E lembre-se, não estou dizendo que esse estágio não seja necessário; ele é, mas depois de concluído é preciso sair dele. Não estamos aqui para ser camelos para sempre.

E não fique zangado com os seus pais, com os professores, com os sacerdotes ou com a sociedade, pois eles precisam cultivar uma certa obediência em você; só por meio da obediência você conseguirá assimilar. O pai tem de ensinar, a mãe tem de ensinar e a criança tem simplesmente que absorver o que é ensinado. Se a dúvida surgir precocemente, a assimilação será interrompida.

Basta pensar numa criança no útero materno que comece a duvidar; ela morrerá! Ficar em dúvida se deve se nutrir do alimento da mãe ou não, se o alimento é realmente nutritivo ou não: "Quem sabe? Pode estar envenenado!" Ela não sabe se deve dormir 24 horas por dia ou não, pois é tempo demais, dormir 24 horas ininterruptas, durante nove meses. Se a criança passar a ter a mais leve dúvida, essa própria dúvida a levará à morte.

Mesmo assim, chegará o dia em que a dúvida terá de ser assimilada, aprendida. Cada coisa tem o seu tempo certo. No primeiro estágio, todo mundo tem de ser camelo, alguém que só diz "Sim", que acredita em tudo o que lhe dizem — assimilando, digerindo. No entanto, esse é só o começo da jornada, não é o fim.

O segundo estágio é difícil. O primeiro estágio, a sociedade lhe dá; é por isso que existem milhões de camelos e muito poucos leões. A sociedade o abandona quando você vira um camelo perfeito. Depois disso, ela não pode fazer mais nada. É nesse ponto que o trabalho da sociedade acaba — o trabalho da escola, da faculdade, da universidade. Ela faz de você um camelo perfeito... com um diploma na mão!

O leão você tem de se tornar por si mesmo, lembre-se. Se não decidir se tornar um leão, você nunca se tornará um. Esse risco tem de ser tomado pelo indivíduo. Trata-se de um jogo de azar. E é muito perigoso também, pois, ao virar um leão, você passa a incomodar todos os camelos à sua volta. Os camelos são animais amantes da paz; eles estão sempre dispostos a fazer concessões. Não querem ser perturbados, não querem nada novo acontecendo neste mundo, pois tudo o que é novo perturba. Eles são contra os revolucionários e os rebeldes; perceba, nada de coisas grandiosas, nada de Sócrates e de Cristo, que causam grandes revoluções. Os camelos têm receio de coisas tão pequenas que você nunca deixará de se surpreender.

Os leões não são bem-vindos. A sociedade cria todo tipo de dificuldade para os leões. Os camelos têm medo dessas pessoas. Elas os tiram da sua comodidade, perturbam o seu sono, dão preocupação. Instigam nos camelos o desejo de se tornar leões — esse é o verdadeiro problema.

O primeiro, o estado do camelo, é proporcionado pela sociedade. O segundo estado tem de ser atingido pelo indivíduo. Ao atingi-lo, você passa a ser um indivíduo, você se torna único. Deixa de ser um conformista, deixa de fazer parte de uma tradição. O casulo é descartado; você vira lagarta e começa a se mexer.

O estado do leão tem as seguintes características: independência; capacidade de dizer "Não"; desobediência; rebelião contra o outro, contra a autoridade, contra o dogma, contra as escrituras, contra a Igreja, contra o poder político, contra o Estado. O leão é contra tudo! Ele quer demolir tudo e criar um mundo inteiramente renovado, mais próximo do desejo do coração. Ele tem grandes sonhos e utopias na cabeça. Parece louco aos olhos dos camelos, pois os camelos vivem no passado e o leão começa a viver no futuro.

Surge uma grande lacuna. O leão anuncia o futuro e o futuro só pode chegar se o passado for destruído. O novo só pode vir à luz se o velho deixar de existir e der espaço para o novo. O velho tem de morrer para o novo nascer. Existe, assim, uma luta constante entre o leão e o camelo, e os camelos são a maioria. O leão acontece de vez em quando, ele é uma exceção, e a exceção só prova a regra.

A descrença é uma característica dele, a dúvida é uma característica dele. Adão come o fruto da Árvore do Conhecimento — nasce a mente, o eu passa a ser um fenômeno definido. O camelo não é egocêntrico, o leão é muito egocêntrico. O camelo nada conhece sobre o ego, o leão só conhece o ego. É por isso que você sempre encontrará revolucionários, rebeldes — poetas, pintores, músicos — extremamente egocêntricos. Eles são boêmios. Vivem a vida, fazem o que gostam. Não dão a mínima para os outros. Querem que os outros vão para o inferno! Não fazem mais parte de nenhuma estrutura, ficaram livres das estruturas. O movimento, o rugido do leão, tende a ser egocêntrico. Eles precisam de um grande ego para entrar nisso.

Todo indivíduo tem de aprender sobre o ego antes de poder descartá-lo. Todo indivíduo tem de conquistar um ego bem cristalizado; só então adianta descartá-lo; do contrário, não adianta nada.

O primeiro estado, o do camelo, é inconsciente. O segundo estado, o do leão, é subconsciente — está um pouco acima do inconsciente. Uns poucos vislumbres do consciente começaram a ocorrer. O sol está nascendo e alguns raios estão invadindo o cômodo escuro onde você dorme. O inconsciente não é mais totalmente inconsciente. Alguma coisa se agita no inconsciente; tornou-se subconsciente. Mas, lembre-se, a mudança não é tão grande — do camelo para o leão — como vai ser do leão para a criança.

A mudança é um tipo de inversão. O camelo fica de ponta-cabeça e se torna o leão. O camelo diz “Sim”, o leão diz “Não”. O camelo obedece, o leão desobedece. O camelo é positivo, o leão é negativo. É preciso entender que o camelo disse “Sim” por vezes demais e tem de continuar se negando a dizer “Não”; o “Não” vai se acumulando; e chega o ponto em que o “Não” quer se desforrar do “Sim”. A parte negada quer tirar a desforra. Então a roda toda gira — o camelo fica de ponta-cabeça e se torna o leão.

A diferença entre o camelo e o leão é grande, mas ambos existem no mesmo plano. O casulo fica parado num só lugar; a lagarta começa a se mexer, mas na mesma terra. Surge o movimento, mas o plano é o mesmo. A primeira coisa é concedida pela sociedade: o fato de você ser um camelo é uma dádiva da sociedade. Ser um leão é uma dádiva que você concede a si mesmo. A menos que se ame, você nunca será capaz de fazer isso. A menos que queira se tornar um indivíduo, único por direito próprio, a menos que assuma o risco de ir contra a corrente, você não será capaz de se tornar um leão.

Mas, se você entender o mecanismo, no próprio âmago do camelo que o leão é criado. Se passa a vida inteira dizendo "Sim" e negando o "Não", o "Não" começa a se acumular. E chega um dia em que a pessoa fica cheia de dizer "Sim"; só para mudar ela quer dizer "Não". A pessoa se farta do positivo, o sabor do "Sim" fica monótono; só para mudar ela quer provar o "Não".

É assim que o camelo, pela primeira vez, começa a sonhar com o leão. E depois que provou o "Não" — a dúvida, a descrença —, você não consegue mais ser camelo, pois isso traz uma enorme liberdade, uma enorme libertação.

A grande maioria está estagnada no estágio do camelo; a minoria está estagnada no estágio do leão. A maioria significa as massas e a minoria significa a *intelligentsia*. O artista, o poeta, o pintor, o músico, o pensador, o filósofo, o revolucionário — eles estão estagnados no segundo estágio. Estão bem melhor que os camelos, mas o objetivo ainda não foi atingido. Eles não chegaram em casa. O terceiro estágio é o da "criança".

Ouça com atenção: o primeiro estágio é concedido pela sociedade, o segundo o indivíduo concede a si mesmo. O terceiro só é possível quando a lagarta está perto de se tornar borboleta; do contrário, não é possível. Como a lagarta poderá um dia pensar que ela pode voar com as suas próprias asas, que ela pode se tornar uma criatura alada? Não é possível! Não dá nem para imaginar! É um absurdo, não tem lógica. A lagarta sabe se mover, mas a idéia de voar é absurda.

Ouço borboletas dizendo a lagartas que elas podem voar, mas elas negam, dizendo, "Não, pode ser possível para você, mas não para nós. Você é uma borboleta, nós somos lagartas! Só sabemos rastejar". E quem só sabe rastejar como pode se imaginar voando? Essa é uma dimensão diferente, uma dimensão totalmente diferente — a dimensão vertical.

Do camelo para o leão, é uma evolução. Do leão para a criança, é uma revolução. O primeiro estágio, do camelo, era dependência; o segundo estágio era independência; mas na inocência a pessoa descobre que não existe nem dependência nem independência. A vida é interdependência — todos somos dependentes uns dos outros. Somos todos uma coisa só.

Surge o senso do todo: nem o "Eu" nem o "Você". Nenhuma fixação no "Sim" ou no "Não". Nenhuma obsessão nem para dizer sempre "Sim" nem para dizer sempre "Não". Há mais fluidez, mais espontaneidade; nem obediência nem desobediência, mas espontaneidade. Nasce a responsabilidade. A pessoa responde à existência, não reage ao passado e não reage ao futuro.

O camelo vive no passado, o leão vive no futuro.

A criança vive no presente, no aqui e agora.

O camelo é pré-mental, o leão é mental, a criança é pós-mental, ou não-mental.

O camelo é pré-egóico, o leão é egóico, a criança é pós-egóica, ou não-egóica.

A criança simplesmente *é* — inefável, indefinível, um mistério, uma maravilha.

O camelo tem memória, o leão tem conhecimento e a criança tem sabedoria. O camelo ou é cristão ou é hindu ou é muçulmano, é teísta; o leão é ateísta e a criança é religiosa — nem teísta nem ateísta, nem hindu nem muçulmana nem cristã nem comunista — só uma simples religiosidade, a qualidade do amor e da inocência.

Vertical e horizontal: a jornada pelas profundezas do agora

A mente resulta do passado; a consciência nunca resulta do passado — a consciência é fruto deste momento. Mente é tempo, e consciência é eternidade.

A mente segue de momento em momento no plano horizontal. Ela é como um trem: muitos compartimentos seguindo juntos, passado e futuro como um trem; muitos compartimentos seguindo juntos num plano horizontal. A consciência é vertical; ela não vem do passado nem vai para o futuro. Neste momento ela mergulha verticalmente nas profundezas ou sobe verticalmente para as alturas.

É isso que significa Cristo na cruz, e os cristãos não souberam interpretar esse significado. A cruz nada mais é do que uma representação, um símbolo, de duas linhas se encontrando: a vertical e a horizontal. As mãos de Cristo abriam-se para a horizontal. Todo o seu ser, com exceção das mãos, está na vertical. Qual o significado? O significado é: a ação está no tempo; o ser está além do tempo. As mãos simbolizam a ação. Jesus é crucificado com as mãos na horizontal, no tempo.

A ação está no tempo. Pensar é uma ação: é uma ação da mente. Isso também está no tempo. Será bom saber que as mãos são a parte mais exterior do cérebro. Elas são uma coisa só, a mente e a mão; a cabeça está ligada às mãos. O seu cérebro tem dois hemisférios: o direito está ligado à mão esquerda, e o esquerdo está ligado à mão direita. As suas mãos são as extensões da mente em direção ao mundo, as extensões da mente em direção à matéria, pois a mente também é uma forma sutil de matéria.

Toda ação, física ou mental, está no tempo.

O seu ser é vertical. Ele mergulha nas profundezas; ele se alça às alturas, não se move lateralmente.

Quando julga uma coisa, por exemplo, você se identifica cada vez mais com a horizontal, porque como pode julgar? Para fazer um julgamento, o passado é necessário. Como você pode julgar algo sem trazer o passado à tona? Como irá julgar? De onde virão os critérios?

Você diz que um rosto, em particular, é bonito. Como pode julgar? Você sabe o que é beleza? Como pode julgar um rosto bonito? Você já conheceu muitos rostos; já ouviu muitas pessoas falando de um rosto bonito. Já leu sobre eles nos romances, já os viu nos filmes; já formou uma idéia, no passado, de como a beleza é. É uma idéia vaga, você não consegue defini-la. Se alguém insistir, você não saberá o que dizer. É uma noção muito vaga, como uma nuvem. Então você diz, "Este rosto é bonito". Como pode saber? Você está recorrendo à sua experiência anterior, comparando esse rosto com a vaga noção de beleza que você adquiriu ao longo da sua experiência.

Se você não recorrer ao passado, então acontecerá uma qualidade de beleza completamente diferente. Ela não será um julgamento; não virá da mente. Não será imposta. Não será uma interpretação. Será simplesmente uma partilha com esse rosto, aqui e agora; uma profunda partilha com esse mistério, com essa pessoa, aqui e agora. Nesse momento a pessoa não é nem bonita nem feia; todos os julgamentos desaparecem. Um mistério insondável se instaura, inominado, imponderado — e só nesse momento imponderado o amor de fato floresce.

O amor não é possível com a mente. Com a mente o sexo é possível; com a mente a ação é possível, e a sexualidade é um ato. O amor não é um ato; é um estado do ser, é vertical. Quando você olha para uma pessoa e partilha sem julgamento — da feiúra ou da beleza, do bem ou do mal, do pecador ou do santo —, quando você não julga, só olha nos olhos sem julgamento, acontece de repente um encontro, uma fusão de energias. Essa fusão é bela. Essa beleza é totalmente diferente de todas as belezas que você já conheceu. Você conheceu a beleza da forma; essa é a beleza do informe. Você conheceu a beleza do corpo; essa é a beleza da alma. Você conheceu a beleza da periferia; essa é a beleza do centro. Esta dura para sempre.

Se isso acontece com uma pessoa, pouco a pouco o mesmo fenômeno torna-se cada vez mais possível com as coisas também. Você olha uma flor sem julgamento e de repente o âmago da flor se abre para você; há um convite. Quando você não julga, existe um convite. Quando julga, a flor também se fecha porque no julgamento está o inimigo. No julgamento está o crítico, não alguém que ama. No julgamento está a lógica, não o amor. No julgamento está a superficialidade, não a profundidade. A flor simplesmente se fecha. E, quando eu digo que ela simplesmente se fecha, isso não é uma metáfora, acontece justamente isso.

Você se aproxima de uma árvore e a toca. Se a tocar com julgamento, a árvore não se mostra acessível. Se tocá-la sem nenhum julgamento, apenas senti-la sem deixar que a mente interfira, abraçá-la e sentar-se junto dela — subitamente uma árvore muito comum se torna uma árvore Bodhi. Compaixão infinita flui dela para você. Você será envolvido. A árvore partilhará com você muitos segredos.

Assim é possível mergulhar no âmago profundo até das rochas. Quando um buda toca uma rocha, ela deixa de ser uma rocha. Ela ganha vida; passa a ter um coração pulsando dentro dela. Quando você julga, mesmo que toque uma pessoa, ela será uma rocha, algo sem vida. O seu toque embota tudo, porque ele encerra o julgamento, é o toque de um inimigo, não de um amigo.

Se isso acontece com coisas comuns, imagine o que acontece quando você atinge estágios mais elevados de ser e de consciência?

A mente está sempre no passado ou no futuro. Ela não pode ficar no presente, é absolutamente impossível que a mente fique no presente. Se você está no presente, a mente não existe mais, porque mente significa pensar. Como você pode pensar no presente? Você pode pensar no passado, ele já se tornou parte da memória, a mente pode refletir sobre ele. Você pode pensar no futuro; ele ainda não existe, a mente pode sonhar com ele. A mente pode fazer essas duas coisas. Ou ela vai para o passado, onde existe espaço suficiente para ela circular — no enorme espaço do passado; você pode continuar indo, indo, indo. Ou a mente pode avançar rumo ao futuro — outro espaço enorme, que não tem fim; você pode imaginar, imaginar e sonhar. Mas como é que a mente pode imaginar no presente? Não há espaço para que ela faça nenhum movimento.

O presente é só uma linha divisória; isso é tudo. Não existe espaço nenhum ali; ele separa o passado do futuro; é só uma linha divisória. Você pode *estar* no presente, mas não pode pensar; para pensar, é preciso espaço. Os pensamentos precisam de espaço, eles são como coisas. Lembre-se — os pensamentos são coisas sutis, eles são materiais; os pensamentos não são espirituais, porque a dimensão do espiritual só começa quando não há pensamentos. Os pensamentos são coisas materiais, muito sutis, e tudo o que é material precisa de espaço. Você não consegue ficar pensando no presente; no momento em que começa a pensar, já é passado.

Você vê o sol nascendo; você vê o sol e diz, "Que lindo o sol nascente!" Isso já é passado. Quando o sol está nascendo não há espaço suficiente para dizer "Que lindo!", porque, no momento em que você pronuncia essas duas palavras — "Que lindo!" —, a experiência já se tornou passado, a mente já a conhece na memória. Mas, no momento exato em que o sol está nascendo, exatamente quando ele está subindo no horizonte, como você pode pensar? O que você pode pensar? Você pode *estar* como sol nascente, mas não pode pensar. Para *você* há espaço suficiente, mas não para os pensamentos.

Uma linda flor no jardim e você diz, "Uma linda rosa!" Agora você não está mais com a rosa nesse momento; já é uma lembrança. Quando a flor está lá e você também está, um está presente para o outro, como você pode pensar? O que você vai pensar? Como o pensamento é possível? Não há espaço para ele. O espaço é tão pequeno — na verdade, não há espaço nenhum — que você e a rosa não podem nem existir como duas coisas separadas, pois não há espaço suficiente para duas coisas, só para uma.

É por essa razão que, quando está profundamente presente, você é a flor e a flor se torna você. Você é também um pensamento, a flor é também um pensamento na mente. Quando não existe pensamento, quem é a flor e quem é que está observando? O observador se torna a coisa observada. De repente as fronteiras desaparecem. De repente você entrou na flor e a flor entrou em você. De repente vocês deixam de ser duas coisas separadas, existe uma coisa só.

Se começa a pensar, vocês voltam a ser duas coisas diferentes. Se você não pensa, onde fica a dualidade? Quando você existe com a flor, sem pensar, acontece um diálogo, não um "duólogo", mas um diálogo. Quando você existe com o ser amado, acontece um diálogo, não um "duólogo", porque não existem dois seres ali. Quando se senta ao lado da pessoa amada, segura a mão dela, você simplesmente existe. Você não pensa nos dias que se passaram e não voltam mais; não pensa no futuro que vem pela frente — você está aqui, agora. E é tão bonito estar aqui e agora, é tão intenso! Nenhum pensamento pode invadir essa intensidade. E estreito é o portão, estreito é o portão do presente. Duas coisas não podem passar por ele ao mesmo tempo, só uma. No presente, é impossível pensar, é impossível sonhar, porque sonhar nada mais é que pensar em quadros. Ambos são coisas, ambos são materiais.

Quando está no presente sem pensar, você pela primeira vez é espiritual. Uma nova dimensão se abre, essa dimensão é a consciência. Como as pessoas não conhecem essa dimensão, Heráclito diz que elas estão dormindo, não estão conscientes. Consciência significa estar tão plenamente no presente que não existe movimento nem para o passado nem para o futuro — deixa de existir qualquer movimento. Isso não significa que você fica estático. Um outro movimento começa, um movimento em profundidade.

Existem dois tipos de movimento. Esse é o significado de Jesus na cruz: ele mostra dois movimentos, uma encruzilhada. Um movimento é linear: você segue numa linha, vai de uma coisa a outra, de um pensamento a outro, de um sonho a outro; de A você vai para B, de B vai para C, de C vai para D. É desse jeito que você se movimenta — numa linha, na horizontal. Esse é o movimento do tempo; esse é o movimento da pessoa que dorme profundamente. Você é como um trem, vai e volta, sempre nos trilhos. Você vai de B para A ou pode ir de A para B, o trilho está sempre no mesmo lugar. Existe um outro tipo de movimento que está numa dimensão totalmente diferente. Esse movimento não é horizontal, é vertical. Você não vai de A para B, de B para C; você vai de A para um A mais profundo; de A1 para A2, daí para A3 e então para A4; vai cada vez mais fundo ou cada vez mais alto.

Quando o pensamento cessa, começa esse novo movimento. Agora você mergulha cada vez mais fundo, num fenômeno como que abissal. As pessoas que meditam profundamente acabam chegando a esse ponto; então ficam com medo porque sentem como se um abismo se abrisse sob os seus pés — quando fica sem chão, você sente vertigem, fica com medo. Prefere se agarrar ao antigo movimento, porque ele é conhecido; esse movimento abissal é como a morte. Esse é o significado de Jesus na cruz: é a morte. Ir do horizontal para o vertical é morte; essa é a verdadeira morte. Mas só é morrer por um lado, por outro é ressurreição. É morrer para poder nascer; é morrer para uma dimensão e nascer para outra. Na horizontal, você é Jesus. Na vertical, você passa a ser o Cristo.

Se salta de um pensamento para outro, você fica nos domínios do tempo. Se mergulha no momento, não no pensamento, você mergulha na eternidade. Não fica estático; nada é estático neste mundo, nada pode ser estático — mas esse é um novo movimento, um movimento sem motivação.

Lembre-se destas palavras: na linha horizontal, você se move por uma motivação. Você tem de conquistar algo — dinheiro, prestígio, poder ou Deus, mas tem de conquistar alguma coisa; existe uma motivação. Movimento motivado significa sono.

Movimento desmotivado significa consciência — você se movimenta porque o movimento é agradável, porque movimento é vida, porque vida é energia e energia é movimento. Você se movimenta porque energia é prazer — por nenhuma outra razão. Não existe nenhuma outra meta, você não está em busca de nenhuma realização. Na verdade, você não está indo a lugar nenhum, não está nem sequer "indo". Está simplesmente se deliciando na energia. Não existe nenhum objetivo exterior ao movimento em si; o movimento tem o seu próprio valor intrínseco, não tem valor extrínseco. Alguém como Buda vive, alguém como Heráclito vive, eu estou aqui vivendo, respirando — mas com um tipo diferente de movimento, desmotivado.

Alguém me perguntou alguns dias atrás, "Por que você ajuda as pessoas na meditação?"

Eu disse a essa pessoa, "Esse é o meu prazer. Não faço por nenhuma razão especial; simplesmente gosto". É como a pessoa que gosta de plantar flores no jardim e esperá-las crescer — quando você floresce, eu fico satisfeito. É como a jardinagem. Quando alguém floresce é uma delícia. E eu compartilho. Não existe nenhum objetivo nisso. Se você não conseguir, não vou ficar frustrado. Se você não florescer, tudo bem, porque o florescimento não pode ser forçado. Você não pode abrir um botão na marra — você pode, mas vai matá-lo. Pode até parecer um florescimento, mas na verdade não é.

O mundo inteiro avança, a existência avança, rumo à eternidade; a mente avança no tempo. A existência vai cada vez mais fundo e mais alto, e a mente vai para trás e para a frente. A mente se movimenta na horizontal, que é sono. Se você consegue se movimentar na vertical, isso é consciência.

Fique no momento. Traga todo o seu ser para o presente. Não deixe que o passado interfira nem deixe que o futuro entre em cena. O passado não existe mais, está morto. E, como diz Jesus, "Deixem que os mortos enterrem seus mortos". O passado não existe mais! Por que você está preocupado com ele? Por que vive remoendo o que já aconteceu? Você está louco? Ele não existe mais; existe só na sua cabeça, só na sua memória. O futuro não existe ainda. O que você está fazendo aí, pensando no futuro? Se não existe ainda, como você pode ficar pensando nisso? Como pode fazer planos para o futuro? Independentemente dos planos que você faça, isso não vai se concretizar e você ficará frustrado, porque o todo tem os seus próprios planos. Para que tentar fazer planos que contrariam os planos dele?

A existência tem os seus próprios planos, ela é mais sábia do que você — o todo tem de ser mais sábio do que a parte. Por que você está fingindo que é o todo? O todo tem o seu próprio destino, a sua própria plenitude. Para que se incomodar com ele? E seja lá o que você faça será pecado, porque você deixará passar o momento — este momento. E se isso se tornar um hábito, como de fato acontece; se você começar a não prestar atenção ao momento presente, isso se torna uma maneira habitual — então, quando o futuro chegar, novamente você vai deixar de vivê-lo, porque ele já não será futuro, será presente. Ontem você estava pensando no dia de hoje porque era futuro; agora é hoje e você está pensando no amanhã e, quando o amanhã chegar, será novamente hoje —, porque qualquer coisa que exista aqui e agora não pode existir de outro modo. E se você tem um modo fixo de viver, no qual a sua mente vive de olho no futuro, então quando você vai viver? O amanhã nunca chega. Você continuará deixando de percebê-lo, e isso é pecado. Esse é o significado da raiz hebraica do verbo "pecar". No momento em que o futuro entra em cena, o tempo também entra. Você pecou contra a existência, não aproveitou o momento. E esse se tornou um padrão fixo: como um robô, você continua deixando o presente passar em brancas nuvens.

Aprenda um novo tipo de movimento, de modo que você possa avançar rumo à eternidade, não no tempo. O tempo é o mundo e a eternidade é o divino; horizontal é a mente, vertical é consciência. As duas se encontram num certo ponto — que é onde Jesus é crucificado. Ambas se encontram, a horizontal e a vertical, num ponto, e esse ponto é aqui e agora. Partindo do aqui e agora você pode empreender duas jornadas: uma jornada no mundo, no futuro; a outra jornada rumo à pura consciência, rumo às profundezas. Fique cada vez mais consciente, cada vez mais alerta e sensível ao presente.

Como é possível? — porque você está dormindo tão profundamente que pode fazer essa sensibilidade ao presente um sonho também. Pode fazer disso um objeto do pensamento, um processo do pensamento. Pode ficar tão tenso por causa disso que, só por causa dessa tensão, não consegue ficar no presente. Se você pensar muito em como ficar no presente, esse pensamento não ajudará em nada. Se às vezes voltar ao passado, sentirá culpa — e com certeza voltará — esse é um hábito muito antigo. Haverá ocasiões em que começará a pensar no futuro — na mesma hora se sentirá culpado por ter pecado outra vez.

Não se culpe; entenda que pecou, mas não se sinta culpado — e essa é uma situação extremamente delicada. Se se sentir culpado, estragará tudo. Agora o antigo padrão volta a operar, de outra maneira: agora você se sente culpado porque deixa passar o presente. Agora está pensando no passado, porque esse presente que deixou passar não é mais presente; é passado e você se culpa por causa disso — ainda está deixando o presente passar!

Portanto, lembre-se de uma coisa: sempre que se pegar pensando no passado ou no futuro, não faça uma tempestade por causa disso! Volte simplesmente para o presente, sem criar nenhum problema. Não faz mal! Traga simplesmente a percepção de volta. Você fará isso milhões de vezes; não vai acontecer agora, imediatamente. *Pode* acontecer, mas pode não acontecer graças ao seu esforço. Trata-se de um modo de comportamento que se fixou há muito, mas muito tempo e você não vai conseguir mudar já. Mas não se preocupe, a existência não tem pressa; a eternidade pode esperar eternamente. Não se preocupe com isso.

Sempre que perceber que se afastou do presente, volte e ponto final. Não se sinta culpado; esse é um truque da mente, agora ela está novamente fazendo um joguinho. Não repita, "Esqueci outra vez!" Assim que pensar isso, volte a prestar atenção ao que está fazendo — se estiver tomando banho, volte a atenção para o banho; se estiver comendo, volte a atenção para a comida; se saiu para fazer uma caminhada, volte. No momento em que sentir que não está aqui e agora, volte a atenção para o presente — com simplicidade e inocência. Não pense em se culpar. Se se sentir culpado, você perde o ponto principal.

Existe o "pecado", mas não existe culpa, essa é a sua maior dificuldade; se percebe que há alguma coisa errada, você logo se sente culpado. A mente é muito astuta. Se começa a sentir culpa, o jogo começa novamente; começa num outro plano, mas trata-se do mesmo jogo de sempre. As pessoas me procuram e dizem, "Continuamos esquecendo". Estão tão tristes quando me dizem: "Vivemos esquecendo. Tentamos, mas nos lembramos apenas por alguns segundos. Ficamos alertas, atentos ao que se passa conosco, mas aí já era... o que fazer?"

Não há nada a fazer. Não é uma questão de fazer alguma coisa. O que você pode fazer? A única coisa que pode ser feita é não se culpar. Simplesmente volte ao momento presente.

Quanto mais você faz isso — simplesmente se lembrar, não com preocupação, fazendo um grande esforço, mas com simplicidade e inocência, sem fazer disso um problema — porque a eternidade não tem problemas. Todos os problemas existem no plano horizontal; esse problema também existe no plano horizontal. O plano vertical não sabe o que é problema, ele é puro deleite; sem nenhuma ansiedade, sem nenhuma angústia, sem nenhuma preocupação, nenhuma culpa, nada. Seja simples e volte ao presente.

Você se afastará do presente muitas vezes, isso é garantido. Mas não se preocupe com isso, é assim mesmo. Você fará isso muitas vezes, mas isso não é o mais importante. Não dê muita atenção ao fato de perder contato com o presente muitas vezes, preste mais atenção ao fato de restabelecer esse contato muitas vezes. Lembre-se disso. A ênfase não deve recair sobre o número de vezes em que perdeu o contato, mas nas tantas vezes que o restabeleceu. Sinta-se feliz com isso. Você perde contato várias vezes, é claro, é inevitável. Você é humano, viveu no plano horizontal muitas vidas, portanto é natural. O bonito é que muitas vezes você o restabeleceu. Você fez o impossível; sinta-se feliz com isso!

Em 24 horas, você perdeu contato com o presente 24 mil vezes, mas o restabeleceu 24 mil vezes! Agora um novo comportamento começará a vigorar. Tantas vezes você voltou para casa que uma nova dimensão está surgindo, um pouco a cada dia. Você será cada vez mais capaz de ficar no tempo consciente e diminuirão as suas idas e vindas. O intervalo entre os avanços e retrocessos no tempo será cada vez menor. Você se esquecerá do presente cada vez menos e se lembrará de voltar a ele cada vez mais — estará entrando na vertical. Um dia, de repente, a horizontal desaparece. A consciência se intensifica e a horizontal desaparece.

É por isso que o Shankara, o Vendanta e os hindus chamam este mundo de ilusório — porque, quando a consciência se torna perfeita, este mundo, este mundo que você criou com a mente, simplesmente desaparece. Um outro mundo se revela a você.

Posfácio

A palavra "entender" é extraordinária. Quando você está em meditação, tudo fica "abaixo" de você e você fica bem "acima". Esse é o significado do entendimento. Tudo fica distante, muito abaixo, e você consegue enxergar... você tem a visão dos pássaros. Pode ver o todo de uma certa altitude. O intelecto não é capaz disso; ele está no mesmo plano. O entendimento só acontece quando o problema está num plano e você está em outro mais elevado. Se você está no mesmo plano que o problema, o entendimento não é possível. Você só entenderá mal. E esse é um dos maiores problemas que enfrenta todo buscador.

Jesus não cansou de repetir aos discípulos, "Se têm ouvidos, ouçam; se têm olhos, vejam". Ele não estava falando com gente cega ou surda, estava falando com pessoas como você. Mas por que ele insistia tanto? Simplesmente porque escutar não é ouvir e enxergar não é ver de verdade. Você pode ver uma coisa e entender outra coisa. A sua mente imediatamente a distorce. A sua mente está de ponta-cabeça, ela vê tudo ao contrário. Vive na confusão e enxerga as coisas através dessa confusão, por isso o mundo todo parece confuso.

O velho Nugent adorava o seu gato de estimação, Tommy; tanto que tentou ensiná-lo a falar.

"Se eu conseguir ensinar o Tommy a falar", ele pensou, "não precisarei mais conviver com seres humanos comuns."

Primeiro ele tentou uma dieta de salmão enlatado, depois outra composta só de canários. Tommy gostou das duas, mas não aprendeu a falar. Então, um dia, Nugent serviu a Tommy dois papagaios extremamente falantes, cozidos na manteiga e acompanhados de aspargo e batata frita. Tommy lambeu o prato e então — maravilha das maravilhas — voltou-se para o dono e gritou, "Cuidado!"

Nugent não saiu do lugar. O teto desabou e ele ficou soterrado em baixo de um monte de entulho. Tommy balançou a cabeça, consternado, e disse, "Ele passa oito anos tentando me fazer falar e, quando consegue, o palerma não me dá ouvidos!"

As pessoas viajam milhares de quilômetros para ouvir um mestre e quando chegam... "o palerma não me dá ouvidos". A mente não consegue ouvir, isso é impossível para ela; ela não está num estado de receptividade. A mente é agressiva, ela tira conclusões rápido demais, tão rápido que acaba não percebendo o mais importante. Na verdade, ela já chegou a uma conclusão, só está esperando para ver se essa conclusão provou ser a certa.

Por favor, não tente entender; em vez disso, tente meditar. Dance, cante, medite, deixe que a mente se assente um pouco. Deixe que o riacho da mente, cheio de lama e folhas mortas, assente um pouco. Deixe que ele fique límpido e transparente, de uma pureza cristalina; só então você conseguirá entender o que estou dizendo. Aí tudo fica muito simples. Eu não estou falando sobre nenhuma filosofia complicada — não se trata de nenhuma filosofia; estou simplesmente apontando certas verdades que vivenciei e você pode vivenciar no momento em que se decidir. Mas é preciso que seja uma jornada.

E requer a sua totalidade. A meditação não é feita com o corpo, com a mente ou com a alma. Meditação significa simplesmente o seu corpo, a sua mente e a sua alma, tudo funcionando numa grande harmonia, numa inteireza, funcionando de modo tão belo... eles formam uma melodia e são uma coisa só. Todo o seu ser — corpo, mente, alma — está envolvido na meditação.

É por isso que me empenho para iniciar toda meditação com o corpo. Essa é uma novidade. Antigamente, as pessoas tentavam iniciar a meditação diretamente no seu âmago mais profundo. Esse é um processo mais difícil. Você não sabe nada sobre o seu centro interior; como pode começar a sua jornada num lugar onde jamais esteve? Só pode começar a sua jornada de onde já esteve. Você está no corpo; portanto, a minha ênfase está em dançar, cantar, respirar, de modo que você possa começar do corpo. Quando o corpo começa a ficar meditativo... E não fique intrigado ao me ver usar a palavra "meditativo" para designar o corpo. Isso mesmo, o corpo se torna meditativo. Quando ele está em meio a uma dança profunda, quando está funcionando perfeitamente, sem estar dividido, como um todo, ele tem uma qualidade meditativa — uma certa graça, uma beleza.

Então você se volta para dentro, começa a observar a sua mente. E a mente começa a serenar. E, quando a mente também começa a serenar, ela e o corpo se tornam um e ela se volta para o centro — faz um giro de 180 graus — e uma grande paz desce sobre você. Ela pulsará da sua alma para o corpo, do corpo para a alma. Nessa pulsação, você será um.

Por isso não pergunte em que parte do corpo ocorre o entendimento. Ele ocorre na sua totalidade. E só quando a sua totalidade está atuante ocorre o entendimento. O seu corpo sabe, a sua mente sabe, a sua alma sabe. Então você começa a viver em uníssono, numa unidade.

De outro modo, o corpo diz uma coisa, a mente diz outra e a alma faz do seu próprio jeito, e você está sempre seguindo em direções diferentes ao mesmo tempo. O seu corpo está com fome, a sua mente está cheia de luxúria e você está tentando ficar meditativo!

É por isso que eu não sou a favor de jejum, a menos que seja com fins medicinais, como uma dieta para reduzir o peso ou talvez de vez em quando para purificação, de modo que o estômago possa ter um dia de descanso e todo o sistema digestivo possa tirar uma folga de vez em quando. Do contrário, ele tem de trabalhar o tempo todo — é muito cansativo.

Agora os cientistas dizem que até as máquinas sentem cansaço. Eles chamam isso de fadiga dos metais, assim como a fadiga mental. Até os metais precisam descansar, e o seu estômago não é feito de metal, lembre-se. Ele é feito de um material muito frágil. Trabalha a vida inteira, portanto é bom que ele tire uma folga de vez em quando. Até Deus teve um dia de descanso — depois de seis dias de trabalho, ele descansou por um dia. Até Deus fica cansado.

Portanto, às vezes, só para ser bondoso com o seu pobre estômago, que trabalha continuamente, faça um jejum. Mas eu não estou sugerindo que o jejum vá ajudar na meditação. Quando está com fome, o seu corpo quer que você vá até a geladeira.

Eu sou contra reprimir a sexualidade porque, se você reprime o sexo, sempre que tentar se sentar em silêncio a sua mente começará a fantasiar sobre sexo. Enquanto você está ocupado com outras coisas, a mente continua fantasiando, como uma subcorrente, mas quando não está fazendo nada isso vem à tona. A mente começa a reclamar a sua atenção, cria lindas fantasias nas quais você está cercado de homens e mulheres sedutores. Como você vai meditar?

Na verdade, as antigas tradições criaram todos os tipos de barreiras para a meditação, e então elas dizem, "A meditação é muito difícil". A meditação não é difícil; ela é um processo simples, natural. Mas, se criam obstáculos desnecessários, você a transforma numa corrida de obstáculos. Você cria barreiras, coloca pedras no caminho... pendura pedras no pescoço ou se acorrenta, se aprisiona, se tranca por dentro e joga a chave fora. Depois disso, é claro que a meditação fica cada vez mais difícil, cada vez menos possível.

Eu me empenho para fazer da meditação um fenômeno natural. Dê ao corpo o que ele precisa e dê à mente o que ela precisa. Depois disso você ficará surpreso, eles ficam extremamente amigáveis. Quando você diz ao corpo, "Agora, durante uma hora, deixe-me sentar em silêncio", ele diz, "Tudo bem. Você já fez tanto por mim, está sendo tão respeitoso, que eu posso fazer o que me pede". E quando você diz à mente, "Por gentileza, deixe-me ficar em silêncio por alguns minutos, deixe-me descansar um pouco", a mente compreenderá você. Se você não a estiver reprimindo — se você honrar a mente, respeitá-la, se não condená-la —, ela também ficará em silêncio.

Estou dizendo isso por experiência própria. Respeite o corpo, respeite a mente e eles respeitarão você. Faça amizade com eles. Eles são seus; não crie antagonismos. Todas as antigas tradições o ensinam a antagonizar a mente e o corpo; elas criam inimizade e essa inimizade impede a meditação. A mente passa a importuná-lo mais ainda quando você está meditando. O corpo fica inquieto — mais ainda no momento da meditação. Ele se vingará, não deixará você se sentar em silêncio. Não parará de criar problemas para você.

Se você já tentou se sentar em silêncio durante alguns minutos, sabe do que eu estou falando. Coisas imaginárias começam a acontecer. Você acha que há uma formiga subindo pela sua perna e, quando olha, não há formiga nenhuma. Estranho! Quando estava sentando ali, de olhos fechados, teve a nítida impressão de que havia uma formiga ali, andando, rastejando, subindo, e, quando abriu os olhos, não havia formiga nenhuma, nada. Era só o corpo pregando uma peça em você. Você vive pregando peças no corpo, você o engana de tantas maneiras, agora ele está enganando você. Quando o corpo quer dormir você o obriga a ficar sentado na poltrona de um cinema — o corpo diz, "Tudo bem. Quando eu tiver uma oportunidade, cuido disso!" Então, quando você se senta para meditar, o corpo começa a criar problemas para você. De repente você começa a sentir coceira nas costas... e fica surpreso, porque isso não costuma acontecer normalmente.

Uma mulher me trouxe uma mão de plástico para coçar as costas, que funciona à bateria. Perguntei a ela, "Por que você me trouxe isto?"

Ela disse, "Deve acontecer com você na meditação... Sempre que eu me sento para meditar, o único problema é que as minhas costas começam a coçar. Sinto tanta coceira que tenho de me coçar e não consigo alcançar. Por isso comprei essa mão mecânica. É muito útil! Basta ligá-la e ela alcança qualquer lugar".

Eu disse, "Eu nunca me sento em meditação. Não preciso me sentar porque, seja o que for que eu esteja fazendo, estou em meditação. Se as minhas costas coçam, eu as coço meditativamente".

Simplesmente cuide do corpo e ele retribuirá mil vezes mais. Cuide da mente e ela será prestativa. Faça amizade com o corpo e com a mente, e a meditação será fácil. Em vez de tentar entender, porque o entendimento não é possível antes da meditação, só o entendimento equivocado.

Não existem muitos obstáculos ao entendimento, só alguns poucos. Um deles é a mente reprimida, porque, seja o que for que tenha sido reprimido, sempre que você se sentar em silêncio para meditar, essa idéia reprimida, a energia reprimida, será a primeira a fluir para você e para a sua mente. Se for sexo, a meditação ficará de lado e começará uma sessão de pornografia.

Portanto, a primeira coisa é: acabe com as repressões — o que é muito simples, porque elas não são naturais, foram ensinadas a você — que sexo é pecado. Ele não é. É natural e, se sexo fosse pecado, então eu não sei o que pode ser virtude.

Na verdade, ir contra a natureza é pecado. Basta você entender simplesmente que, seja lá o que você for, a natureza o fez assim. Você tem de se aceitar totalmente. Essa aceitação removerá o obstáculo que a repressão pode criar.

A segunda coisa que cria impedimento são as idéias que você registrou na mente sobre Deus. No momento em que você usa a palavra "meditação", imediatamente um cristão pergunta, "Sobre o quê?" e um hindu pergunta "Sobre o quê?" Você acha que a meditação precisa de um objeto, porque todas essas religiões só têm ensinado tolices. Meditação significa simplesmente que não há objetos na mente e você está apenas com a sua consciência, um espelho refletindo nada. Por isso, se é hindu, você deve carregar no inconsciente alguma idéia de Deus, Krishna, Rama ou outra idéia qualquer, e no momento em que fecha os olhos, "meditação" significa meditar *sobre* algo. Na mesma hora você começa a meditar sobre Krishna ou sobre Cristo e esquece o mais importante. Esses Krishnas e Cristos são obstáculos.

Por isso você tem de se lembrar de que meditação não é focar a mente em alguma coisa, é esvaziar a mente de alguma coisa — dos seus deuses inclusive

— e atingir um estado em que você pode dizer que as suas duas mãos estão cheias de coisa nenhuma. O surgimento dessa "coisa nenhuma" é a experiência mais elevada da vida.

A terceira coisa que pode ser um obstáculo é pensar na meditação como se ela fosse algo que você tem de fazer pela manhã durante vinte minutos, ou meia hora à tarde ou à noite — só por um breve período, e no resto do tempo você volta a ser do jeito que é. Isso é o que todas as religiões estão fazendo. Uma hora na igreja, uma hora de oração, uma hora de meditação é suficiente.

Mas com uma hora de meditação e 23 horas de não-meditação você não consegue atingir uma consciência meditativa. O que você ganha em uma hora em 23 horas se perde e você tem de começar outra vez da etapa zero. Todo dia você meditará e continuará sendo o mesmo.

Por isso, para mim, a meditação tem de ser mais como respirar. Não que você não possa se sentar durante uma hora, não sou contra isso. O que estou dizendo é que a meditação deve ser algo que acompanha você durante todo o dia, como uma sombra, uma paz, um silêncio, um relaxamento. Enquanto trabalha, você está totalmente mergulhado no trabalho — de modo tão absoluto que não resta mais nenhuma energia para a mente criar pensamentos. E você se surpreenderá ao perceber que o seu trabalho, seja ele o que for, cavar a terra ou carregar água de um poço, qualquer coisa, se tornou uma meditação.

Lentamente, cada ato da sua vida se torna um ato de meditação. Aí existe a possibilidade de atingir a iluminação. Então você pode se sentar também, porque esse também é um ato, mas você não estará identificado especificamente com o ato de se sentar para meditar; esse ato de se sentar também já fará parte da sua vida. Enquanto caminha você medita, enquanto trabalha você medita, às vezes sentado em silêncio você medita, às vezes deitado na cama você medita — a meditação se torna uma companhia constante.

E essa meditação que pode se tornar uma companhia constante é uma coisa muito simples, que eu chamo de testemunhar.

O que quer que aconteça, continue simplesmente testemunhando. Testemunhe enquanto anda, testemunhe enquanto está sentado; testemunhe você mesmo comendo, e você ficará surpreso ao constatar que, quanto mais testemunha as coisas, melhor ficam as coisas que você faz, porque você não estará tenso; a qualidade do que você faz muda.

Você também notará que, à medida que vai se tornando cada vez mais meditativo, os seus gestos vão ficando mais suaves, não-violentos, cheios de graça. E não só você notará isso, mas os outros também. Mesmo aqueles que não têm nada a ver com meditação, que nunca ouviram falar em meditação, verão que algo mudou. O jeito como você anda, como fala, há uma certa graça e um certo silêncio à sua volta e uma certa paz. As pessoas vão querer ser como você, porque você se tornará uma pessoa nutritiva.

Você deve saber que existem pessoas na sua vida que são evitadas porque você se sente sugado quando está com elas, como se elas estivessem roubando a sua energia e o deixando esgotado. E, depois que elas vão embora, você se sente fraco, sugado.

Acontece exatamente o contrário com a pessoa que medita. Quando está com ela, você se sente revitalizado. Você gostaria de encontrá-la de vez em quando, só para ficar ao lado dela. Não só você começa a sentir mudanças, os outros também começarão a sentir. Tudo isso é para que uma simples palavra seja lembrada: testemunhar.

Sobre OSHO

Osho desafia categorizações. Suas milhares de palestras abrangem desde a busca individual por significado até os problemas sociais e políticos mais urgentes que a sociedade enfrenta hoje. Seus livros não são escritos, mas transcrições de gravações em áudio e vídeo de palestras proferidas de improviso a plateias de várias partes do mundo. Em suas próprias palavras, "Lembrem-se: nada do que eu digo é só para você... Falo também para as gerações futuras".

Osho foi descrito pelo *Sunday Times*, de Londres, como um dos "mil criadores do século XX", e pelo autor americano Tom Robbins como "o homem mais perigoso desde Jesus Cristo". O *jornal Sunday Mid-Day*, da Índia, elegeu Osho — ao lado de Buda, Gandhi e o primeiro-ministro Nehru — como uma das dez pessoas que mudaram o destino da Índia.

Sobre sua própria obra, Osho afirmou que está ajudando a criar as condições para o nascimento de um novo tipo de ser humano. Muitas vezes, ele caracterizou esse novo ser humano como "Zorba, o Buda" - capaz tanto de desfrutar os prazeres da terra, como Zorba, o Grego, como de desfrutar a silenciosa serenidade, como Gautama, o Buda.

Como um fio de ligação percorrendo todos os aspectos das palestras e meditações de Osho, há uma visão que engloba tanto a sabedoria perene de todas as eras passadas quanto o enorme potencial da ciência e da tecnologia de hoje (e de amanhã).

Osho é conhecido pela sua revolucionária contribuição à ciência da transformação interior, com uma abordagem de meditação que leva em conta o ritmo acelerado da vida contemporânea. Suas singulares meditações ativas OSHO têm por objetivo, antes de tudo, aliviar as tensões acumuladas no corpo e na mente, o que facilita a experiência da serenidade e do relaxamento, livre de pensamentos, na vida diária.

Dois trabalhos autobiográficos do autor estão disponíveis:

Autobiografia de um Místico Espiritualmente Incorreto, publicado por esta mesma Editora.

Glimpses of a Golden Childhood (Vislumbres de uma Infância Dourada).

OSHO International Meditation Resort

Localização

Localizado a cerca de 160 quilômetros a sudeste de Mumbai, na florescente e moderna cidade de Puna, Índia, o OSHO International Meditation Resort é um destino de férias diferente. Estende-se por 28 acres de jardins espetaculares numa bela área residencial cercada de árvores.

OSHO **Meditações**

Uma agenda completa de meditações diárias para todo tipo de pessoa, segundo métodos tanto tradicionais quanto revolucionários, particularmente as Meditações Ativas OSHO®. As meditações acontecem no Auditório OSHO, sem dúvida o maior espaço de meditação do mundo.

OSHO **Multiversity**

Sessões individuais, cursos e *workshops* que abrangem desde artes criativas até tratamentos holísticos de saúde, transformação pessoal, relacionamentos e mudança de vida, meditação transformadora do cotidiano e do trabalho, ciências esotéricas e abordagem "Zen" aos esportes e à recreação. O segredo do sucesso da OSHO Multiversity reside no fato de que todos os seus programas se combinam com a meditação, amparando o conceito de que nós, como seres humanos, somos muito mais que a soma de nossas partes.

OSHO **Basho Spa**

O luxuoso Basho Spa oferece, para o lazer, piscina ao ar livre rodeada de árvores e plantas tropicais. Jacuzzi elegante e espaçosa, saunas, academia, quadras de tênis... tudo isso enriquecido por uma paisagem maravilhosa.

Cozinha

Vários restaurantes com deliciosos pratos ocidentais, asiáticos e indianos (vegetarianos) — a maioria com itens orgânicos produzidos especialmente para o Resort OSHO de Meditação. Pães e bolos são assados na própria padaria do centro.

Vida noturna

Há inúmeros eventos à escolha – com a dança no topo da lista! Outras atividades: meditação ao luar, sob as estrelas, shows variados, música ao vivo e meditações para a vida diária. Você pode também frequentar o Plaza Café ou gozar a tranquilidade da noite passeando pelos jardins desse ambiente de contos de fadas.

Lojas

Você pode adquirir seus produtos de primeira necessidade e toalete na Galeria. A OSHO Multimedia Gallery vende uma ampla variedade de produtos de mídia OSHO. Há também um banco, uma agência de viagens e um Cyber Café no *campus*. Para quem gosta de compras, Puna atende a todos os gostos, desde produtos tradicionais e étnicos da Índia até redes de lojas internacionais.

Acomodações

Você pode se hospedar nos quartos elegantes da OSHO Guesthouse ou, para estadias mais longas, no próprio *campus*, escolhendo um dos pacotes do programa OSHO Living-in. Há além disso, nas imediações, inúmeros hotéis e *flats*.

http://www.osho.com/meditationresort
http://www.osho.com/guesthouse
http://www.osho.com/livingin

Para maiores informações: http://www.OSHO.com

Um *site* abrangente, disponível em vários idiomas, que disponibiliza uma revista, os livros de Osho, palestras em áudio e vídeo, OSHO biblioteca *on-line* e informações extensivas sobre o OSHO Meditação. Você também encontrará o calendário de programas da OSHO Multiversity e informações sobre o OSHO International Meditation Resort.

Websites:
http://OSHO.com/AllAboutOSHO
http://OSHO.com/Resort
http://OSHO.com/Shop
http://www.youtube.com/OSHOinternational
http://www.Twitter.com/OSHO
http://www.facebook.com/pages/OSHO.International

Para entrar em contato com a OSHO **International Foundation**:
http://www.osho.com/oshointernational
E-mail: oshointernational@oshointernational.com